El libro negro de los templarios

Laurent de Vargas

El libro negro de los templarios

Traducción de Juana Bignozzi

Licencia editorial para Bookspan por
cortesía de Ediciones Robinbook, s.l., Barcelona

Bookspan
501 Franklin Avenue
Garden City, NY 11530

Título original: *Histoire Mysterieuse des Templiers.*

© Éditions du Rocher.
© 2001, Ediciones Robinbook, s. l., Barcelona.
Diseño cubierta: Regina Richling.
Fotografía: *De Vigil*, por John L. Petit.
ISBN: 84-7927-462-X.

Impreso en U.S.A. - *Printed in U.S.A.*

A mi padre

Agradecimientos

Quiero expresar mi reconocimiento a las personas siguientes, por su amistad, su confianza y su entusiasmo durante la preparación de esta obra: Élie Hayek, Jean-Philippe Di Maggio, Marc Alloueteau, Marwan Auger, Gilles y Pascale Châtenet, Jean-Jacques y Fabienne Degryse, Marianne Dessis, Stéphane Fargette, Dany Gouadain, Georges Hayek, Marie-Françoise Jelowicki, Jeremy Kay, Dorothée Liévois, Cédric Lorrain, Marie-Élisabeth Peysson y Gilles Skowronska.

Doy las gracias especialmente a mi padre por su inquebrantable apoyo y envío un pensamiento afectuoso a mi abuela Armande.

Un inmenso agradecimiento a Christian H. Godefroy, sin el cual este libro nunca se hubiera publicado, y a Christine Houillion, por su amistosa y simpática complicidad.

Laurent de Vargas

Prefacio

Escribir una obra sobre los templarios en muchos aspectos significa una apuesta. La historia «oficial» de estos monjes soldados es bien conocida. El rey de Francia acusó de crímenes horribles a la orden del Temple: renegar de Jesús, besos obscenos, idolatría, homosexualidad. Luego, como resultado de un proceso que algunos consideran justo según las costumbres de la época pero que otros califican directamente de «proceso de Moscú», el papa Clemente V, ese hombre cobarde sometido a Felipe el Hermoso de Francia, la suprimió.

Esta historia es la que todos conocemos por haberla aprendido en los pupitres de la escuela o del instituto.

Pero esta historia, que hemos calificado de «oficial», se duplica con otra más oscura, más controvertida, pero igualmente apasionante, o incluso más. Desde el siglo XIX los misterios del Temple han suscitado una amplia literatura. ¿De verdad los templarios renegaban de Jesús? ¿Escupían sobre la cruz? ¿Se entregaban a la sodomía? ¿Sus capellanes omitían las palabras de la consagración en la misa? ¿Los hermanos adoraban al Diablo o a un ídolo en forma de cabeza barbuda? Los templarios confesaron todo esto: ¿es la prueba de que se entregaban *realmente* a estos crímenes terribles? ¿O bien la tortura, práctica común en la época, les arrancó estas confesiones innobles?

Admitir la realidad de tales hechos llevó naturalmente a buscar la razón de esta manera de actuar. En pleno siglo XII nadie se decidía a renegar del

Salvador sin un motivo serio. ¿Los templarios habían descubierto secretos sobre la vida de Jesús? ¿Habían entrado en posesión del Santo Grial? ¿Habían adoptado la religión musulmana? ¿Intentaban federar las tres religiones judía, cristiana y musulmana en una sola, la de ellos? ¿Como se ha sugerido, habían sido enviados para encontrar el arca de la alianza donde los hebreos guardaban las Tablas de la Ley, los famosos diez mandamientos grabados por la propia mano de Dios, en la piedra, en la cima del monte Sinaí?

Éstas son algunas de las hipótesis formuladas a propósito de los templarios. Veremos que existen otras. Citarlas todas superaría el marco de este prefacio.

Los historiadores del Temple se dividen en dos escuelas perfectamente enfrentadas una con otra.

La primera, generalmente integrada por muy honorables profesores universitarios, ve en este proceso una trivial cuestión religiosa. De buena o mala fe, organizando un complot para destruir el Temple o bien creyendo sinceramente en su culpabilidad, el rey de Francia y sus inquisidores habrían provocado la caída de la orden, inocente de los crímenes de los que se la acusa. Los monjes soldados habrían sido víctimas del monarca que actuó por superstición, avidez o por temor al poderío de la orden.

La segunda escuela se interesa poco por las motivaciones de Felipe el Hermoso. Según ésta el rey se habría enterado de la iniciación que recibían los monjes soldados y, de buena fe, abrió el proceso. Todos los elementos de la acusación deben tomarse al pie de la letra: lo importante no es lo que los templarios hacían, sino *por qué* lo hacían. Esta posición los lleva, evidentemente, a plantear todo tipo de hipótesis, desde las más plausibles a las más fantasiosas. Ya hemos citado algunas.

Y este carácter a veces muy fantasioso es el que ha llevado a menudo a los partidarios de la primera escuela a rechazar en bloque cualquier idea de iniciación y de ritos secretos. Por nuestra parte, hemos adoptado una posición intermedia. Aunque en las confesiones no todo es verdad, a veces están hechas bajo tortura, de las informaciones que se descubren en las mismas puede desprenderse un fondo de verdad.

Por lo tanto, hemos intentado comprender qué era de verdad la orden del Temple, descubrir si detrás de la realidad aparente se disimulaba otra realidad, oscura, secreta, poco confesable en la época, que habría sido la causa real y determinante de la caída de esta orden de caballería que se había cubierto de gloria en las cruzadas y prestado tantos servicios a Dios, la Iglesia, los reyes cristianos y, en especial, al rey de Francia.

No olvidemos que la primera tesis, que trata de un eventual secreto del Temple, se encuentra nada menos que en las actas del proceso, del siglo XIV, realizadas por la cancillería real y la curia pontificia. Borrar de un plumazo la acusación de idolatría o la negación de Jesús como si fueran imposibles, sería simplemente rechazar, por falsos, esos documentos oficiales.

Nuestro objetivo, al empezar a escribir esta obra, era presentar la historia de los templarios lo más objetiva posible. Sin tratar de probar su inocencia o su culpabilidad, sin intentar establecer si eran herejes o, por el contrario, perfectos ortodoxos, sin desechar ninguna hipótesis, o sea, sin *a priori*, en principio siempre perjudiciales para descubrir la verdad, nos hemos basado en las mejores fuentes para intentar comprender su nacimiento, existencia, caída y, tal vez, su supervivencia. Nos hemos esforzado por corregir algunos errores, sobre todo fechas, cometidos por ciertos historiadores del siglo XIX y que de buena fe han repercutido hasta ahora.

También era nuestro propósito presentar al lector una obra de lectura agradable, sin prolongaciones inútiles, que pudiera cautivarlo de la primera a la última página, y, por supuesto, hacerle comprender mejor la compleja historia de estos monjes soldados.

La historia de los templarios es rica en combates ganados y luchas perdidas, en fidelidad y traición, en nobles designios y bajeza humana, en tesoros perdidos y secretos por descubrir. Esta historia fértil en repercusiones es la que el lector se apresta a revivir.

Primera parte
La misión del Temple

Los misteriosos orígenes de la orden

La fundación de la orden del Temple pasó casi desapercibida para sus contemporáneos. Guillermo de Tyr, al que en general se considera el primer historiador de los templarios, nació más de diez años después de esta creación y escribió su relato en los años 1160-1170, o sea cuando habían pasado unos cincuenta años. Los cronistas de la época como Guillermo de Nangis narran el acontecimiento con la concisión que merece.

Cuando se fundó, la orden de los Pobres Caballeros de Cristo del Templo de Salomón se componía sólo de nueve caballeros decididos a vivir según la regla benedictina y en la pobreza. Esos hombres eran tan oscuros que, a pesar de la evolución extraordinaria de la organización, la historia sólo ha retenido el nombre de dos: Hugo de Payns, el primer gran maestre, y su compañero Godofredo de Saint-Omer. Volveremos a hablar más adelante del maestre Hugo.

El Temple nació de la cruzada, que nació de la voluntad de la Iglesia de disciplinar a los turbulentos caballeros. Al final del siglo XI la Iglesia intentó poner orden en las costumbres. Logró imponer, al menos al principio, la tregua de Dios, que prohibía a los cristianos luchar ciertos días de la semana. Urbano II, como continuó con las reformas emprendidas por Gregorio, quiso poner fin a la simonía, que era práctica común entre el clero.

El siglo XI no fue un siglo muy calmo. El sistema feudal ya estaba bien implantado, sobre todo en Francia. La mayoría de las personas vivían en el campo bajo la autoridad de un señor que las protegía. Las ciudades todavía no habían empezado su desarrollo. El rey Felipe I de Francia era un señor apenas más importante que otro. Como rey-señor feudal sus poderes eran limitados: sólo tenía autoridad sobre las personas que la aceptaban, sus vasallos directos. Nada tenía de rey-soberano, de monarca al que todos obedecen.

De hecho, en ese mundo rural, el enemigo era el vecino, o más exactamente el señor vecino. Las guerras privadas hacían estragos. Los señores no dudaban en defender sus intereses o ampliar sus dominios utilizando la fuerza contra quienes les estorbaban. La caballería creada, una vez más, por iniciativa de la Iglesia, atemperaba de manera útil y verdadera esos comportamientos, pero los principios dejaban paso con rapidez a los intereses y los bajos instintos.

Ante dicha situación, el papa Urbano II, en 1095, en Clermont, ofreció a los caballeros una manera de redimir sus delitos y ganar la salvación: en vez de bandidos podían convertirse en caballeros de Cristo. ¡Que liberaran Jerusalén del infiel!

Urbano II predicó la primera cruzada

Se había lanzado la idea de la cruzada. Y si la motivación del papa Urbano II parecía esencialmente religiosa la situación en Oriente la justificaba también en el aspecto militar: el basileos de Bizancio pidió ayuda porque los musulmanes estaban a las puertas del Imperio romano de Oriente.

Desde comienzos del siglo VIII, la Cristiandad había perdido, en beneficio del islam, el norte de África, el sur de España, Palestina y Siria. La situación se estabilizó debido sobre todo a las disensiones internas del mundo árabe y a las disputas entre chiitas y sunitas.

Luego llegaron los turcos. Apenas convertidos al islam, esos pueblos surgidos de Asia central tomaron el control de Irán e Irak y respetaron muy estrictamente los principios de su nueva religión. En esa época el islam pasó por un período de decadencia. Reinaba la corrupción. El califa de Bagdad, sunita, por lo tanto sostenedor oficial de la ortodoxia musulmana, estaba sometido a príncipes chiitas considerados herejes.

Para los turcos esta situación era escandalosa. Quisieron volver a poner orden en el mundo musulmán. En su lucha contra el califa de Egipto, que controlaba Asia Menor, se enfrentaron con los cristianos. A partir de 1071 conquistaron varias ciudades cristianas, y capturaron al emperador bizantino Romano IV Diógenes en la batalla de Manzikert.

Pronto los bizantinos perdieron por completo Asia Menor y sus posesiones situadas al oeste del Bósforo se vieron amenazadas. En esas condiciones es comprensible que lanzaran este pedido al Papa, y también el empeño del soberano pontífice por enviar a los caballeros turbulentos a liberar los Santos Lugares.

El Papa, por lo tanto, predicó la cruzada como un peregrinaje santo que todo cristiano debía cumplir. Que los hombres válidos fueran a liberar los Santos Lugares... que los caballeros cesaran sus guerras injustas y más bien se entregaran a esta guerra justa... que los que eran demasiado viejos o demasiado débiles participaran con dinero...

Y mientras los caballeros tomaban la cruz, los campesinos tomaban algunos harapos y dejaban los campos para ir a liberar Tierra Santa.

El éxito superó las más enloquecidas esperanzas del pontífice. Después de todo, al comienzo, sólo se trataba de reunir a algunos miles de hombres para ayudar a los cristianos de Oriente.

Cuando llegaron a Constantinopla, el emperador tuvo miedo ante esa marea humana poco disciplinada y los envió a Asia Menor en el mejor orden posible. Sorprendidos por esta invasión heterogénea, los turcos desprevenidos perdieron sucesivamente varias batallas. Antioquía cayó en 1098 y Jerusalén el 13 de julio de 1099.

Una Tierra Santa vacía de hombres y sin defensa

Para muchos de esos hombres y mujeres la cruzada era un simple peregrinaje: tras rezar en la tumba de Cristo, volvían a Occidente. Pero Tierra Santa necesitaba hombres y combatientes permanentes. Los turcos reaccionarían.

Por supuesto que señores de Francia y otros lugares, en especial segundones, se instalaron definitivamente en Jerusalén y crearon principados. Pero entre los cristianos fueron numerosas las disputas internas y las rivalidades.

En los años que siguieron a la conquista, nuevos peregrinos tomaron el relevo de los que volvían a su país. Pero esto se produjo con dificultad. La gente de la época se desplazaba con gran parte de sus bienes, sobre todo dinero en metálico, y esos convoyes constituyeron una presa extremadamente interesante para los bandidos de todo tipo.

Para actuar como policía y ofrecer seguridad a los peregrinos y a los habitantes de los territorios reconquistados, se necesitaban hombres disciplinados y aguerridos. El reino de Jerusalén necesitaba una milicia de Cristo para cumplir esta misión.

Ya existía una institución caritativa que asistía a los peregrinos, curaba a los enfermos y, llegado el caso, vigilaba los caminos. Pero los caballeros de la orden del Hospital de San Juan de Jerusalén se ocupaban sobre todo de los enfermos y los necesitados. La vigilancia de los caminos necesitaba una organización especial.

Los Hospitalarios además, no eran soldados sino más bien monjes que tomaban las armas cuando de verdad era necesario. Lo que el reino de Jerusalén necesitaba eran soldados que además tuvieran la virtud y la devoción de los monjes; ésta fue la misión que debían cumplir los templarios.

Nueve pobres caballeros vigilaban los caminos...

La orden del Temple entró discretamente en la historia. Hugo de Payns y ocho caballeros decidieron tomar el hábito eclesiástico y pronunciar los tres votos: obediencia, pobreza y castidad. Recibieron del rey Balduino un ala de su palacio situado en el emplazamiento del antiguo templo de Salomón. Como todavía no eran la milicia de Cristo, pasarían a la posteridad como caballeros del Templo de Salomón.

Sus comienzos fueron, pues, modestos. Es imprecisa la fecha de creación de la orden: a menudo se dice que fue en 1120 pero también es probable que fuera en 1118 o 1119.

Hugo de Payns, su fundador y primer gran maestre, era de la familia del conde de Champaña. Tal vez participó en la toma de Jerusalén, pero no se sabe con seguridad. Sus lazos con el conde eran estrechos: lo acompañó a Tierra Santa en su primera peregrinación y su nombre aparece como testigo de ciertos actos del conde. Es muy probable que perteneciera a una rama menor de la casa de Champaña, y era un señor de cierta importancia.

Su iniciativa suscitó el interés del rey de Jerusalén que era muy consciente no sólo de los peligros que corrían los peregrinos, sino también de los que amenazaban a los habitantes del reino. La población cristiana era poco numerosa: Balduino I dijo un día que «los cristianos son tan pocos que apenas pueden llenar una de las calles principales». Por lo tanto era conveniente prepararse para una ofensiva musulmana por su deseo de recuperar los territorios perdidos.

Poco a poco aumentó la importancia de los templarios. Al no estar sometidos a nadie salvo a la Iglesia, constituyeron un cuerpo de elite al servicio del rey de Jerusalén, y eran más eficaces y menos interesados que los otros señores cristianos de Palestina y Siria, que soñaban con independizarse de su señor. Los templarios recibieron donativos y privilegios.

En 1126, el conde de Champaña y cierto número de sus hombres adoptaron el hábito de la orden. 1128 fue un año bisagra en la historia del Temple: el gran maestre Hugo de Payns fue a Occidente a reclutar nuevos miembros. En el concilio de Troyes el papa Honorio II reconoció a la orden y ésta recibió su regla.

¿Regla primitiva... Regla latina... Regla francesa... Regla secreta?

Conocemos varias versiones de la regla de los templarios, sin contar las múltiples versiones de la supuesta «regla secreta» de la que hablaremos más adelante.

La *Regla primitiva*, la de 1128, escrita por san Bernardo o según sus directivas, sufrió varias modificaciones. En 1130, Esteban de Chartres, patriarca de Jerusalén, redactó una versión modificada llamada *Regla latina*. Hacia 1140, apareció una versión francesa conocida con el nombre de *Regla francesa*.

Luego, hacia 1165, cuando el Temple tenía unos cincuenta años de existencia, se codificaron los usos: los *Retratos*. Hacia 1230-1240, apareció otro texto que reglamentaba sobre todo las ceremonias: los *Estatutos conventuales*.

Y hacia 1257-1267 se reunieron en una recopilación de jurisprudencia las infracciones castigables y las sanciones que se aplicaban por lo común: los *Égards*.

También existe una regla redactada en catalán hacia finales del siglo XIII, algo nada sorprendente si se tiene en cuenta el papel que desempeñó la orden en la Reconquista.

La regla clasificaba a los templarios en varias categorías: se reclutaba a los caballeros en el seno de la nobleza, eran los combatientes de elite de la orden y los únicos que llevaban capa blanca con una cruz roja.

Inferiores jerárquicamente, los sargentos y escuderos provenían en general del pueblo, de los campos o de los burgos. Combatían, pero su función era asistir a los caballeros: llevaban un sayal. El Temple también reclutaba sacerdotes, llamados capellanes: celebraban los oficios religiosos.

El Temple aceptaba que otros caballeros, escuderos y sargentos combatieran en sus filas sin pronunciar los votos de obediencia, pobreza y castidad. Estos hombres podían dejar la orden al terminar su servicio, cuya duración se determinaba al entrar.

Además, la orden empleaba una importante mano de obra. Todas las personas que necesitaba para su buen funcionamiento —caballeros «a plazo», artesanos, servidores, criados, etc.— no tenían calidad de templarios. Podían estar casados; no tenían derecho a vivir bajo el mismo techo que los hermanos y nunca llevaban la capa con la cruz roja.

Cualquiera que fuera su lugar en la jerarquía, todos dependían de la autoridad del maestre, llamado comúnmente *gran maestre*. Era elegido, estaba asistido por un consejo y los hermanos le debían obediencia. Un templario nada podía hacer sin su permiso: ir a la ciudad, ejercer una función, bañarse, tomar remedios, salir a caballo... En su ausencia la autorización la daba el comendador.

Al igual que un jefe de estado mayor moderno, el gran maestre era la fuente de todo poder y toda acción. No se iniciaba un combate sin su orden: una disposición que supo usar en su momento Felipe el Hermoso...

«Que nadie ose besar mujer, doncella, madre, hermana, ni a ninguna otra mujer»

La disciplina era muy estricta: nadie se levantaba durante la comida, excepto en caso de sangrar por la nariz o de alerta. El trato con las mujeres se consideraba una peligrosa tentación, que convenía evitar.

El Temple tenía tres provincias en Oriente: Jerusalén, Trípoli y Antioquía; y ocho en Occidente: Francia, Poitou, Provenza, Inglaterra, Aragón, Portugal, Pouilles y Hungría. El gran maestre tenía su residencia regular en

Jerusalén. Más tarde, después de la pérdida de la Ciudad Santa, la tendría sucesivamente en Acre, Chipre y París.

Las provincias de Trípoli y Antioquía estaban bajo la autoridad de dos comendadores. En Occidente, las provincias obedecían a preceptores, también llamados maestres o comendadores. El senescal era el «brazo derecho» del gran maestre; lo reemplazaba en caso de que estuviera impedido. Al mariscal le incumbían funciones más especialmente militares: tenía a su cargo el material de combate. El pañero era una especie de intendente que velaba por la ropa de los hermanos, su limpieza, y que llevaran siempre el pelo corto.

La regla precisaba las prerrogativas de cada uno. Así, el gran maestre estaba asistido por dos caballeros, un capellán, un clérigo, un sargento, un criado, un intérprete, un herrero, un turcople, un cocinero y dos mozos. También disponía de cuatro caballos, entre éstos uno turcomano, que sólo montaba en el combate. Los caballeros del Temple llevaban, como signo de castidad, una capa blanca con una cruz roja.

En general los hermanos se desplazaban de dos en dos. La tradición cuenta que en el origen, tanto por pobreza como por humildad, montaban el mismo caballo: el sello de la orden representa a dos templarios en esta situación.

Los caballeros, que sólo eran nueve hasta 1128, vigilaban los caminos; en especial el que llevaba de Jaffa a Jerusalén, constantemente atacado por los turcos. Su misión era simple: proteger a los peregrinos y permitirles llegar a buen puerto; pero rápidamente evolucionaron.

En 1138, los templarios participaron en un acto de guerra verdadero. Inmediatamente después de la toma de Teqoa por los turcos, Roberto de Craon, un caballero que sucedía enseguida a Hugo de Payns, recuperó la ciudad con algunos caballeros.

Por desgracia la perdió poco después debido al error de no perseguir al enemigo. Éste se reagrupó, volvió a la carga e hizo una espantosa carnicería.

Comenzó entonces lo que se llamó luego la gloriosa epopeya del Temple, período durante el cual la orden probó activamente su utilidad y su valor.

La gloriosa epopeya del Temple

El día de la Epifanía de 1148, durante la segunda cruzada, los templarios salvaron una situación muy comprometida provocada por la imprudencia de la vanguardia de Luis VII. Desoyendo las consignas de prudencia, ésta se había aventurado por peligrosos desfiladeros donde fue víctima de una emboscada turca. Los templarios, con quienes se encontraba el rey de Francia, impidieron que el grueso del ejército, que transportaba un pesado equipo, fuera masacrado.

Luego, por voluntad del mismo rey Luis, se pusieron al frente de los cruzados, a los que evitaría muchos sinsabores.

A través de los años se vió cada vez más implicada en la política de los pequeños principados de Palestina y Siria. Quedó establecida la costumbre de elegir como grandes maestres a caballeros que hubieran tenido altas funciones en el seno del reino de Jerusalén.

Esta práctica tenía un fin loable: favorecer los lazos de la orden con los principados que tenía la misión de proteger. Llevaba, sin embargo, a confiar el más alto cargo de la orden a hombres en el otoño de la vida, que habían llevado una existencia consagrada a la realización de sus ambiciones, al ejercicio del poder y que, al quedar viudos, vestían el hábito de los monjes soldados para salvarse a la vez que cumplían su última ambición.

Esta costumbre se demostró perversa: llevó, en efecto, al frente del Temple, a hombres cuya motivación no siempre era compatible con la misión de la orden.

El caso de Ascalón, en 1153, ofrece un ejemplo pertinente de esta costumbre viciosa. Esta ciudad, situada al borde del mar, resistía desde hacía cincuenta años y los turcos habían hecho de ella la base de sus incursiones contra los peregrinos. Balduino III, rey de Jerusalén, decidió terminar con esta plaza que desafiaba su autoridad y la sitió. Evidentemente los templarios participaron.

Pero, empujados por la avidez de su gran maestre, Bernardo de Tremelay, intentaron apoderarse de Ascalon ellos solos. Fue un fracaso: los cuarenta templarios que habían logrado entrar fueron masacrados, incluido el mismo Tremelay.

La pérdida de Jerusalén: ¿error militar o traición del gran maestre?

Un cuarto de siglo más tarde, en 1187, otra vez la ambición y el odio de un gran maestre del Temple, Gerardo de Ridefort, llamado por Alain Demurger «el genio «el genio malo del Temple», llevaron al desastre de Huttin y a la pérdida de Jerusalén.

En 1183, después de muchas intrigas y asesinatos, el famoso Saladino logró la unificación de las diferentes potencias musulmanas, consiguiendo así rodear los principados cristianos.

Frente a él se encontraba un reino de Jerusalén presa de disturbios dinásticos graves: Balduino IV el Leproso había muerto a los diecisiete años sin heredero. Su cuñado, Guy de Lusignan, un príncipe mediocre, y el regente nombrado por el difunto rey, Raymond de Trípoli, un valioso guerrero, se disputaban el trono.

Ridefort, convertido en templario después de una vida consagrada a la satisfacción de su ambición devoradora, era el enemigo jurado del conde de Trípoli. Se cuenta que éste último le había negado la mano de una de sus vasallas, que hubiera hecho la fortuna de este caballero de condición modesta. Por pura venganza, Ridefort apoyó a Lusignan, que se convirtió en rey de Jerusalén.

El odio del gran maestre contra Raymond de Trípoli no quedó satisfecho con este fracaso humillante que le había infligido.

Cuando un señor bandido, Renaud de Châtillon, atacó, a pesar de las treguas, una rica caravana egipcia, Saladino efectuó un raid sobre Acre. Un acuerdo entre cristianos y musulmanes permitía este tipo de represalias cuando se violaba la tregua: limitada a un día, esta operación no debía alcanzar a las poblaciones civiles y las ciudades. Ridefort, a pesar de los acuerdos, se puso a la cabeza de ciento cuarenta caballeros para atacar a los mamelucos del sultán. La tregua estaba definitivamente rota: era la guerra. Todos los templarios de la expedición, exceptuando el gran maestre, perecieron; y la población de Nazaret fue reducida a la esclavitud.

Poco después, Saladino, muy feliz de que los que cristianos hubieran roto una paz que a él no le convenía, sitió Tiberíades. Era en julio, en pleno verano. Para combatir se necesitaba agua: a los cristianos les interesaba esperar a que Saladino se retirase. Ése fue el parecer de Raymond de Trípoli. Ridefort, por el contrario, aconsejó el ataque al ejército del sultán, aunque fuera dos veces más numeroso y estuviese mejor entrenado.

Guy de Lusignan, sobre quien el gran maestre tenía una influencia desmesurada, aceptó este parecer. Y lo que debía suceder sucedió: los cristianos intentaron liberar la ciudad sitiada. Desgraciadamente no pudieron llegar al lugar del agua que habían elegido como base de sus operaciones. Obligados a refugiarse en la cima de Hattin, fueron cercados. Sólo Raymond de Trípoli y otros tres señores lograron escapar, el resto fue hecho prisionero o masacrado. Capturaron al rey de Jerusalén y decapitaron a los templarios y los hospitalarios.

Saladino hizo decapitar a todos los templarios prisioneros... menos al gran maestre

Nunca se supo porqué pero, extrañamente, Saladino salvó a Gerardo de Ridefort. ¿Tal vez el gran maestre había abrazado la fe islámica como algunos, aun dentro del Temple, afirmaron? ¿O bien se trataba de una estrategia del sultán para intentar desorganizar aún más lo poco que quedaba de las filas cristianas? Nos inclinamos más bien por la segunda hipótesis, característica de la gran sutileza de este príncipe.

Es seguro que la actitud posterior de Ridefort suscitó más interrogantes que la medida de clemencia con la que se benefició. Apenas lo liberaron, el gran maestre dio a las fortalezas que resistían la orden de capitular. Saladino se apoderó de todo el reino; la población de la Ciudad Santa quedó reducida a la esclavitud.

Los cristianos, a las órdenes de Guy de Lusignan, reconquistaron San Juan de Acre en 1190 durante una expedición insensata pero coronada por el éxito. Ridefort murió durante esa operación.

El Temple fue una pieza clave de la política en Tierra Santa. Lo fue de todos los combates. En el consejo del rey de Jerusalén el parecer de su gran maestre primaba en general sobre el de los señores. El temple fue el verdadero ejército de los cristianos de Palestina. El gran maestre era una especie de «comandante en jefe» oficioso de las fuerzas armadas de Tierra Santa.

El progreso de la orden benefició a todos; sus errores tuvieron consecuencias a menudo funestas. Pero una constante en la historia de los templarios en Siria, fue su presencia permanente, aun cuando sabían que tendrían que pagarla con una muerte segura.

En 1250, en la batalla de Mansourah, fueron víctimas de la temeridad de Roberto de Artois, el hermano de san Luis. El conde de Artois, a pesar las órdenes de su hermano y el consejo del gran maestre Guillermo de Sonnac, intentó, sólo con algunos compañeros y los templarios que no quisieron abandonarlo, tomar la ciudad de Mansourah en Egipto. Mataron a todos. El heroísmo del rey logró evitar el desastre para el resto del ejército, pero debió batirse en retirada y lo hicieron prisionero.

Cómo Joinville obligó al Temple a pagar el rescate del rey

En este momento se produjo el famoso episodio que cuenta Joinville. El rescate del rey era de doscientas mil libras, una suma considerable. A partir del sábado por la mañana intentaron efectuar el pago. Lo intentaron durante todo el día y también el domingo hasta la noche. El fiel senescal explicó que se pagaría

Cuando llegó la noche, los pagadores del rey enviaron un mensaje al soberano donde le explicaban que faltaban treinta mil libras. Sólo rodeaban a san Luis el rey de Sicilia, el mariscal de Francia, el maestre de los trinitarios y el senescal de Champaña: sus otros compañeros asistían al pago. Los sarracenos retenían al conde de Anjou, hermano del rey, como rehén, hasta el completo pago del rescate.

Como el gran maestre había muerto, Joinville sugirió al rey que mandara buscar al mariscal y al comendador del Temple para que le prestaran las treinta mil libras que faltaban. El rey lo aprobó y envió a su fiel senescal a tratar el asunto. Cuando le expuso el problema al comendador del Temple, el hermano Esteban d'Autricourt, éste explicó:

—Señor de Joinville, el consejo que habéis dado al rey no es bueno ni razonable. Sabéis que cuando recibimos un depósito, prestamos juramento de devolverlo sólo al que nos lo ha confiado.

La conversación se emponzoñó.

Intervino entonces el mariscal del Temple, el hermano Renaud de Vichiers:

—Señor, no prestéis atención a la disputa del señor de Joinville y de nuestro comendador. Nuestro comendador afirma justamente que no podemos ceder nuestros fondos sin ser perjuros. Pero de la advertencia que nos hace el senescal, que se apropiarán, si es necesario, de lo que nos negamos a prestar, no tengo ningún temor. Disponed de nuestros haberes tal y como os plazca: nos resarciremos con los bienes que poseéis en Acre.

Con habilidad, el mariscal ofrecía efectuar el préstamo con una condición: si el rey fingía usar la fuerza, el Temple fingiría ceder. La orden mantenía su palabra y el rey obtenía el oro necesario. Esto fue lo que sucedió...

El rey dio orden a Joinville de ir a buscar el dinero. Llegó a la galera maestra del Temple a bordo de una pequeña galera. Bajó a la bodega, donde se encontraba el tesoro, y le pidió al comendador que fuera a ver qué se llevaba. El comendador se negó. El mariscal lo acompañó y comprobó que violentaba a los templarios.

Apenas estuvo en la bodega Joinville pidió las llaves del primer cofre que vio. El tesorero, al verlo flaco, disminuido por la enfermedad y vestido como prisionero, se negó categóricamente. El senescal se apoderó entonces de un manojo que estaba en el suelo y dijo que haría de éste la «llave del rey». Al ver esto el mariscal del Temple se interpuso:

—Señor, ya que aplicáis la violencia, os entregaremos las llaves. Y dio orden al tesorero que obedeció sin discutir.

El cofre pertenecía a un tal Nicole de Choisy, sargento del rey. Joinville tomó el dinero que contenía así como el que encontró en otros cofres, hasta que tuvo la suma necesaria. De regreso a la galera real, el senescal empezó a gritar desde lejos:

—Sire, sire, mirad qué bien provisto estoy— y suscitó una gran alegría en el rey santo.

Entregaron el dinero de inmediato a los que efectuaban el pago y esa noche liberaron al conde de Anjou.

Así el Temple respetaba sus obligaciones con los clientes sin dejar al rey de Francia en el desamparo. Los templarios, ya fuera con el dinero o con las armas, favorecieron hasta el final la presencia cristiana en Tierra Santa. Este último episodio que narramos, de un heroísmo poco común, lo ilustra sin equívoco.

Quince templarios contra doscientos mamelucos

En abril de 1291, los sarracenos iniciaron el sitio de la última plaza cristiana de Tierra Santa: San Juan de Acre.

Por una vez, el rey de Chipre, también rey titular de Jerusalén, los templarios y los hospitalarios unieron sus fuerzas. Estaba en juego la defensa de la ciudad y de sus treinta y cinco mil habitantes. Las fuerzas cristianas sumaban catorce mil combatientes a pie y ochocientos jinetes. El sultán Al-Ashraf los enfrentaba con doscientos veinte mil hombres.

El 15 de mayo, Guillermo de Beaujeu, el gran maestre del Temple, intentó una salida en plena noche con sólo quince hombres: quería incendiar las máquinas de guerra de los sarracenos.

Fue un fracaso. El 18 de mayo el sultán ordenó el asalto y desencadenó la peor masacre de toda la historia de las cruzadas. Allí Beaujeu tuvo una muerte heroica. Herido de flecha en un costado, el gran maestre se alejó del campo de batalla. Creyeron que huía. Algunos cruzados de Espoleto lo detuvieron:

—¡Por amor del cielo, señor, no nos abandonéis o la ciudad está perdida!

Les contestó:

—No me voy, estoy muerto: mirad la herida.

Lo ayudaron a llegar a la casa del Temple donde entregó su alma a Dios. Al final del día se había perdido la última tierra cristiana de Palestina.

Los peregrinajes fueron entonces imposibles. El Temple, retirado a Chipre, ya no tenía caminos que defender. A lo sumo intentaría en vano volver a hacer pie en Palestina, esa tierra donde miles de sus caballeros y la mitad de sus grandes maestres habían perdido la vida combatiendo al infiel. Su fortuna y su poderío, intactos, muy pronto iban a suscitar temores y codicias.

El fabuloso poderío de los templarios

Y los pobres caballeros de Cristo del Templo de Salomón de Jerusalén se hicieron inmensamente ricos...

La primera cruzada había permitido la reconquista del Santo Sepulcro. Y era necesario defender estas posesiones contra los ataques renovados de los sarracenos y asegurar la protección de los peregrinos.

Porque los primeros cruzados, con excepción de los grandes señores que pudieron crear un feudo en las tierras conquistadas, habían regresado a sus países. Habían sido peregrinos armados y combatientes por la fuerza de las circunstancias. Pero, ya cumplida su misión y respetado su voto, podían volver a sus hogares donde les esperaban su tierra o su tienda, dejada al cuidado de un hermano o de un primo que partiría a su vez.

Eran numerosos los señores menores o los segundones de la nobleza que habían esperado recibir algún feudo en Palestina y que, al ver sus ambiciones decepcionadas, volvían.

Tierra Santa estaba liberada pero no disponía de hombres para protegerla. Sólo la llegada de nuevos peregrinos procuraba nuevos combatientes. Pero ¿podían llamarse así esos hombres, mujeres, niños y viejos que habían ido a rezar a la tumba de Cristo? Palestina necesitaba una población que se instalase en ella definitivamente.

La demografía demasiado escasa de los reinos cristianos de Palestina los debilitaba y les impedía formar un verdadero ejército permanente. Tampoco podía contarse con una movilización de la población para asegurar su defensa en caso de peligro inminente.

La milicia del Temple resolvía ese problema. Gracias a ella los príncipes cristianos podían contar con la asistencia de un cuerpo disciplinado y entrenado que, aunque menos numeroso, tenía la eficacia que proporciona el coraje y el valor. Pero esta milicia necesitaba medios: y los encontró en las donaciones generosas de todos los que querían. ¡Nunca las limosnas permitieron crear un patrimonio tan grande!

El Temple se convirtió en un imperio financiero

Desde la creación de la orden —y el concilio de Troyes que la dio a conocer en Occidente— afluyeron las donaciones. Los fieles querían participar en la reconquista de Tierra Santa: a falta de hacerlo con armas, lo harían con dinero.

Las donaciones alcanzaron proporciones muy importantes y, aunque los promotores de la orden esperaban el éxito, jamás hubieran imaginado que sería tan grande. En algunos años la orden tuvo que administrar sumas absolutamente fenomenales, que la convertirían en una especie de imperio financiero multinacional.

Desde su reconocimiento por el Papa la orden empezó a recibir donativos de valor y muy numerosos. Éstos eran de todo tipo y fueron el punto de partida de la formación de un patrimonio colosal que se calculó en centenares de miles de pesetas actuales.

Al terminar el concilio, un señor, Raúl le Gros, donó una casa llamada «La Grange», situada cerca de Troyes que se convirtió en la encomienda de Troyes. El obispo Barthélemi de Vir cedió una casa en Laon. Hugo de Payns donó su tierra de Payns.

El Temple aceptaba todas estas donaciones con que lo gratificaban. Éstas asumieron también la forma de derechos señoriales, a menudo muy remunerativas. Godofredo de Saint-Omer, otro miembro fundador, aportó una concesión que tenía de su padre, así como dos iglesias con los diezmos correspondientes. Thierry, conde de Flandes, abandonó «por la salvación de su alma» las rentas de todos los feudos en la esfera de su condado. En 1214, el conde de Champaña cedió a la orden un derecho feudal muy remunerativo: el peaje de los animales para el consumo de Provins.

Los españoles dan al Temple tierras... para reconquistar

Los españoles, con parte del país ocupado por los árabes, dieron al Temple territorios para reconquistar. De manera más generosa le ofrecieron también numerosos castillos y fortalezas.

Cada uno daba según sus posibilidades. La gente común también hacía donaciones: alguien una pequeña parcela, otros unos denarios para la salvación de su alma, de la de sus padres, su difunto esposo o esposa, sus antepasados. Entre las personas más acomodadas las donaciones tomaban la forma de rentas pagadas anualmente.

Los templarios necesitaban hombres para combatir, vestimentas y armas, tierras para construir fortalezas y, por supuesto, oro para financiar todo esto. Hugo de Payns fue a visitar los reinos occidentales para convencer sobre la santidad de su misión y recoger donativos.

Bernardo de Claraval, protector natural de la orden, escribió a todos los poderosos, laicos y eclesiásticos.

El santo varón fue escuchado. La reina de Jerusalén, Melisenda, tomó a los caballeros bajo su protección. Fue imitada por el rey de Francia, el de Inglaterra y los otros soberanos cristianos. En 1125, Luis VI dio cincuenta mil marcos de oro a los templarios. En 1124, Guillermo, conde de Poitiers, donó una iglesia situada en La Motte, cerca de Fréjus.

En 1146, la orden se instaló en París. Las donaciones crecieron. Simon, obispo de Noyon, concedió a los monjes soldados la iglesia de Tracy-le-Val en 1146. Thibaut, conde palatino de Troyes, dio a la orden una renta de siete marcos de plata. En 1150, Balduino III, rey de Jerusalén, dio al Temple la ciudad de Gaza, debiendo los caballeros reedificar sus murallas. En 1172, la princesa Constance, hermana de Luis VII, donó a la orden una casa en Campeaux, cerca de Beauvais.

Enrique II, rey de Inglaterra, dio su casa de Sainte-Vaubourg, cerca de Ruán. Sus hijos y sucesores, Ricardo Corazón de León y Juan sin Tierra, confirmaron todas las donaciones de su padre en Normandía.

En 1185, la reina Adela de Champaña, madre de Felipe Augusto, donó al Temple su dominio real de Chalou, que se convertió en Chalou-la-Reine. El rey, de gran generosidad con los templarios durante todo su reinado, hizo un último gesto al morir: les legó por testamento cuarenta mil libras de plata. El rey de Aragón ofreció el castillo de Monzón.

El Temple a veces recibió feudos enteros: el caballero de Aspet dio a la orden la ciudad y los habitantes de Canens, su territorio y las señorías alta, media y baja.

Este ejemplo no es una excepción. Tales donaciones dieron fortuna y poderío a la orden y la transformaron en señor feudal con todas sus prerrogativas: impartir justicia, exigir la prestación personal, tener siervos.

Las motivaciones ocultas de los generosos donantes

Todas estas donaciones no tenían un carácter completamente desinteresado. El donante esperaba recibir a cambio su parte de paraíso: en efecto, la mayoría actuaba así para conseguir la salvación de su alma y la remisión de sus pecados.

Las donaciones provenían también de peregrinos que, antes de emprender el largo viaje a Palestina, daban al Temple una casa, una tierra, un hospital. Algunos conseguían ser recibidos en la orden el día de su muerte y así reposar para toda la eternidad en un cementerio templario, envueltos en la misma capa que los que consagraron su vida a la defensa de los Santos Lugares. La vanidad era, pues, una gran fuente de beneficio.

La orden reclutaba cada día más. Tierra Santa necesitaba hombres, los monjes predicaban y nuevos peregrinos embarcaban cada día para Jerusalén. Antes de su partida y a su regreso se mostraban generosos con el Temple que los conducía y protegía. Muchos señores eligieron entrar en la orden, como Andrés de Montbard, tío de san Bernardo, y, en 1130, Ramón Berenguer II, conde de Barcelona. Tras sus pasos príncipes, condes y señores tomaron el hábito de la orden y la colmaron de riquezas.

Entre los nuevos templarios se difundió la costumbre de dar todos sus bienes a la orden. Un documento de Luis VII, fechado en 1143, intentó limitar estas donaciones a la mitad de los bienes del donante: nunca fue aplicado.

Además, Luis VII reconoció en 1149, a su regreso de Tierra Santa, el título de «gran maestre por la gracia de Dios» a Beltrán de Blanquefort. El soberano multiplicó la generosidad hacia la orden, lo que llevó al gran maestre a agradecérselo en estos términos:

No sólo los vivos enriquecieron al Temple: los muertos también lo hicieron. Era muy a menudo la legataria universal de sus miembros. Y como estos en su mayoría tenían origen noble los legados que recibía eran importantes. El Temple también recibió donaciones de difuntos que deseaban que rezaran por el descanso de sus almas o que querían tener un último gesto de piedad antes de comparecer ante su Creador.

¡Los pueblos que crearon todavía existen!

Pero todos estos bienes sólo tenían interés si se los valorizaba. Y desde los primeros años los templarios tuvieron que cultivar, explotar, hacer fructificar los bienes inmobiliarios que recibían.

El Temple se organizó en torno a la encomienda, que fue la unidad de base: fortaleza, granja, monasterio, vivienda señorial, la encomienda fue todo eso a la vez.

Los monjes soldados eran temibles trabajadores; sólo abandonaban el trabajo en los campos por el campo de batalla. Desbrozaron extensiones considerables de bosques, matorrales, pantanos, landas y brezales. Recibieron a menudo tierras que ningún otro hubiera querido y las revalorizaron antes de construir en ellas una casa, un granero o una encomienda. Contrataron mano de obra y construyeron pueblos. Muchos de ellos, creados en los siglos XII y XIII, existen todavía.

Símbolo de este poderío fue la famosa torre del Temple, terminada en 1211, que se alzaba orgullosamente en el cielo de la capital de los Capetos. Ya en época de Felipe Augusto las posesiones parisienses de los templarios representaban un tercio de la superficie total de la ciudad; formaban un conjunto homogéneo que los habitantes llamaban «el recinto del Temple».

Los templarios resultaron brillantes gestores. Aunque salidos de la nobleza, donde se despreciaba el comercio y el dinero, administraron sus bienes con una gran habilidad. Explotaron sus tierras, las hicieron producir, desbrozaron, secaron los pantanos. En la medida de lo posible realizaron operaciones de concentración para transformar las parcelas dispersas que recibían en dominios coherentes; los siervos que habían recibido explotaban las tierras así como los campesinos liberados que trabajaban para ellos. Titulares en muchos casos de la señoría, ejercieron sus prerrogativas, sobre todo la prestación personal.

Su comportamiento fue el de los hombres de negocios que buscan un beneficio importante y rápido. Así, en el contrato de 1167 con dos hermanos se lee que el Temple les concede una tierra para plantar vides en ella; pero el acta precisa que, si el rendimiento es insuficiente, la parcela será convertida en tierra de labor, con una renta del octavo de la cosecha.[1]

Los papas benefactores de la orden

La misión particular de la orden del Temple llevó a los soberanos pontífices a acordarle privilegios cada vez más numerosos. Alejandro III, interesado en preservar a los hermanos de la jurisdicción del patriarca de Jerusalén y del clero secular, y también en impedir que el Temple se viera mezclado en querellas susceptibles de perjudicar el cumplimiento de su misión, le permitió, mediante dos bulas fechadas en 1163 y 1173, tener sus propios capellanes. Honorio III confirmó este privilegio en 1216.

Y progresivamente, por una serie de medidas pontificias, los templarios se vieron liberados de cualquier tutela que no fuera la del Papa. En 1216 quedó establecido: los templarios no pagaban más los diezmos al patriarca de Jerusalén. Urbano III, en 1187, invitó a los obispos a mostrarse generosos con los templarios. En 1217, Honorio III prohibió que se exigiera algún diezmo a los hermanos del Temple.

Con estas ventajas, la fortuna de la orden creció en proporciones impresionantes. Matthieu Pâris, cronista de comienzos del siglo XIII, cuenta que el Temple poseía nueve mil casas en la Cristiandad y que cada casa podía aportar un caballero para la defensa de Tierra Santa. Los hermanos predicadores —o sea, los dominicos— se esforzaban por conseguir un legado para el Temple cada vez que asistían al testamento de un moribundo.

La protección papal llegó tan lejos que, en 1265, Clemente IV prohibió a todos los eclesiásticos que pronunciaran o promulgaran sentencias de excomunión o prohibición contra «los templarios, sus hijos queridos». En 1278, Nicolás III otorgó a los hermanos el privilegio de percibir los diezmos en las parroquias de sus iglesias, una medida otorgada en detrimento de los curas de otras parroquias.

En Oriente, la orden tenía derecho de conquista. Cada ciudad, cada fortaleza, cada tierra de la que se apoderaba durante la cruzada o que tomaba a los

---

1. Alain Demurger, *Auge y caída de los templarios*, Barcelona, 1986, pág. 148.

infieles se convertía en su propiedad, y percibía todas las rentas e impuestos de esos bienes. Era una fuente de ingresos considerable. En 1173, el Viejo de la montaña, jefe de la secta musulmana de los Asesinos, le pagó un tributo anual de dos mil besantes de oro, aproximadamente setecientas libras tornesas.

¡A menudo señor, jamás vasallo!

En Occidente, el Temple nada conquistó, pero recibió cantidad de tierras. Cuando entraba en posesión de un feudo, éste se convertía en bien de la Iglesia y se encontraba liberado de los diferentes servicios debidos por el vasallo a su señor. Los derechos de herencia que percibía el señor cuando un hijo de vasallo heredaba el feudo de su padre difunto, nunca se pagaban cuando dicho vasallo era la orden del Temple.

En efecto, la orden era perpetua. Sus miembros se renovaban, pero la orden permanecía intacta. San Luis, Felipe el Atrevido y Felipe el Hermoso intentaron resolver este problema estableciendo un derecho de amortización que otorgaba a los poseedores de esos feudos la posibilidad de convertirse en propietarios definitivos de los mismos a cambio de una contrapartida financiera. Pero, en la práctica, nunca se pagó: el señor otorgaba la amortización a cambio de una sepultura en una iglesia del Temple o de una misa perpetua.

Un feudo que entraba en el patrimonio de la orden se transformaba *de facto* en alodio, o sea, una tierra que, contrariamente a la costumbre, no reconocía a ningún señor salvo al rey y estaba dispensada de cualquier sujeción de orden fiscal. En este mecanismo el Temple a menudo fue señor, jamás vasallo.

La cruzada facilitaba los intercambios entre Oriente y Occidente. Había que transportar a los cruzados y peregrinos, asegurar su reabastecimiento. Las ocasiones de comerciar fueron numerosas. Los templarios se hicieron armadores y negociantes de armas. Se necesitaba madera para construir, caballos para desplazarse, armas, por supuesto, y víveres. Los templarios fueron modelo en materia de transporte de personas: a diferencia de los genoveses, no vendían a sus pasajeros como esclavos. También aseguraban el alojamiento antes del embarque y garantizaban (o casi) la llegada a buen puerto.

Sus actividades e intercambios los llevaron a practicar el comercio de la banca. El transporte de personas y mercancías se movía a la par que el de los fondos. La moneda de la Edad Media era metálica y esto planteaba numerosos problemas. Si algunos marinos genoveses vendían sus pasajeros a los infieles no era sólo por la ganancia lograda con esa venta: era también para apropiarse del oro y la plata que llevaban los peregrinos.

Los templarios, además de su probidad, crearon medios originales para facilitar esas operaciones, lo que también se tradujo en una fuente de beneficio suplementario. Esta parte de las actividades templarias es tan importante que la trataremos en detalle más adelante.

El Temple de París, caja fuerte de los reyes

El Temple se convirtió muy pronto en una caja de caudales muy útil para todos. En París, Londres, Jerusalén, los valores se entregaban a la custodia de los caballeros del Temple. Ganaron así la confianza de los soberanos que apreciaban su pericia bancaria y financiera.

Los príncipes de la época a menudo eran ignorantes en materia de dinero y otro tanto su entorno, más volcado en las armas que en las cifras. En razón de su éxito, los templarios tuvieron que aprender a gestionar y hacer fructificar sus imponentes haberes. Desarrollaron una ciencia del dinero que nada tenía que envidiar a la de los banqueros judíos y lombardos.

Y, además, como caballeros y monjes, inspiraban confianza. Por lo tanto, fue muy natural que Felipe Augusto les confiara el Tesoro real: lo conservaron hasta el reinado de Felipe el Hermoso, o sea, durante más de un siglo. En este largo período, el tesorero del Temple cumplió el papel de ministro de Finanzas del reino.

Los reyes de Francia no fueron los únicos que actuaron de esta manera: los de Inglaterra, Nápoles y Aragón adoptaron la misma actitud. Muy pronto, el Temple de París —donde además la orden eligió centralizar su administración— y el Temple de Londres se convirtieron en plazas financieras de importancia internacional.

El poderío del Temple también se expresó militarmente: era el primer objetivo de la orden. En Oriente, desde 1128 (fecha de su primera participación en una acción guerrera contra los musulmanes), intervino en todos los combates importantes. Su papel fue decisivo y el origen de muchos de sus éxitos lo constituyó el conocimiento del terreno.

Ya hemos visto su papel en Palestina y en Siria. Pero es menos conocido su papel militar en Occidente, y es que Europa estaba tan amenazada por el islam como los reinos de Oriente Próximo.

Había que reconquistar la península Ibérica invadida en 711. Esta Reconquista entraba dentro de las atribuciones militares del Temple. La orden resultó también un poderoso auxiliar del poder real, al que asistió en su lucha por recuperar los territorios perdidos. Estuvo en primera línea cada vez que fue necesario: en 1212 los monjes soldados lucharon al lado del rey Alfonso VIII en la famosa batalla de las Navas de Tolosa.

Todos reconocían sin vacilar el poderío militar de los templarios. Cuando una fortaleza era objeto de litigio entre soberanos a menudo la dejaban bajo su custodia: tenían confianza en su aptitud para defenderla, así como en su imparcialidad. Cuando Luis VII concluyó el contrato de matrimonio de su hija Margarita con el joven hijo de Enrique II, rey de Inglaterra, el castillo de Gisors, dote de la novia, fue confiado a los templarios en espera de que se celebrase el matrimonio de los dos niños.

El innegable poderío militar de los monjes soldados

La fuerza de los templarios se mostró aún más claramente, aunque no hicieran demostración de la misma, en España y Portugal.

Los reyes les pidieron que defendieran las marcas, o sea, las fronteras con los musulmanes. También fueron ellos los que manifestaron la mayor eficacia y celeridad en el combate. Su organización, y sobre todo la disciplina que existía en sus filas, aumentaba su eficacia respecto a la de los otros cuerpos de ejército.

Para comprender mejor la importancia de la fuerza de los templarios en la península Ibérica, hay que volver a la implantación de la orden en esas regiones donde la lucha contra el infiel fue permanente. Tal vez más aún que en Tierra Santa, los templarios cumplieron una misión sagrada y todos, reyes, señores y gente del pueblo, tenían consciencia de la importancia de su actividad.

La tentativa de liberar Palestina de la ocupación mahometana era una iniciativa reciente. Se remontaba a la primera cruzada, es decir, al siglo XI, aunque la región hubiera sido conquistada y convertida al islam en el siglo VIII.

En España (con esta palabra englobamos el conjunto de la Península, compuesto por los reinos de Navarra, León, Castilla, Aragón, Portugal, así como los reinos bajo dominación árabe), la situación era diferente: la conquista árabe se remontaba al siglo VIII... ¡y también la resistencia!

Mientras que en Palestina los reinos cristianos habían abrazado la fe de Mahoma, los pueblos de España nunca la aceptaron. Al contrario, la rechazaron de inmediato. La conquista árabe tuvo lugar en 711: la Reconquista empezó en 718 con la legendaria (pero histórica) victoria de Covadonga, en Asturias.

Y los templarios, que defendían a los peregrinos en Tierra Santa, desde que se inició quisieron dedicarse también a defender esos pueblos amenazados en su fe y en su cuerpo, no a miles de leguas, sino en la propia tierra que los vio nacer.

En tales condiciones puede comprenderse mejor porqué los templarios participaron en cada batalla de Aragón, Castilla, Navarra, Portugal... Ellos, que sólo cazaban leones, fueron como leones que defendieron al lado de los reyes, hombres ricos y caballeros, la fe católica amenazada.

Estuvieron presentes en la Península inmediatamente después de su creación. En 1117 o 1118, Hugo de Payns y sus nueve compañeros pronunciaron los votos. A partir de 1131, llamaron la atención de Alfonso el Batallador que, a falta de hijos, los nombró herederos de sus reinos de Aragón y Navarra.

En 1176, tomaron parte en la conquista de Cuenca, en Castilla la Nueva, donde secundaron eficazmente al rey Alfonso VIII.

En 1212, un año capital para la Reconquista, Alfonso VIII de Castilla, Sancho VIII de Navarra y Pedro II de Aragón, unieron sus fuerzas. En las Navas de Tolosa consiguieron una victoria decisiva que preparó la Reconquista de Andalucía y marcó el principio del fin para los príncipes sarracenos. Los templarios estuvieron en primera fila con la flor de la caballería.

¿Sus hermanos de la orden de Calatrava, otros valerosos monjes soldados, habían perdido la ciudad de Calatrava? Los templarios la recuperaron. Con la bendición de los reyes de Navarra la conservaron hasta la disolución de la orden en 1312.

Cuando Fernando III tomó Sevilla en 1248, los templarios estaban con él. Una antigua crónica cuenta que el fiel lugarteniente del rey santo, Don Garci Pérez de Vargas, había combatido tanto que su escudo estaba gastado y sus armas completamente borradas, lo que le valió los sarcasmos de algunos jóvenes caballeros pretenciosos. Señaló que las armas de los templarios estaban igual de gastadas y se sabía que siempre eran los más fogosos en los combates.

En Navarra y Aragón, los templarios estuvieron junto a Alfonso II en la toma de Algas, Martín, Alambra y Caspe. Con Pedro II, los templarios y su maestre don Pedro de Monteagudo participaron en la toma de los castillos de Adamur, Castell-Fabril y Sertella.

En 1232-1233, asistieron a Jaime I el Conquistador cuando recuperó el reino de Valencia, que estaba en manos del rey moro Zéan. También habían estado a su lado en 1229 para tomar las islas Baleares, extendiendo así sus posesiones de Aragón y de Cataluña.

En Portugal, ayudaron a don Alonso Henríquez a recuperar Alcázar y Lisboa. Estuvieron presentes en la batalla de Ourique. Con Alfonso II el Gordo, participaron, en 1217, en la toma de la fortaleza y de la ciudad de Alcazar del Sal y luego, con Alonso III, en la reconquista del Algarve.

Como podemos ver, los templarios fueron, junto con otras órdenes militares, los indispensables apoyos de los monarcas de la Península.

En muchos aspectos, crearon el ejército moderno: disciplinado, permanente, siempre dispuesto a actuar, bien entrenado y distribuido en el conjunto del territorio para hacer frente a cualquier eventualidad.

Los templarios, a lo largo de su existencia, tuvieron ocasión de mostrar su poderío militar: al servicio de Eduardo I de Inglaterra contra el rey de Escocia en 1298, al servicio del rey de Aragón contra Francia en 1285. Felipe IV, convertido en rey al final de esa campaña, no olvidó que los monjes soldados habían tomado partido contra su padre.

Si bien siempre estaba dispuesta a poner su ciencia militar al servicio de la lucha contra el infiel, la orden manifestaba poca solicitud en combatir las herejías: así pudo verse en la cruzada contra los albigenses. De allí a sospechar una complicidad entre templarios y cátaros, sólo hay un paso... Lo trataremos más adelante.

Felipe el Hermoso se refugia en el Temple de París

El rey de Francia vivió por sí mismo una triste experiencia de la fuerza de los templarios, y muchos historiadores ven en ésta la causa de la destrucción del Temple. En enero de 1307, Felipe IV cambió una vez más el valor de las monedas. Al instaurar una moneda fuerte, provocó graves motines. Todos los acreedores intentaron que sus deudores les pagaran en moneda nueva, lo que equivalía a un aumento considerable del precio.

El pueblo se alzó y atacó la casa del director de la Moneda, así como el palacio de la Cité, residencia del rey. Por voluntad real, el palacio era muy accesible y hasta tenía una galería comercial donde cada uno podía ir y venir a su gusto: no tenía ninguna protección.

El soberano se vio obligado a refugiarse en el Temple para prevenir la suerte que le reservaban los asaltantes. Durante dos días, fué huésped forzoso del gran maestre Jacobo de Molay. A causa de ello Felipe conservo siempre un sentimiento de humillación.

Este episodio, que puede provocar sonrisas, muestra muy bien hasta qué punto la orden era una organización susceptible de responder a las funciones de un ejército moderno en una época en la que éste todavía no existía.

Recordemos que en el siglo XIV, el rey de Francia no tenía un ejército permanente: el ejército feudal lo componían las tropas que podían reunir el rey y cada uno de sus vasallos. El servicio militar sólo tenía una duración de cuarenta días al año. Decir que el rey sólo disponía de los hombres a los que mantenía es decir poco.

Y al lado estaba el Temple: varias decenas de miles de hombres repartidos en diez mil encomiendas, caballeros entrenados en el oficio de las armas, permanentemente disponibles, hermanos sargentos, medios financieros importantes, una disciplina severa y un mando único en la persona del gran maestre. ¡De alguna manera el adelanto de un ejército moderno! El rey de Francia no dispuso de esa fuerza militar antes del reinado de Carlos VII, es decir, un siglo y medio más tarde.

Entonces ¿el poderío del Temple es mito o realidad? El Temple era inmensamente rico. El Temple era militarmente superior a cualquier ejército feudal. Y el Temple era independiente: la orden no reconocía otro superior que Dios; su gran maestre tenía rango de príncipe soberano.

En sus ciudades, castillos, fortalezas de Palestina y Siria, la orden ejercía las mismas prerrogativas que un rey en su reino. Establecía la guerra y la paz como lo considerara conveniente. Hasta podía ejercer su derecho de conquista sin dar cuenta a nadie, salvo al Papa. Pero el Santo Padre era un superior teórico: la orden elegía sus dignatarios y al primero de ellos, el gran maestre, libremente. Obedecía a los príncipes temporales y al Papa sólo si lo tenía a bien.

Mientras el Temple debía su independencia al favor de los Papas y de los monarcas cristianos, alguien luchaba con todas sus fuerzas para defender e incrementar la que sus padres habían conquistado pacientemente y que muy rápido se vería amenazada sin su vigilancia: el rey de Francia.

La monarquía universal del rey Felipe

Felipe el Hermoso, príncipe amigo de los secretos y poco elocuente, nunca confió cuáles fueron las verdaderas motivaciones que lo condujeron a abrir ese proceso sin precedentes a la orden del Temple. Más adelante veremos que la orden de arresto se basaba únicamente en razones relativas a la fe.

Sin embargo, si se exceptúa este proceso, el rey de Francia casi no se preocupó por cuestiones de pura fe. La cruzada, que había sido el gran proyecto de sus predecesores, casi no le interesó. Por supuesto que tomó la cruz pero no pensó seriamente en cruzar el mar para ir a expulsar a los infieles. Felipe el Hermoso era un político, motivado únicamente por consideraciones políticas.

El garante de la independencia de Francia

La empresa de destrucción del Temple llevada a cabo por el rey de Francia fue súbita, pero sería un error considerarla la venganza de un hombre con su vanidad herida. La actitud de Capeto y su política deben colocarse en un contexto más amplio y, sobre todo, más razonado.

Felipe IV continuaba una lucha política cuyo origen se remontaba a Carlos II el Calvo, es decir, al siglo IX. Esta política tendía a un objetivo principal: garantizar la independencia de Francia frente al Sacro Imperio romano germánico.

Francia había salido del desmembramiento del imperio de Carlomagno. Cuando éste murió, en 814, dejó un hijo, Luis el Piadoso. Heredero único, no se podía aplicar la vieja costumbre de los francos de dividir la tierra del padre entre sus hijos. O sea, que los territorios conquistados por Carlomagno quedaron intactos, pero a la muerte de Luis en 840, sus hijos se destrozaron. Sus guerras encontraron una salida en 843: los tres hermanos firmaron el tratado de Verdún. Carlos, el más joven, recibió la parte occidental del Imperio, comúnmente llamada *Francia occidentalis*. Lotario, que conservó el título imperial, recibió la parte central, la Lotaringia. Luis recibió la parte oriental y se convirtió en rey de Germania. De esa división quedaron pues, burdamente dibujadas, Francia y Alemania.

Vencedores militarmente de su hermano mayor, los nuevos reyes de *Francia occidentalis* y de Germania aceptaron reconocer a Lotario como emperador, en la medida en que este título había quedado vaciado de sentido. Los Estados de Lotario, incluidos en una ancha banda que llegaba desde el mar del Norte hasta el Mediterráneo, quedaron atenazados por los de sus dos hermanos. El emperador estaba neutralizado.

La situación cambió cuando la corona imperial, ficción conservada para satisfacer la vanidad de Lotario, fue recogida por los sucesores de Luis el Germánico. A partir de ese momento, los emperadores siguientes, a menudo en conflicto con Francia, trataron de alegar sobre la pretendida soberanía que el tratado de Verdún habría reconocido al emperador sobre el rey de Francia.

El imperio de Carlomagno, además, fue reformado durante los años de la minoría de Carlos III el Simple: su tío, Luis III el Gordo, rey de Germania, fue elegido rey de Francia, que se independizó a su muerte. Nunca volvería al seno del Imperio. Los grandes del reino velaron para que así sucediera.

Cuando, en 987, Luis V, último rey carolingio, murió sin heredero, su tío Carlos, duque de Lorena, fue apartado de la carrera por la sucesión, aunque era un auténtico descendiente de Carlomagno. Lorena era tierra del Imperio y Carlos, por lo tanto, era vasallo del emperador; su elección habría podido comprometer la independencia del reino. Los grandes encargados de elegir al nuevo rey prefirieron a Hugo Capeto.

Los Capetos, desde que subieron al trono de Francia, fueron los garantes de la independencia del reino. Todos los reyes del tercer linaje siguieron esta política y se mostraron sus firmes defensores.

Felipe Augusto, en 1214, en Bouvines, debió hacer frente a la coalición formada contra él por el emperador. Gilles de Roma, preceptor del futuro Felipe el Hermoso, le enseñó que «el rey de Francia es emperador en su reino».

La ley de masculinidad —que, algunos años después de la muerte de Felipe el Hermoso, apartaría a las mujeres de la sucesión al trono— se originaba en esta voluntad de independencia: una mujer convertida en reina de Francia hubiera podido aportar a un príncipe extranjero el reino como dote.

Si el Imperio amenazaba la independencia del reino, también el papado era peligroso y tal vez más. Los siglos XII y XIII vieron florecer las perniciosas ideas teocráticas. Los Papas, basándose en un edicto de Constantino, afirmaban que, cuando el emperador romano se convirtió al cristianismo, había dado el Imperio a la Iglesia, que se lo había devuelto.

O sea que todo poder temporal emanaría del Papa que detentaría el poder de poner y sacar reyes. Hoy se sabe que este edicto es falso. Pero, en esa época, Felipe el Hermoso debió luchar contra las veleidades hegemónicas de los Papas, en especial de Bonifacio VIII.

En ocasión de este enfrentamiento épico entre el joven rey y el viejo Papa se delinearon los rasgos de la monarquía moderna que Felipe estaba construyendo. Luego de esa disputa, los soberanos pontificios jamás volverán a intentar afirmar su tutela sobre el reino de Francia.

Bonifacio VIII canoniza a Luis IX

De la disputa entre Felipe el Hermoso y Bonifacio VIII, sólo se recuerda en general el odioso atentado de Anagni, cuando el Papa fue retenido por gente cercana al rey de Francia y agredido por el cardenal Colonna. El Santo Padre, de más de ochenta años de edad, murió al mes siguiente como consecuencia de la impresión.

Sin embargo, cuando Benedicto Caetani sucedió, con el nombre de Bonifacio VIII, a Celestino V en 1294, las relaciones entre el nuevo pontífice y el joven Capeto eran excelentes. Impidió al emperador armarse contra Francia, logró imponer una tregua con Eduardo de Inglaterra, intentó arreglar los asuntos con Flandes, sostuvo la Casa de Capeto en Sicilia y Hungría, negoció el matrimonio de Carlos de Valois, hermano menor de Felipe el Hermoso, con Catalina de Courtenay, heredera del trono latino de Constantinopla.

Finalmente, y no es la menor de las atenciones de Bonifacio con Felipe, canonizó a su abuelo Luis IX.

Pero el orgullo de Bonifacio y, sobre todo, su concepción del poder pontificio sólo podían llevar a un conflicto con el rey de Francia. Y por eso durante el arbitraje con el rey de Inglaterra, Felipe, preocupado por evitar cualquier intromisión del Papa en los asuntos franceses sin herir al Santo Padre, aceptó la intervención benevolente de Benedicto Caetani, patricio romano, no la del soberano pontífice.

La bula *Clericis laicos*, en 1296, fue la primera de las célebres bulas emitidas por el Papa durante el conflicto. El rey había conseguido de los prelados de Francia la recaudación de un diezmo del clero. Pero al parecer los padres del concilio provincial que votaron este impuesto no habían tenido posibilidad de negarse. El abad de Cîteaux se lo explicó a Su Santidad, que respondió con la famosa bula que recordaba «a todos los príncipes laicos la interdicción de recaudar algún subsidio del clero, sin la autorización de Roma, so pena de excomunión».[2]

La sanción fue inmediata: Felipe prohibió cualquier salida de dinero del reino y de esta manera le cortó los víveres al Papa. En ese momento, los templarios usaron su habilidad contable para hacer llegar dinero al Papa a pesar de la prohibición real: ¡el rey nunca lo olvidó! Bonifacio, preocupado por evitar el conflicto, moderó entonces su posición y autorizó los subsidios. El asunto Saisset fue el que finalmente hizo estallar el caso.

Bernardo Saisset endurece la crisis

Bernardo Saisset, obispo de Pamiers, fue menos, según las palabras del duque de Lévis-Mirepoix, «un agitador que un agitado».[3]

En 1300, el vizconde de Narbona rindió vasallaje al rey de Francia y no al obispo de Narbona, de quien era vasallo natural: un conflicto de soberanía feudal típico de la época.

El arzobispo Gilles Aycelin, un amigo de Felipe, aceptó una compensación en dinero. Bonifacio rechazó el compromiso, reprochó a Aycelin que

---

2. Duque de Lévis-Mirepoix, *La France féodale*, tomo 4, París, 1974, pág. 91.
3. Duque de Lévis-Mirepoix, op. cit., pág. 85.

defendía mal los intereses de la Iglesia y nombró a Bernardo Saisset embajador ante el monarca.

Ya se había hablado de Saisset en años anteriores: en desacuerdo con el conde Foix, suscitó tal cólera en el poderoso señor por sus maneras insultantes que éste había tratado de matarlo, después de que el obispo se negara al arbitraje de Felipe el Hermoso. El obispo de Pamiers detestaba a Capeto e hizo de él una descripción famosa que pasó a la posteridad: «No importa que sea el hombre más bello del mundo, sólo sabe mirar a la gente sin decir nada. No es un hombre ni un animal, es una estatua».[4]

Apenas llegó a París Saisset empezó, ni más ni menos, que a conspirar contra el rey e intentó que se alzara el conde de Toulouse. El monarca lo hizo apresar y pidió al Papa que le quitara su inmunidad eclesiástica para poder perseguirlo por el crimen de lesa majestad. Bonifacio VIII se negó, reprochó severamente a Felipe su temeridad y le ordenó que liberara a Saisset. El rey expulsó al embajador-obispo-conspirador.

Se consumaba la ruptura con Bonifacio. En 1301, la bula *Ausculta fili* provocó lo irreparable. El Papa desarrolló en ella su teoría del poder pontifical. El Santo Padre afirmaba, en efecto, la superioridad del poder espiritual, representado por la Santa Sede, sobre todos los otros poderes y se autorizaba, en nombre de esa superioridad, a examinar y juzgar en adelante la moralidad de las medidas tomadas por los príncipes.

Continuaba criticando la política económica y religiosa del rey Felipe y acusándolo de entregarse a abusos de poder. Finalmente convocaba a Roma a todos los prelados y abades de Francia.

Felipe reaccionó convocando a los estados generales, de los que obtuvo un total apoyo, y prohibió a los prelados que abandonaran el reino. Bonifacio publicó entonces la famosa bula *Unam Sanctam* que reforzaba aún más la doctrina de la bula *Ausculta fili*. Se retiró a Anagni, su ciudad natal, amenazando al rey con la excomunión, a la vez que se preparaba para aplicar la interdicción al reino de Francia e incitaba al emperador a invadirlo.

Nogaret, el secretario de Felipe, se encaminó a la pequeña ciudad italiana, acompañado por una pequeña tropa y por el cardenal Sciarra Colonna, viejo enemigo de Bonifacio, para capturar al Papa y hacerlo comparecer ante un concilio donde sería juzgado y, eventualmente, depuesto.

4. Duque de Lévis-Mirepoix, op. cit., pág. 95.

Ya se sabe qué sucedió: la empresa fracasó. Aunque lograron llegar a los apartamentos del Papa —donde el Santo Padre fue abofeteado por el cardenal Colonna—, debieron huir sin llevárselo debido a la intervención de la gente de la ciudad. Bonifacio murió al mes siguiente, el 11 de octubre de 1303.

Esta larga exposición de los enredos entre Felipe y Bonifacio no tiene por objeto cansar al lector, sino sólo demostrar la sutileza política del soberano y su determinación de mantener, a cualquier precio, la independencia del reino. Esas mismas motivaciones son las que jugaron en contra de los templarios.

Felipe el Hermoso a la conquista del Imperio

Felipe el Hermoso continuó la obra de sus predecesores para protegerse de la hegemonía siempre posible del emperador. Ésta consistió, como hemos dicho, en afirmar la idea de que «el rey de Francia es emperador en su reino». Pero sin las espadas las teorías políticas no son más que palabras.

La mejor protección contra Alemania era tener un emperador aliado con Francia. Y el mejor emperador para Francia era un francés. En 1273 Felipe el Atrevido había intentado ser elegido. El Papa hizo fracasar esta candidatura: un rey de Francia también emperador hubiera reconstruido el imperio de Carlomagno para su beneficio, lo que por cierto no era del gusto de la Santa Sede.

Felipe el Hermoso, que había aprendido del fracaso de su padre, prefirió apoyar a su hermano Carlos de Valois antes que entrar él mismo en la competencia por la corona imperial. Además, era posible que el rey obtuviera de Bonifacio VIII, en 1291, la época en la que el Santo Padre nada negaba al rey, su apoyo para la elección del conde de Valois. Al final eligieron a Adolfo de Nassau.

En 1299, Felipe, que había mantenido malas relaciones con Adolfo de Nassau, encontró un aliado en el nuevo rey de los romanos —así se denominaba al emperador elegido, antes de ser coronado por el Papa—, Alberto de Austria, un Habsburgo. Los dos soberanos firmaron el tratado de Vaucouleurs.

Se ha discutido mucho y se sigue discutiendo todavía, sobre las cláusulas secretas que contenía este tratado. Oficialmente, se trataba de una alianza ofensiva y defensiva entre el emperador y el rey de Francia. Rodolfo, hijo del emperador, se casó con Blanca, la hermana del rey de Francia, y hasta se pensó que uno de los tres hijos del rey se casara con la hija de Alberto. Este segundo matrimonio nunca tuvo lugar.

Las cláusulas secretas del tratado de Vaucouleurs

El tratado habría contenido dos cláusulas secretas. En primer lugar, el emperador reconocía que las fronteras francesas llegaban, no hasta el Mosa, sino hasta el Rin. En segundo lugar, el rey daba su apoyo a Alberto para que la corona imperial fuera hereditaria en la Casa de Habsburgo. En 1538, según algunos testimonios dignos de fe, todavía existía el mojón de bronce con las armas de los reyes de Francia.

La corona no fue hereditaria en la Casa de Habsburgo. Felipe el Hermoso no tenía interés en que así fuera, porque cada elección era fuente de innumerables disputas y mientras los príncipes alemanes disputaban entre ellos no se interesaban por los asuntos de Francia. La herencia hubiera reforzado el poderío del emperador e impedido cualquier tentativa de Francia para controlar el Sacro Imperio.

A la muerte de Alberto de Austria, asesinado en 1308, Francia sostuvo de nuevo la candidatura de Carlos de Valois. El rey Felipe quería mucho a su hermano menor, que le correspondió siempre con una perfecta fidelidad. Que fuera un político mediocre era una incitación más para favorecer su elección. Brillante capitán, el conde Valois había sido durante un tiempo rey de Aragón; se había casado con la heredera del último emperador latino de Oriente. Rey sin corona, buscaba un trono desesperadamente.

Para Felipe, Carlos era el emperador ideal. No tendría medios para gobernar Alemania sin el apoyo de su hermano mayor; hasta es verosímil que Valois fuera un «fantoche» al servicio del rey de Francia. Los emperadores necesitaban una base territorial propia para sostener su política. Carlos no la tenía fuera de Francia. Estaría impotente, salvo para paralizar cualquier iniciativa antifrancesa: era todo lo que buscaba Felipe.

Pero no nos engañemos, éste último nunca cedió a la tentación de ser candidato. Esto, en caso de éxito, habría roto todas sus otras alianzas: Castilla, Aragón, Inglaterra, etc. Los príncipes alemanes habrían temido por su independencia.

El apoyo del papa Clemente V estaba oficialmente concedido y Felipe inició las primeras negociaciones tendentes a que fuera elegido su hermano. Pero, en realidad, el Papa no quiso reforzar más el poderío del monarca francés y secretamente favoreció la candidatura de Enrique de Luxemburgo. Además, el conde de Luxemburgo, muy hábil, ofreció a sus electores las concesiones políticas que esperaban. El dinero de Capeto no sirvió para nada: el 27 de noviembre de 1312 eligieron a Enrique rey de los romanos.

Felipe el Hermoso también llevó a cabo una política matrimonial para reforzar la posición de Francia y asegurar la paz interior. Así es como negoció con el rey de Castilla Sancho II, aunque éste se había apoderado del trono de sus sobrinos, los infantes La Cerda, que también eran primos hermanos del rey de Francia.

La herencia de Borgoña

El gran golpe maestro en política extranjera de Felipe el Hermoso fue la obtención del condado de Borgoña para uno de sus hijos, lo que le permitía hacer proyectos para el trono imperial. En esa época había dos Borgoña: el ducado de Borgoña era tierra francesa y pertenecía a Roberto, un descendiente de Roberto el Piadoso, que por lo tanto era vasallo del rey de Francia; y el condado de Borgoña (el departamento del Franco Condado) era tierra del Imperio y su conde, Otón IV, vasallo del emperador.

El conde Otón IV tenía con el emperador las mismas dificultades que los flamencos con el rey de Francia. Aunque su condado fuera tierra del Imperio, los lazos comerciales estaban mucho más desarrollados con Francia que con los otros Estados alemanes. Los clientes llegaban de Francia mientras que las presiones, sobre todo fiscales, llegaban del otro lado del Rin. Si los grandes señores condales tomaban el partido de Alemania, los burgueses, preocupados por conservar el libre acceso a la ruta de las ferias de Champaña, eran favorables a Francia.

Otón IV terminó por concretar, en 1291, una alianza con Felipe el Hermoso. Su hija Juana se prometió a uno de los hijos del rey. Como el conde no tenía descendiente varón, ella heredaría el condado de Borgoña a la muerte de su padre. La suprema habilidad del rey fue la de aliarse con el duque

Roberto II de Borgoña casando a la hija de éste con su hijo mayor, Luis, heredero de Francia y de Navarra.

El duque de Borgoña hubiera podido ser un temible adversario de ese tratado. En adelante suegro del futuro rey, se convirtió en su más firme partidario. En efecto, sus tierras separaban el condado del dominio real. El duque se convirtió en un aliado de peso y hasta fue nombrado administrador de la provincia por el rey. De esta manera Felipe supo ganarse la confianza y el apoyo de los señores del Franco Condado, en principio hostiles al proyecto, dándoles puestos en el seno de la administración condal o real.

Este episodio ilustra muy bien la inteligencia política del monarca: al convertirse su hijo Felipe en conde de Borgoña, la Casa real ponía un pie en el Imperio y empezaba a reunir las condiciones para que tal vez un día un Capeto ciñera la corona imperial.

Los tratados de Pedro Dubois

En 1306, Pedro Dubois, cercano al rey, escribió un tratado con proposiciones especialmente rotundas: *De recuperationae Terrae Sanctae* («De la recuperación de Tierra Santa»).

Dubois proponía la fusión de los templarios y los hospitalarios en una nueva orden llamada la orden de los caballeros de Jerusalén. El gran maestre sería el rey de Chipre pero, a su muerte, como no tenía hijos, le sucedería un hijo de Felipe el Hermoso. Esta orden sólo tendría actividad en Oriente. Su misión sería la de reconquistar los territorios perdidos a manos de los infieles. Sus bienes en Occidente, que ya no tendrían utilidad, serían confiscados: su beneficio serviría para financiar una nueva cruzada.

Este plan, sin ninguna duda megalómano porque a nadie pedía su parecer, tendía sobre todo a acentuar la autoridad del rey de Francia en toda la Cristiandad.

No hay duda de que este proyecto no tuvo continuidad alguna. Sin embargo, en 1309, reaparecía en una nueva versión. En ese momento los templarios estaban en prisión; habían confesado crímenes abominables y el tema de su suerte personal y de la de sus bienes estaba de actualidad. Dubois propuso hacer coronar al príncipe Felipe, hijo menor del monarca, rey de

Accon, Babilonia, Egipto, Asiria y Jerusalén. Se enviaría un ultimátum al sultán pidiéndole que entregara por su voluntad Tierra Santa, a falta de lo cual habría una cruzada. Como seguro que se negaría, los bienes y rentas del Temple servirían para financiar la expedición.

Estos dos proyectos, por inverosímiles que puedan parecer, no fueron los primeros en hacerse públicos: unos años antes, alrededor de 1292, un proyecto aún más fantástico nació de la imaginación del poeta, filósofo y alquimista Ramón Lull; lo más extraordinario es que el plan suscitó la atención y hasta la adhesión momentánea de Bonifacio VIII.

El *Bellator rex* de Ramón Lull

Ramón Lull, súbdito del rey de Aragón, apasionado por la civilización árabe y obsesionado con la idea de convertir a los infieles a la Verdadera fe, quería enviar misioneros a Tierra Santa para evangelizar a los pueblos autóctonos. Con el fin de abrir el camino, templarios y hospitalarios se reunirían en una sola orden cuyo jefe, *Bellator rex*, recibiría el título de rey de Jerusalén. Para Lull, que era mallorquín, el rey de Aragón tenía vocación para ser ese *Bellator rex*.

Fue Felipe el Hermoso el que comprendió el doble interés que tendría convertirse en rey de Jerusalén y gran maestre de las dos órdenes reunidas. Esta posición le conferiría un prestigio inmenso en el seno de la Cristiandad; prestigio que los reyes de Jerusalén nunca habían tenido, debido a la falta de hombres en número suficiente (Tierra Santa nunca estuvo muy poblada) y de territorios en Occidente.

Por el contrario, el rey Capeto, una vez *Bellator rex*, habría tenido el control de fabulosas riquezas y dispuesto de grandes rentas y medios militares considerables. Y sobre todo se habría convertido en una autoridad espiritual que competiría con la de los Papas: el rey de Jerusalén contra el obispo de Roma.

El plan de Lull, en principio aprobado por Bonifacio VIII, nunca se llevó a cabo: el viejo Papa comprendió muy bien el riesgo que corría la Iglesia si ponía sus medios en manos de un príncipe temporal.

Pero este plan no era tan extravagante como parece porque la fusión de las tres órdenes (templarios, hospitalarios y teutónicos) ya se había considerado en el siglo anterior.

Llevados a reflexionar sobre los fracasos sucesivos sufridos en Tierra Santa, los príncipes y Papas de la época habían comprendido que la dispersión de fuerzas y las rivalidades —tanto entre las órdenes como con los príncipes temporales— favorecían a los musulmanes.

San Luis, en 1265, propuso la fusión de templarios y hospitalarios. Gregorio X, en 1274, debió renunciar a realizarla frente a la hostilidad de los reyes de Castilla. El rey de Nápoles renovó la idea en 1293, poco después de la pérdida de San Juan de Acre. Pero Nicolás IV murió poco después de haber dado su aval y su sucesor no le dio continuidad.

La idea de dar el cargo de gran maestre a un príncipe que también se convertiría en rey de Jerusalén correspondía al rey de Nápoles. Las disputas minaban los reinos cristianos de Tierra Santa y fueron la causa de su pérdida. Al reunir poder temporal y espiritual en una misma autoridad era de esperar que se terminara con ellas.

¿Felipe, caballero del Temple?

Mientras acariciaba ese sueño de monarquía universal, o al menos de rivalizar en poderío e influencia con el Sacro Imperio y la Santa Sede, Felipe el Hermoso empezó a poner en ejecución el proyecto. Intentó convertirse en gran maestre del Temple.

Se sabe que el papa Inocencio III había sido recibido como caballero honorario. Felipe solicitó el mismo privilegio. El gran maestre Molay se negó educada pero firmemente. Este hombre, al que a menudo se ha presentado como un inocente, había comprendido el peligro que implicaba, para la independencia de la orden, recibir a un hombre de la energía de Felipe.

No cabe duda de que en ese contexto el rey hubiera intentado tomar el control de la orden y habría recurrido a cualquier cosa para asegurar su dominio para él o para una persona de su entorno, uno de sus hijos por ejemplo. Además, se sospechaba que estaba dispuesto a abdicar en su hijo Luis si podía convertirse en el jefe de los monjes soldados.

Como su tentativa terminó en fracaso, Felipe presionó a Clemente V a partir de su elección, para que éste fusionara el Temple con el Hospital. Las circunstancias en las que fracasó esta última tentativa de fusión merecen que se vuelva sobre ella.

La fusión fallida

La fusión propuesta por Clemente V en 1307 no era una novedad: Nicolás IV ya había considerado esta medida para todas las órdenes militares.

En 1291, cuando se perdió San Juan de Acre, sólo dieciocho templarios y dieciséis hospitalarios escaparon a la muerte. En el concilio de Salzburgo, reunido de urgencia para intentar solucionar la situación, los Padres opinaron que las divisiones habían contribuido tanto a la derrota como la superioridad militar del enemigo. Hasta se trató de aliarse con los mongoles para atenazar a los sarracenos.

La cuestión era tan grave como para que se dejaran de lado los intereses, que habían impedido esa fusión en el pasado. Por desgracia, el papa Nicolás murió mientras tanto y el proyecto nunca se concretó. Bonifacio VIII, político sutil, por un momento estuvo tentado de resucitar este viejo proyecto, pero comprendió el peligro político que representaba, teniendo en cuenta las ambiciones de monarcas como Felipe el Hermoso. Clemente V, en muchos aspectos protegido de éste último, retomó la idea por su cuenta en el año 1307.

Templarios y hospitalarios manifestaron poco entusiasmo por esta idea. El gran maestre de los hospitalarios, Foulques de Villaret, ocupado en conquistar la isla de Rodas, ni acudió a la convocatoria que le envió Clemente V. Jacobo de Molay, gran maestre de los templarios, envió al Papa una memoria que entonces, y aún ahora, provocó sonrisas y la indignación del pontífice.

El gran maestre enumeraba los quince principales inconvenientes para la fusión. Los religiosos deberían cambiar de hábito y de regla. El tren de vida de los templarios disminuiría mientras que el de los hospitalarios aumentaría. Habría que suprimir una de cada dos casas en las ciudades donde las órdenes tuvieran una cada una y esto crearía rivalidades. Habría que suprimir a uno de los grandes maestres.

Se criticó mucho la mezquindad de esta argumentación. Sin embargo, aunque hay que admitir la inhabilidad con la que se formuló —después de todo Molay era un soldado y no un hombre de letras—, no es justo burlarse del gran maestre. Para todos los que querían leer entre líneas se transparentaban argumentos muy sólidos.

La regla de los templarios era la más severa de todas las órdenes religiosas: la fusión con los hospitalarios hubiera exigido que se suavizara. ¿La reconquista de Tierra Santa habría ganado con esta relajación?

Suprimir una de cada dos funciones, y no sólo la del gran maestre, habría creado rivalidades internas. En ese momento la rivalidad entre las órdenes era una emulación sana; la fusión, con su cortejo de rechazos, por el contrario, hubiera suscitado enemistades internas que con seguridad habrían acabado con la orden unificada.

¿El gran maestre tenía temores que no expresaba? ¿Quería ocultar algunos hechos que no dejarían de salir a la luz si se producía la fusión? ¿Quería impedir el acceso de los hospitalarios a los archivos de la orden? ¿Temía que se descubrieran secretos inconfesables? Sea como fuere, la fusión no se realizó.

El proyecto de monarquía universal de Felipe el Hermoso fracasó. ¿Había concebido el deseo de hacer de las dos órdenes reunidas el instrumento de su política hegemónica? ¿Sólo quería reunirlas para destruirlas mejor? Hay una cosa cierta: después de que desapareciera toda esperanza de fusión sólo quedaba una única solución, destruir el Temple. Pero algo queda sin respuesta: ¿Por qué? ¿Por qué el rey tenía que destruir la orden?

Resulta claro que el monarca quería ser maestre de las dos órdenes religiosas que cohabitaban en su reino. A sus ojos el Hospital presentaba menos interés, pero el Temple estaba claro que lo obsesionaba. Había intentado tomar su control, conseguirlo para uno de sus hijos. Estas tentativas habían fracasado. Por lo tanto debía considerarse la solución última: la destrucción del Temple. Pero entonces ¿qué razones profundas podían convencer a Felipe el Hermoso de que era necesario el aniquilamiento de una orden religiosa cubierta de gloria y respetada?

El rey contra el Temple

¡Qué extraño destino tuvieron estas órdenes de monjes soldados consagradas, en su fundación en el siglo XI, a la defensa de la fe! Los pobres caballeros que, si eran capturados, sólo tenían su espada para dar como pago de su rescate, en unas décadas se convirtieron en ricos príncipes temporales.

¿Esta riqueza de los templarios fue la causa de su caridad? ¿O bien otros factores, menos evidentes pero más graves, llevaron al rey de Francia a tomar medidas draconianas contra ellos, teniendo en cuenta el peligro que representaban para su propio poder?

El Temple ya no cumplía su misión inicial

Hasta la caída de San Juan de Acre en 1291, el Temple no estaba amenazado. Creado en principio para defender las rutas que transitaban los peregrinos para ir a Tierra Santa, la orden poco a poco se transformó en una milicia al servicio de los príncipes cristianos de la región en su guerra contra los infieles. Su organización rigurosa, su disciplina severa, el valor de sus caballeros hicieron de ella el cimiento de esos pequeños reinos sacudidos por incesantes disputas internas.

La toma de Acre por los musulmanes y la desaparición del último reino cristiano de Palestina quitó al Temple su función guerrera. Los templarios, cuyos mejores hombres perecieron en el sitio de Acre, ya sólo estaban dirigidos por personas que sin duda no hubieran accedido a esos altos cargos sin el desastre de Palestina. Estos dignatarios son los que tuvieron la pesada tarea de reconvertir la orden y asegurar su porvenir.

¡Y primero reconquistar un pedazo de Tierra Santa! En adelante con base en Chipre, el Temple emprendió una acción de envergadura en 1300: el desembarco en el islote de Ruad, frente a Tortosa, fue su última campaña contra los sarracenos.

El plan era audaz, pero carecía de apoyo logístico. El sultán reaccionó rápido y envió seis galeras. Las tropas musulmanas desembarcaron en el islote en dos puntos geográficos opuestos. Su maniobra, muy simple, tendía a rodear a los templarios. Aunque menos numerosos y en una postura desfavorable, los monjes soldados lograron detener a las tropas del sultán. Pero, con la seguridad de su número, los sarracenos volvieron a la carga y recuperaron el islote. Los hermanos terminaron sus días cautivos en Egipto.

¿Qué medio les quedaba para reconquistar la tierra pisada antaño por Jesús y sus apóstoles? Jacobo de Molay, cuya imaginación no era más fértil que la de otros hombres de su época, sólo veía una salida: la cruzada. ¡Ya que los medios comunes habían fallado era necesario emplear, pues, los grandes! ¡Qué desembarque una flota numerosa y poderosa y se verá si los infieles pueden resistir mucho tiempo!

¿Los templarios soñaban con convertirse en una potencia territorial?

Mientras Jacobo de Molay buscaba comanditarios para su cruzada, el rey de Francia y sus consejeros empezaron a inquietarse. Las relaciones entre el rey de Chipre y el gran maestre se habían deteriorado desde que la orden había hecho de la isla griega su base de repliegue: los templarios actuaban allí cada vez más como lo hacían en los reinos de Tierra Santa, o sea, como árbitros, para no decir como señores feudales.

Este defecto, que se encuentra en todas las órdenes de monjes soldados, ya había llevado a los caballeros teutónicos a construirse un reino independiente en Prusia. Los hospitalarios quisieron apoderarse de la isla de Rodas, posesión bizantina, y sólo lo lograron en 1306. ¿Quién sabe si la orden del Temple, seguramente la más rica y más gloriosa de todas las órdenes, no acariciaba algún sueño de poderío territorial?

Por lo tanto el rey de Francia se inquietaba: ¿El Temple podía intentar apoderarse de su reino? Porque si había una región donde la orden era omnipresente y bastante rica para financiar una cruzada, esa era seguramente Francia. La hipótesis de entrada parecía absurda. Y sin embargo, un precedente molesto convertía en lógica la inquietud del soberano.

La herencia de Aragón y Navarra

En 1136, Alfonso I el Batallador, rey de Aragón y Navarra, murió sin heredero. Por testamento legó sus reinos a las órdenes del Temple, del Hospital y del Santo Sepulcro. ¿El viejo rey actuaba con ausencia total de sentido político? ¿Fue víctima de una manipulación orquestada por las tres órdenes? ¿Fue una suprema jugada del monarca que quería dar a su hermano menor Ramiro, que había entrado en los benedictinos, tiempo para dejar su convento?

Aquí hay un enigma por resolver: el reino de Aragón era vasallo de la Santa Sede y, en ausencia de heredero, correspondía al Papa elegir rey. Al ser monje el único heredero, no podía normalmente ceñir la corona. Con este extravagante testamento el rey impidió que la sucesión estuviera vacante y a la vez retiraba al Papa cualquier derecho de fiscalización sobre ella.

Pero lo importante es sobre todo que las tres órdenes, con los templarios a la cabeza, mostraron su avidez: aceptaron la sucesión y trataron de conquistar Aragón y Navarra. Chocaron con la hostilidad de los grandes y terminaron por abandonar. Pero el tributo que exigieron a cambio de su renuncia fue alto, y el nuevo rey de Aragón y sus sucesores les entregaron numerosas fortalezas, reforzando aún más su influencia política y militar.

El rey Felipe no sólo estaba preocupado por la eventual sed de conquista de los templarios: también temía que éstos sostuvieran al Papa si un día se reavivaba la disputa. Porque como hemos expuesto anteriormente, Felipe el Hermoso era extremadamente celoso de la independencia del reino y no pensaba ceder al pontífice ninguna prerrogativa real.

La muerte de Bonifacio VIII no puso fin a la lucha entre el rey y el Papa.

Por supuesto, Benedicto XI, espíritu sutil y diplomático, levantó las sanciones religiosas impuestas por su predecesor para evitar el cisma que se preparaba. Clemente V, Papa francés y por naturaleza menos hostil a los

Capetos que sus dos predecesores, estableció muy pronto la Santa Sede en Aviñón. Pero el debate no estaba cerrado. Los Papas no renunciaron a sus pretensiones teocráticas. Bonifacio VIII no era un iluminado que, de pronto, intentaba afirmar la supremacía del poder espiritual sobre el temporal: mostró simplemente más agresividad que sus predecesores.

¿Qué sucedería si un nuevo Bonifacio subía al trono de san Pedro y utilizaba a los caballeros del Temple contra el rey de Francia?

La duplicidad de los monjes soldados durante la disputa con Bonifacio

Los templarios, además, habían mostrado su independencia, por no decir su duplicidad, en la disputa con Bonifacio. En la cuestión de los diezmos, mientras el rey quería cortar los víveres al Papa y llevarlo a retirar su bula *Auscula fili*, los templarios encontraron la forma de pasarle fondos.

¿Qué actitud habrían adoptado si Bonifacio, en represalia por el atentado de Anagni, hubiera proclamado la deposición del rey de Francia y pedido a los templarios que lo arrestaran? ¿Hubieran obedecido? Esta pregunta es una ficción, pero Felipe debió planteársela en el momento de los hechos...

El rey tuvo que continuar su política de debilitamiento del papado mientras éste se mostraba menos belicoso. El Papa tuvo que perder sus pretensiones políticas y sus medios militares y es que, sin que la mayoría tuviera conciencia de ello, el Papa disponía de tropas de elite en todo el reino de Francia: los caballeros del Temple, cuyo jefe era indirectamente el Papa.

Los templarios eran numerosos en Francia. Varios miles de encomiendas y casas anexas estaban dispersadas por todo el territorio del reino. Cada una de ellas estaba provista de una guarnición, caballos y armas. Por lo tanto no es un azar que los templarios atacaran a Felipe el Hermoso mientras trataban a los otros soberanos con más benevolencia.

¡Un ejército permanente que no obedece al rey!

El rey Capeto era tan consciente de los riesgos que correrían, él o sus sucesores, en una rebelión de los templarios como de que no tenía ejército regular y permanente a su servicio.

A comienzos del siglo XIV, el rey de Francia sólo disponía de un ejército feudal. Sus vasallos le debían un servicio militar limitado de cuarenta días por año; y tenía que pagar una soldada a sus vasallos que, además, se podían negar.

Frente a él, el Temple disponía de tropas permanentes y en disposición durante todo el año. Reunir las huestes al completo exigía varias semanas; la orden podía poner en pie un importante ejército en sólo algunos días. Mientras que el rey de Francia estaba sometido a los avatares de la fidelidad de sus vasallos, el gran maestre sabía que sus hermanos obedecerían cualesquiera fueran las circunstancias.

Felipe el Hermoso sabía bien lo peligroso que podía ser que tal organización militar escapara a su control. También consideró que esta organización era más peligrosa, porque ya no tenía ninguna actividad en ultramar, porque estaba ociosa y buscaba una nueva legitimidad.

El desembarco de Jacobo de Molay en marzo de 1307

Además, este monarca orgulloso y celoso de sus prerrogativas, debió vivir como una provocación el desembarco con gran pompa del gran maestre y sus dignatarios de la orden en marzo de 1307.

Convocado por el Papa para hablar de la reconquista de Tierra Santa y de los rumores malvados que circulaban sobre la orden, Jacobo de Molay llegó a París con el tesoro y los archivos de la orden, un séquito como para dar celos a un príncipe soberano y un fasto comparable al de un rey moro. ¿El rey vivió esta intrusión como una demostración de fuerza? ¿Esa torpeza precipitó la caída de la orden?

El gran maestre tenía rango de príncipe soberano, lo que lo convertía en un igual de los más poderosos soberanos de Occidente. Pero, además, tenía una facultad de la que los otros príncipes no disponían. Podía ir y venir por todas partes en el seno de la Cristiandad sin tener que solicitar autorización alguna, privilegio debido a su estado monástico. A partir de marzo de 1307 hubo «dos jefes de Estado» en París: uno estaba de más.

Después de considerar todas las razones políticas que justificaban la desconfianza, el temor y la voluntad reales de poner fin al poderío del Temple, las razones personales de Felipe el Hermoso —las relacionadas con su vanidad herida cuando huyó durante el motín popular para refugiarse en el recinto del Temple, con su orgullo burlado, o con su avidez— parecen irrisorias.

El rey era un gran político que pensaba en el interés superior del reino. Su preceptor, Gilles de Roma, le había enseñado desde su infancia que «el rey es emperador en su reino»: esta idea guió todo su reinado, por no decir toda su vida.

Se iniciaba el siglo XIV y, desde hacía un siglo aproximadamente, se volvía a estudiar el derecho romano, de modo que la noción de soberanía resurgía por primera vez después de mil años. Felipe había aprendido con sus legistas el derecho romano. Continuando la obra de sus predecesores, trabajaba para la realización de la idea simple de que cada habitante del reino era su súbdito y le debía obediencia directamente. En su calidad de rey, a nadie debía obediencia salvo a Dios y nadie en su reino debía actuar contra su voluntad.

Esta idea, natural en la actualidad, era revolucionaria en la época. Por esta razón luchó contra el papado, que pretendía dictarle algunos de sus comportamientos, y contra los templarios, que podían escapar a sus leyes.

La acción del rey contra la orden apareció de pronto. Sin embargo, se produjo en un momento bien preciso porque el rey esperó que confluyeran tres condiciones. Y éstas se cumplieron en 1307: los templarios estaban debilitados; el papa Clemente era un hombre de compromisos que no reaccionaría con la brutalidad de Bonifacio; la opinión pública, hábilmente preparada, apoyaría a Felipe el Hermoso.

Los templarios, esos desconocidos

Hugo de Payns era un joven caballero muy especial. La tradición dice que manifestaba una gran habilidad con las armas y que, no contento de destacar con la espada, manejaba con la misma eficacia la maza, la lanza, el arco y la jabalina. Pero a este valor militar que lo hacía brillar en los torneos y muy pronto en la guerra, se agregaba extrañamente una gran piedad.

La piedad era un sentimiento extendido entre los hombres del siglo XI. Pero en el joven Payns se manifestaba con mayor profundidad que entre los otros jóvenes de su edad. El joven Hugo frecuentaba asiduamente el convento cercano y participaba en las oraciones de los monjes cada vez que podía. A la hora de los cánticos, se unía a ellos, y su ardor religioso era tan fuertemente sentido por los hermanos que tuvo permiso del abad para ocupar un lugar en el coro, como si fuera un joven novicio.

Se cuenta que un día su padre, intrigado por lo que en él parecía ser una doble vocación —el oficio de las armas y la oración— le preguntó qué prefería ser: ¿monje o soldado? Hugo de Payns respondió con firmeza: «Quiero ser las dos cosas, padre».

En esa época eran numerosos los señores que, después de haber pasado su vida haciendo la guerra, y no por las mejores razones ni de la manera más honesta —porque en la campaña era frecuente matar, saquear y forzar doncellas—, intentaban reconciliar su alma con Dios cuando se acercaba la vejez y la sombra de la muerte se perfilaba a lo lejos. Viudos o tomando la decisión de común acuerdo con su esposa de consagrar sus últimos años a Dios, se retiraban a un convento. Hugo de Payns quería ser *al mismo tiempo y desde su juventud* monje y soldado: hacer la guerra para Dios.

Una idea revolucionaria en plena Edad Media

Los templarios surgieron de esta idea revolucionaria nacida del espíritu de este joven caballero champañés hacia finales del siglo XI: esos «monjes soldados», hombres que eran a la vez religiosos y guerreros, serán para la eternidad.

Esta doble condición choca al hombre moderno, ya que el ideal monástico parece muy alejado del combatiente. Pero también chocaba profundamente al hombre medieval. Esta perspectiva de que un monje pudiera tomar las armas sin ser hereje no fue aceptada de entrada y hasta la combatieron con fuerza. Tuvo que materializarse la necesidad política y el apoyo de espíritus poderosos, como el de Bernardo de Claraval (el futuro san Bernardo), para que fuera finalmente aceptada.

La Iglesia se había construido alrededor de la idea de paz. Y toda su acción, en los siglos X y XI, tenía como objetivo suavizar las rudas costumbres de los hombres de entonces: los señores con frecuencia eran saqueadores sin escrúpulos que robaban a los viajeros e intentaban agrandar sus posesiones mediante la conquista.

La Francia de los últimos Carolingios y de los primeros Capetos no era pacífica. Hugo Capeto no podía ir seguro de París a Orleans. Los otros reinos vivían la misma inseguridad. La creación de la caballería, la tregua de Dios, la paz de Dios tendían a enseñar a los hombres a solucionar sus conflictos de otra manera que no fuera con las armas en la mano.

El cristianismo era hostil a la guerra. Mientras el Antiguo Testamento predicaba la ley del talión, los Evangelios pedían «poner la otra mejilla». Para los primeros cristianos la guerra estaba, fundamentalmente, fuera de la ley.

Pero la Iglesia matizó esta posición: existían principios contra los cuales el cristiano debía rebelarse. No podía aceptar que atentaran contra su vida, que le retiraran su libertad o le impidieran expresar su fe. En caso de agresión, era legítimo que se defendiera, y en ciertas situaciones la única defensa posible era el uso de la fuerza.

Por lo tanto todas las guerras no eran iguales. En efecto, sería injusto considerar de la misma manera a quien agredía y a quien se defendía. El que hacía la guerra por avidez u orgullo cometía un pecado; pero quien, como último recurso, usaba la fuerza para defender su derecho actuaba de acuerdo con la voluntad de Dios.

La noción de guerra justa apareció por primera vez en los escritos de san Agustín: el soldado, con la condición de que luchara en una guerra justa, era comparado con el verdugo que mata, pero sin pecar.

El aporte que en el siglo VII hizo san Isidoro de Sevilla a la doctrina de la guerra ayudó mucho a los teóricos de la cruzada: la guerra que intentaba rechazar a un agresor o recuperar bienes era justa, pero la Iglesia debía decidir el uso de la fuerza.

La cruzada fue la prolongación de esta idea: los Santos Lugares habían sido conquistados por los infieles y era justo declararles la guerra para recuperarlos. Bernardo de Claraval llegó más lejos: hasta entonces, la Iglesia predicaba la cruzada pero la realizaban los laicos. Ningún religioso debía mojar sus manos en la sangre de alguien, ya fuera infiel o el agente de Satán. Dejaba esta tarea a lo que llamaba el brazo secular.

El abad de Claraval hizo que la Iglesia avanzara un paso más. La Verdadera fe necesitaba caballeros de Cristo y tenía que contar con hombres que unieran las virtudes del monje con las del caballero. La noción de brazo secular quedaba así gravemente afectada.

La Edad Media fue un período confuso: los monasterios estaban fortificados y los monjes contrataban mercenarios para protegerlos. Pero de allí a tomar las armas ellos mismos había un gran paso. Este paso lo dio el Temple, mucho más que el Hospital porque, de entrada, tenía una función sobre todo militar: ser policía de las rutas de Palestina.

¿El Temple era un monstruo?

¿Por qué dar ese paso? En el siglo XI los caballeros eran turbulentos e indisciplinados. Sus luchas internas tuvieron mucho que ver en la caída progresiva de los estados latinos de Oriente. Sólo la Iglesia podía aportar disciplina. El templario, como era monje, obedecía su regla, o sea, la disciplina de la orden.

La orden del Temple creó pues al caballero modelo: disciplinado, obediente, desinteresado, preocupado sólo por la gloria de Dios. Era el combatiente ideal tal como lo concebirán los ejércitos modernos más tarde. El templario también respondía al ideal cristiano.

La Iglesia logró disciplinar un poco al caballero común, pero no fue suficiente: siguió gobernado por sus deseos y apetitos terrestres. La experiencia muestra que en Tierra Santa, los príncipes, de inmediato, se dividieron los territorios conquistados, y que también allí se reprodujeron los conflictos de Occidente. El templario, por el contrario, reproducía en Palestina la humildad del monje cisterciense, pero en lugar de meditar o copiar manuscritos, combatía.

Las preguntas que nos hemos planteado son éstas: ¿estas dos actividades eran verdaderamente compatibles? ¿No era pedir demasiado a esos hombres? ¿Con el Temple no se creó un monstruo, o sea, una organización que, a pesar de sus apariencias, ya nada tenía de religiosa? ¿Se podían encontrar hombres suficientemente valerosos para ser a la vez combatientes y monjes? Porque, después de todo, convertirse en templario, era convertirse en monje de un tipo muy especial.

En el plano ideal, el joven templario era un segundón de la nobleza que se interesaba por la orden porque la sociedad feudal ya nada podía aportarle: su hermano mayor estaba llamado a suceder a su padre, el feudo familiar era demasiado pequeño para desmembrar una parte para él. Por lo tanto estaba destinado al estado eclesiástico.

Quedaba Oriente. Pero las cruzadas eran episódicas y sólo aportaban riquezas a algunos príncipes. Para los otros, a menudo, sólo quedaban decepción y deudas. El Temple aparecía entonces como la «tierra prometida», el lugar donde todas las ambiciones podían realizarse, sobre todo cuando se era piadoso.

Por otra parte, los hermanos eran pobres, pero el Temple era rico. Aportaba esa seguridad material que faltaba en muchas familias nobles a las que las cruzadas y el servicio habían arruinado.

San Bernardo alentó a los depravados, ladrones y homicidas a entrar en el Temple

Muchos jóvenes como el que acabamos de describir entraron en las filas del Temple, y con ellos la orden cumplió muchas de sus hazañas en Palestina.

Pero el reclutamiento no siempre era tan perfecto. El Temple necesitaba hombres fuertes y vigorosos en el combate: reclutaba caballeros en la nobleza y sirvientes entre la gente común. Desde antes de 1136, año de la muerte de Hugo de Payns, Bernardo de Claraval alentó a «los depravados, impíos, ladrones, sacrílegos, homicidas, perjuros y adúlteros» a unirse al Temple.

Desde entonces el Temple pareció un anticipo de la Legión extranjera. Hasta se admitía a los excomulgados. El reclutamiento explica el ardor en el combate de los hermanos, que ganaban su salvación y su perdón realizando actos heroicos. Pero ¿se podía hacer monjes de esa gente? Hacer un soldado de un bandido por supuesto era más fácil que hacer de él un santo. Porque el templario ideal estaba marcado por una buena dosis de santidad.

También cabe hacerse esta pregunta: ¿para hacerlos buenos soldados no se los hizo malos monjes? Esto podría explicar la relajación religiosa, la posible contaminación de la orden por doctrinas herejes, la indulgencia de los sacerdotes respecto a los pecados, cosas que se les reprochó a los hermanos en el momento del proceso. Después de todo, lo que se quería eran buenos guerreros obedientes y eficaces ¡tanto peor si las cosas de la Iglesia no eran cuestión de ellos!

Los templarios sufrieron a causa de este reclutamiento particular: nunca tuvieron buena reputación. En Francia todavía se dice «beber como un templario», aunque se sabe que la borrachera era severamente castigada como lo testimonia la regla. Los alemanes no son más suaves con ellos: hablan de ir «al Temple» para decir que van al burdel. La expresión «jurar como un templario» tampoco los valoriza, y tratar a alguien de templario raramente es un cumplido. Y también a veces se dice «desconfíen del beso de los templarios».

Borrachos y lascivos como monjes, orgullosos y despreciativos como caballeros

Los templarios también pagaron las consecuencias de su orgullo, basado en brillantes éxitos, y de su fracaso, la pérdida de Tierra Santa. Se les reprochó la caída de Acre. Si grandes y humildes les hacían donativos numerosos e importantes, no era para que recuperaran Palestina y Siria de manos de los turcos. Se les reprochó haberse convertido en banqueros, sin darse cuenta de los servicios que prestaban en sus establecimientos.

A decir verdad, la orden había prestado a todo el mundo y todos les debían dinero, desde el rey hasta el más miserable campesino. ¿Y quién ama a su acreedor?

No es asombroso que los templarios hayan sido tan poco apreciados: se verá que en el curso de su proceso no encontraron ningún apoyo, ningún sostén, su misma misión los aislaba. Acumulaban los defectos que de costumbre se atribuía a los religiosos y a los caballeros: borrachos y lascivos como monjes; orgullosos y despreciativos como señores.

El clero regular les tenía celos porque recibían las donaciones más fastuosas. El clero secular los censuraba por abrir sus iglesias a los fieles, reduciendo los recursos que éste obtenía de misas y ofrendas. Los obispos, que no tenían jurisdicción alguna sobre ellos en virtud de los privilegios pontificios, no los querían más.

Pero los templarios hicieron mucho. Eran duros en el campo de batalla, y también duros en el trabajo, en Francia y en otras partes. Allí eran los más fogosos en el combate, aquí los más fogosos en el trabajo. Porque nada se les ahorraba a los monjes soldados: si les daban tierras, a menudo eran incultas, ciénagas o bosques donde nadie se animaba a aventurarse. Su trabajo permitió valorizar esas extensiones a menudo desérticas o insalubres. En Aragón, el rey les dio numerosas tierras... para reconquistar: ¡todavía estaban ocupadas por los sarracenos!

¿Las admisiones tenían lugar por la noche en secreto?

La admisión de los nuevos miembros dio lugar a numerosas controversias: ¿tenían lugar por la noche en secreto? Mucho se habló sobre el carácter secreto de la ceremonia. La verdad es que, en efecto, la reunión no era pública. Pero tampoco era secreta. Los aficionados a lo sensacionalista han jugado con esas palabras. La admisión era privada: sólo asistían los que el maestre o el comendador autorizaban a asistir.

Este carácter privado se justificaba plenamente por varias razones muy honestas. La más importante era la necesidad de evitar cualquier presión sobre el postulante: no se trataba de aceptar la entrada en la orden de cualquier joven, del que la familia quería desembarazarse y que, por presión de los suyos, presentes, hubiera podido manifestar un consentimiento viciado. La vida en la orden exigía demasiados sacrificios para que se aceptaran estos elementos, que se hubieran dedicado a corromperla.

Recordemos que la orden no tenía noviciado, período transitorio en el curso del cual ambos (la orden y el novicio) evalúan al otro, y al final del cual el novicio acepta o rechaza convertirse en miembro. O sea, que había que estar absolutamente seguro de la sinceridad de la voluntad expresada.

El postulante también debía responder a cierto número de preguntas concernientes a su vida privada. No se quería en la orden monjes que hubieran abandonado su convento, ni maridos que hubieran repudiado a su mujer; tampoco se querían deudores perseguidos por sus acreedores. Las enfermedades eran por lo general un impedimento para entrar en el seno de la orden. El Temple quería hombres capaces de resistir el sufrimiento llegado el caso.

Entre otras cosas se preguntaba al postulante si había prometido o dado dinero a alguien para ayudarlo a entrar en la orden, si había nacido en un matrimonio legítimo (la orden no admitía a los bastardos), si era sacerdote, diácono o subdiácono y si estaba excomulgado.

Se ha dicho que las admisiones tenían lugar sólo de noche. En el proceso, el acta de acusación les reprochó las admisiones que tuvieron lugar clandestinamente: por error se dedujo que se hacían por la noche. En realidad, empezaban por la noche y terminaban al alba; y en esto hay que ver una significación simbólica totalmente honorable: el joven que entraba en el Temple salía de las tinieblas del siglo para entrar en la luz de Dios.

A las puertas del proceso que los aniquilaría, los templarios habían cumplido la misión para la que se creó la orden. Su utilidad era menor; decir que ya para nada servían sería una exageración, pero no eran indispensables. Las cruzadas eran aventuras de otra época que hacía mucho que no motivaban a mucha gente. Ya habían terminado los grandes desbroces. Después de haber trabajado bien, empezaban a recoger los frutos de sus esfuerzos y, por eso mismo, a costar a los reinos en que se habían establecido más de lo que aportaban.

Hubieran podido seguir existiendo durante siglos, ser víctimas de la caída del reclutamiento, y luego vivir la decadencia. Un día, tal vez, habría menos templarios, pero siempre habría una orden del Temple: tal era el porvenir que parecía esperarle a la orden en el umbral del siglo XIV. La conciencia política del rey de Francia se convertiría en un obstáculo para ese futuro apacible. Muy pronto el Temple sería víctima del complot que llevaría a su desmantelamiento.

Segunda parte
Los dos procesos del Temple

El complot

¿El rey de Francia vendió la tiara al arzobispo de Burdeos a cambio de la condena del Temple?

El cronista florentino Villani cuenta una entrevista hacia abril o mayo de 1305, en las semanas anteriores a la elección de Clemente V.

Ese día, en el bosque cercano a Saint Juan-d'Angély, en Saintonge, Felipe el Hermoso se habría encontrado con Beltrán de Got en absoluto secreto. El arzobispo de Burdeos y el rey de Francia habrían hecho un pacto según el cual Felipe facilitaba la elección del prelado a cambio de seis promesas. San Antonino confirma el relato de Villani y narra la extraña entrevista que habría tenido lugar entre el rey y el futuro Papa.[5]

Felipe y Beltrán escucharon misa, y luego se comprometieron por un juramento a guardar el secreto de su coloquio.

—Señor arzobispo —dijo el rey de Francia—, sabed que depende de mí haceros Papa; pero es necesario que me prometáis, como condición previa, otorgarme ciertas gracias que os pediré.

—Sire —respondió el gascón, ambicioso y codicioso—, me amáis más que a nadie en el mundo, vuestra generosidad me devuelve bien por mal. Ninguna

---

5. Chronica XXI, citada por Ivan Gobry, *Le Procès des Templiers*, París, 1995, pág. 38 y ss.

restricción me es permitida: vos ordenáis, yo obedezco sin reserva. Estoy dispuesto a todo.

Las seis promesas de Beltrán de Got

—Requiero de vos seis cosas. La primera: mi perfecta reconciliación con la santa Iglesia y mi perdón absoluto en el tema del cautiverio de Bonifacio. La segunda: que se levante la excomunión pronunciada contra mí y mis enviados. La tercera: que goce de los diezmos de mi reino durante cinco años, debido a los gastos que tuve durante la guerra de Flandes. La cuarta: la condena para siempre de la memoria de Bonifacio y la exclusión de su nombre del catálogo de los soberanos pontífices. La quinta: el restablecimiento a los dos Colonna, Jacobo y Pedro, de su dignidad cardenalicia, sus bienes y sus honores. En cuanto a la sexta, la callo por ahora, y me reservo decírosla llegado el momento.

El sexto compromiso, aceptado por el futuro Papa sin conocer su contenido, habría sido la destrucción del Temple.

Muratori también recuerda esta historia. Pero el estudio profundizado de sus textos permite afirmar que Muratori copió a san Antonino, que había retomado el relato de Villani. Pero al cronista florentino no le gustaban los papas de Aviñón.

Las investigaciones recientes, además, han probado el carácter imaginario de este encuentro. En efecto, un documento descubierto en los archivos del departamento de Gironda, en Francia, prueba que esta entrevista secreta no pudo tener lugar: establece que en la época mencionada por Villani, el rey se encontraba a más de cuatrocientos kilómetros y el arzobispo a ciento doce de Saint-Juan-d'Angély.[6] O sea que los dos hombres no pudieron encontrarse personalmente.

Además, el relato de san Antonino tiene incoherencias que le quitan cualquier credibilidad: ¿por qué Felipe habría pedido que le levantaran la excomunión cuando Benedicto XI, el Papa que acababa de morir, en una bula del 23 de junio de 1304, ya había tomado esa medida? Nogaret también se había beneficiado de una medida de clemencia.

Y finalmente, el último argumento pero no por ello menos importante, al rey no le agradaba implicarse personalmente en las negociaciones: pre-

6. Duque de Lévis-Mirepoix, ob.cit., pág. 199.

fería enviar a uno de sus legistas. Más de una vez, durante el caso, el papa Clemente se desplazaró para encontrarse con Guillermo de Plaisians o Enguerrando de Marigny.

El rey y el arzobispo, por lo tanto, no se encontraron, pero sus emisarios pudieron establecer los acuerdos en su nombre. Porque esos dos hombres tenían todas las razones para entenderse: Felipe sabía que el papel del Papa sería determinante en su proyecto de destrucción del Temple. Necesitaba su benevolencia pasiva sin la cual nada sería posible.

Bonifacio VIII había sido un adversario temible. Benedicto XI, pontífice sutil y astuto, no había mostrado la docilidad que esperaba el rey. Las miras del nuevo obispo de Roma debían converger absolutamente con las del rey de Francia. Era un momento favorable para obtener de un candidato ambicioso y advenedizo los compromisos que permitirían al rey continuar su política.

¡Elegido porque no era cardenal!

El cónclave estaba en un *impasse*. Los dos principales partidos tenían un número igual de votos y no podía lograrse la mayoría. Los italianos querían un candidato favorable a la memoria de Bonifacio; los franceses defendían la política del rey de Francia.

Poco a poco algo se hizo evidente: el nuevo Papa no podía ser elegido entre los cardenales. El hombre providencial debía ser fiel a Bonifacio VIII sin ser hostil a Felipe. Beltrán de Got cumplía estas dos condiciones: el arzobispo de Burdeos era uno de los redactores de la famosa bula *Unam Sanctam* que daba a entender que los reyes eran súbditos de los papas. Pero también era un ambicioso que había analizado perfectamente la situación y había sabido estrechar las relaciones con el rey. Uno podía ayudar al otro a realizar sus designios.

Beltrán de Got, arzobispo de Burdeos, fue elegido Papa en junio de 1305 en el cónclave de Perugia. El rey de Francia triunfaba y se había colocado la primera pieza de un rompecabezas que llevaría a la destrucción de la orden del Temple.

A partir de este momento el rey supo que no trataría con un Papa hostil como lo había sido Bonifacio VIII o como hubiera podido serlo Benedicto XI de haber durado más su reinado.

Una carta que envió Clemente V al rey el 13 de octubre de 1305 aporta la prueba de que efectivamente los dos soberanos negociaron en secreto:

En lo que concierne a algunos elementos que hemos debatido con vuestros emba-
jadores, destinados a permanecer secretos entre vos y ellos, nos habéis pedido
por carta la autorización para desvelarlos a dos o tres personas. Os autorizamos
a desvelar este intercambio a tres o cuatro personas, remitiéndonos a vuestra prudencia real. Sabemos que no haréis estas revelaciones sino a aquellos que con-
sideráis colmados de interés y afecto para vuestro honor y el mío.[7]

Al solicitar esa autorización, el rey de Francia recordaba hábilmente al
Papa sus compromisos pasados y le informaba que empezaban a ejecutarse.

Se ha especulado mucho sobre los acuerdos entre el rey y el Papa
antes de su elección. Algunos dedujeron de los acontecimientos que el
Papa había aceptado por anticipado la supresión de la orden del Temple.
Otros imaginaron que el arzobispo de Burdeos había tomado el compromiso de condenar al papa Bonifacio. Otros finalmente dieron por sentado que el futuro Papa había dado su aval al traslado de la Santa Sede
a Francia.

Sólo hay algo cierto: en este período que precedió a la elección de Clemente V fue cuando Felipe el Hermoso empezó a considerar seriamente
una acción contra los templarios.

La ocasión de poner en marcha el procedimiento que debía llevar al
derrumbe de la orden la proporcionó un súbdito del rey de Aragón, cuya
aventura no carece de puntos oscuros.

La terrible confesión de un templario condenado a muerte

Todo empezó en una fecha imprecisa. Sólo sabemos que se sitúa entre 1303
y 1305. Un tal Esquieu de Floyran, que se decía noble y nativo de Béziers,
estaba prisionero en Agen. Cometió un crimen que lo llevó a compartir la
celda con un templario condenado a muerte.

En esta época, las personas destinadas al cadalso no tenían derecho al
socorro de un sacerdote y era costumbre que se confesaran con otros prisioneros. Y así fue como Floyran recibió la última confesión de este hermano de la orden del Temple.

7. Ivan Gobry, *Le Procès des Templiers*, París, 1995, pág. 40.

El condenado explicó entonces que en su admisión lo conminaron a renegar de Jesús y lo amenazaron de muerte porque se negaba. Debió escupir sobre la cruz. Pero había algo peor: los templarios practicaban la idolatría. En efecto, en sus capítulos, adoraban una cabeza barbuda a la que llamaban su Salvador. Los sacerdotes de la orden omitían deliberadamente las palabras de la consagración durante la misa.

Y, además, los hermanos se revolcaban en la lujuria. La homosexualidad no sólo era tolerada sino alentada. Un templario, se le decía al nuevo monje soldado al ser recibido, no debía renunciar a los avances de otro hermano. Debía preferirse la sodomía al comercio con las mujeres, porque estaba perdonada por adelantado.

Horrorizado por tal confesión, Esquieu de Floyran fue a ver al rey de Aragón apenas estuvo libre. Jaime II le concedió audiencia, pero se negó a creer lo que le decía. Finalmente Floyran fue a París y vio al rey de Francia, que decidió hacer una investigación.

¿Quién era Esquieu de Floyran?

Esta historia es rica en incoherencias. El personaje de Esquieu de Floyran es mal conocido. Nuestras diferentes fuentes lo bautizan alternativamente como Esquieu de Floyran, Esquius de Floyrac, Squino de Florian o Sequin de Flexian.

¿Era un burgués, un caballero indigno o un templario? Se lo considera coprior de Montfaucon, en la región de Toulouse; pero no existe ningún lugar con este nombre.

También las circunstancias que lo llevaron a estar con el templario condenado al cadalso son oscuras. Parece que era culpable de apostasía y había apuñalado al comendador de Monte Carmelo. Estos dos crímenes le habrían costado la prisión. Lógicamente, Floyran hubiera debido ser condenado a muerte y ejecutado. Sin embargo, dejó la prisión y pudo ver al rey de Aragón.

La justicia medieval raramente era clemente con los apóstatas y los asesinos, pero en este caso parece que fue de una gran mansedumbre. ¿Se beneficiaba con altas protecciones que le evitaron el cadalso? ¿Se evadió? ¿O bien fue el instrumento de una maquinación?

Por desgracia, faltan las pruebas, aunque existe otra versión de esta historia.

Floyran, y esto se ha establecido sin la menor duda, denunció a los templarios ante el rey de Francia. Sólo se ignora en qué condiciones recibió la confesión que repitió al soberano y si ésta era auténtica o no.

Floyran habría matado al comendador de Monte Carmelo y habría huido a París. Allí, habría obtenido la protección de Nogaret, también originario del sudoeste de Francia. El secretario del rey, que entonces buscaba la manera de acabar con los templarios, sacaría partido de la situación para concebir una maquinación diabólica. Como contrapartida por su ayuda, el apóstata asesino obtenía la impunidad.

El plan diabólico de Nogaret

El plan era simple: llevaron a Floyran de nuevo a Agen y lo encarcelaron en un castillo real donde justamente un anciano templario esperaba ser ejecutado por algún crimen de sangre. El comandante de la fortaleza tenía orden de que este hombre fuera su compañero de celda.

La maniobra era sutil: ya que era bien conocida la costumbre de confesarse con un compañero de celda antes de ser ejecutado, a nadie le asombraría que Floyran hubiera recibido la confesión de este hermano del Temple. Luego lo liberaron y pudo contar a todo el mundo el relato de los horrores que le habían susurrado al oído. Y como el autor inicial de las revelaciones, el templario, había sido ejecutado, sólo quedaba una salida para saber la verdad: iniciar una investigación.

Y este plan era hábil por otra razón. Floyran, burgués o noble de Béziers, era súbdito del rey de Aragón. O sea, que primero iría a ver a su soberano. En el mejor de los casos Jaime II tomaría la iniciativa de iniciar el proceso contra el Temple. En caso contrario si no veía en la historia de Floyran más que una fábula, y es lo que pasó, Felipe el Hermoso aparecería sólo como una segunda opción. Nadie sospecharía que el rey de Francia fuera el autor de una maquinación.

¿Hubo manipulación? Es muy verosímil. Además, sería característica del estilo de Nogaret. El hombre que había dirigido la expedición de Anagni para capturar al papa Bonifacio era perfectamente capaz de esta puesta en escena. Pero las incógnitas siguen siendo numerosas.

En los años siguientes Floyran tomó parte en el proceso de una manera muy extraña: no compareció como testigo, como era de suponer, sino que realizó interrogatorios e hizo torturar a algunos templarios para arrancarles una confesión.

Nos es difícil creer en la autenticidad de su testimonio inicial. En cuanto al desdichado templario cuya confesión, verdadera o supuesta, sirvió para iniciar el proceso de destrucción de la orden, hasta hoy se ignora su nombre.

Seguro del relato de Floyran, el rey se lo transmitió al Santo Padre. Y las habladurías de un asesino apóstata se convirtieron en una cuestión de Estado.

Después de la entrevista de Floyran con el rey de Aragón, los templarios sabían que eran objeto de acusaciones graves y precisas. Pero éstas presentaban un carácter tan grotesco, y provenían de un personaje tan vil, que no tenían la sensación de estar amenazados.

El error fatal de Jacobo de Molay

Sin embargo, el asunto tomó un giro diferente cuando el rey de Francia informó al papa. Clemente V y Felipe IV se encontraron en Poitiers en Pentecostés de 1307. Escoltado por sus hermanos, sus hijos y sus principales señores, el monarca insistió en lograr la abolición de la orden del Temple y comunicó al pontífice las denuncias recibidas de Esquieu de Floyran.

Clemente se negó a creerlas y no tomó ninguna medida para abrir una investigación: en efecto, las acusaciones no se basaban en ningún testimonio directo. Se acordó que el rey continuara sus investigaciones e informara al Santo Padre.

El Papa, sin embargo, se tomó el trabajo de advertir al gran maestre. Jacobo de Molay se encontraba en Chipre. La cruzada estaba más que nunca a la orden del día: la pérdida de San Juan de Acre se remontaba a 1291, sólo quince años antes, y la reconquista de Tierra Santa seguía siendo una preocupación oficial del Santo Padre. Eran numerosos los soberanos, incluido Felipe el Hermoso, que habían tomado la cruz. Sólo la historia nos permite saber *a posteriori* que nunca más habría una cruzada.

Molay cometió el error que se esperaba de él: pidió al Papa que investigara a la orden para poner término a las calumnias de que era objeto. Con esto el gran maestre quería probar su buena fe, pero no hizo más que admitir implícitamente que algunos templarios podían estar corrompidos.

En definitiva, los agentes del rey realizaron esta investigación que permitió recoger nuevos testimonios contra la orden y sus miembros. El gran maestre acababa él mismo de poner en marcha el engranaje que, muy pronto, trituraría la orden.

Clemente V convoca a los grandes maestres del Temple y del Hospital

El Papa, que presentía que el rey iba a actuar contra el Temple, aprovechó el pretexto de los preparativos de esta cruzada para convocar a los dos grandes maestres: el de los hospitalarios y el del Temple. Su idea era lograr la fusión de las dos órdenes, idea tantas veces considerada como abandonada. Foulques de Villaret respondió al Santo Padre que estaba ocupado en conquistar la isla de Rodas y se quedó en Oriente; Jacobo de Molay volvió a París, acompañado por altos dignatarios del Temple.

Con esto, el gran maestre acababa de cometer un grave error. En Chipre no podía ser alcanzado; si el rey de Francia realizaba alguna acción contra los hermanos del Temple o sus bienes, podía encontrar aliados en Inglaterra, Alemania, Aragón...

Por otra parte ¿qué valor hubiera tenido una medida contra el Temple si el gran maestre y los dignatarios seguían en libertad? Pero Jacobo de Molay, por falta de espíritu político, se metió en la boca del lobo. Se encontró con el Papa en Poitiers en el verano de 1307 y negó categóricamente todas las acusaciones transmitidas por el rey.

Durante ese tiempo, el consejo del rey estaba dividido. La investigación realizada de acuerdo con el Papa sólo permitió reunir testimonios de segunda mano, es decir, sin valor, o bien provenientes de templarios pocos dignos de fe porque habían sido expulsados de la orden por su mala conducta o por cobardía.

Todos, en el entorno del rey, esperaban que las revelaciones de Floyran y la amenaza reiterada de retomar el proceso contra la memoria de Bonifacio obligarían al Papa a pronunciar la condena de la orden. Pero el Papa resistía y los resultados se hacían esperar. Es verdad que nunca, hasta entonces, se había disuelto, suprimido o condenado una orden religiosa. Pero el rey seguía resuelto a hundir al Temple: por lo tanto, tuvo que emplear otros medios y, como veremos, estos fueron más draconianos.

Todos los consejeros del rey no eran del mismo parecer. Eran tres: Gilles Aycelin, arzobispo de Narbona y, por su cargo de canciller, un personaje clave en el seno del Estado; Guillermo Imbert, inquisidor general de Francia y dominico, era también el confesor del rey; Guillermo de Nogaret, que fuera ya el celoso servidor del rey en la disputa con Bonifacio VIII, era el secretario de Felipe.

Las divergencias aparecieron en el curso de dos reuniones entre los cuatro hombres, el 14 y el 20 de septiembre de 1307.

El 14, Felipe el Hermoso reunió a los tres hombres en la abadía de Pontoise. La sesión fue tempestuosa. Se enfrentaron dos puntos de vista. Nogaret era favorable al arresto de los templarios. El arzobispo de Narbona manifestó su oposición: los templarios tenían exclusivamente jurisdicción papal; el rey no podía actuar contra ellos.

Guillermo Imbert finalmente inclinó la balanza a favor del arresto. Los templarios eran sospechosos de herejía y por lo tanto, en su condición de inquisidor general, con la función de perseguir la herejía, podía pedir al rey que los arrestase. Habían encontrado el argumento jurídico: el arresto se haría de acuerdo con el derecho canónico. Gilles Aycelin, guarda del sello real, se sometió pero se negó a sellar la orden de arresto. Sin una palabra, el rey lo tomó de las manos del arzobispo y lo entregó a Nogaret.

El arresto de los templarios

El viernes 13 de octubre de 1307 se desarrolló la más formidable operación política de la Edad Media. Esa mañana, a partir del alba, cada encomienda, granja y casa del Temple fue invadida por la gente del rey y todos los templarios arrestados. Bailes y senescales obedecieron escrupulosamente las instrucciones escritas recibidas un tiempo antes y los hermanos, sorprendidos, no ofrecieron resistencia alguna.

En París, también fue arrestado el gran maestre. El día anterior Jacobo de Molay había asistido, en el convento de los jacobinos, a los funerales de Catalina de Courtenay, nieta de Balduino II, último emperador latino de Constantinopla, y segunda esposa de Carlos de Valois, hermano del rey.

Felipe, para calmar su desconfianza, lo invitó a llevar el ataúd de su cuñada con otros grandes señores. La redada, sobre todo, debía incluir al gran maestre. O sea, que se tomaron todas las precauciones.

Al alba, la fortaleza del Temple fue cercada por varias tropas de gente armada que invadieron la plaza. No se necesitó ninguna estratagema: los monjes soldados no ofrecieron resistencia alguna y se rindieron de inmediato. Nogaret, que fue a arrestarlos en persona, encontró a Jacobo de Molay en la cama. Inmediatamente después de su arresto, encerraron al gran maestre y los otros ciento cuarenta hermanos en las celdas del edificio.

La torre del Temple era, sin embargo, la única fortaleza parisina construida para resistir un sitio. Los hermanos hubieran podido resistir: al comienzo de 1307, durante los disturbios, Felipe se vio obligado a dejar su palacio y encontró refugio y protección en el recinto del Temple.

Espantosa carnicería en Arras

El éxito de la operación se debió mucho a su carácter simultáneo en todas partes de Francia. La orden del rey era clara: todos los templarios debían ser aprehendidos el mismo día, a la misma hora. La sorpresa no fue sólo para los monjes; los soldados, a los que acababan de dar la orden y que al mismo tiempo se enteraban de la larga lista de crímenes abominables imputados a los hermanos, reaccionaron a veces con violencia. En Arras, invadieron la casa del Temple y degollaron a la mitad de las personas que se encontraban allí.

La orden de arresto emanada de Felipe el Hermoso se aplicó también en Navarra, cuyo soberano era el hijo mayor del rey de Francia, el futuro Luis X el Obstinado. Por contra, los otros monarcas mostraron una gran moderación.

De inmediato, después del arresto, Felipe invitó por carta al rey Eduardo II de Inglaterra, su yerno, al emperador Alberto, su amigo, y a otros príncipes a actuar como él. Pocos de ellos dieron fe a las alegaciones de Felipe IV.

Y es así como el 30 de octubre de 1307 el rey de Inglaterra respondió que «los prelados, condes y señores de su reino se negaban a dar fe de los crímenes abominables, execrables, de los que hablaba en sus cartas». El emperador y el arzobispo de Colonia protestaron conjuntamente «que estaban muy sorprendidos; que esperaban las instrucciones del Papa».

Más dócil, el duque de Brabante escribía, el 9 de noviembre de 1307, que había hecho arrestar a los templarios, que los tenía en prisión y había tomado sus bienes, como le había pedido el rey.

La operación, pues, tuvo un éxito total. Sólo algunos hermanos pudieron escapar al arresto: pero, muy pronto los acorralaron y los apresaron. Aunque los templarios siguieron siendo libres en el resto de la Cristiandad, la orden estaba decapitada. Con sus dignatarios en prisión, ya nadie estaba en condiciones de plantear una resistencia.

El rey había cumplido su primer objetivo. En los años anteriores ya había realizado una operación similar, cuando decidió expulsar a los judíos de su reino; por tanto, él y sus ministros ya tenían experiencia en la materia. La confidencialidad de la operación estaba garantizada: un número mínimo de personas estaban al corriente y sólo conocieron los detalles en el último momento.

Órdenes secretas enviadas a los comisarios del rey

Este rey impasible y mudo —escribe Lavocat— actúa en la cuestión del Temple con el disimulo de un conjurado. Retirado al fondo de la abadía de Pontoise con sus consejeros, nada trasciende. Se habrían dado órdenes secretas para que los hermanos fueran arrestados el mismo día, a la misma hora, a partir del alba.

En efecto, las órdenes de arresto fueron enviadas a los recientes comisarios del rey. Estos funcionarios, recién creados y de una fidelidad a toda prueba, eran más seguros que los bailes y senescales, cuyo cargo era hereditario. El rey explicaba a continuación, en la orden de arresto, que los comisarios debían trasmitir el procedimiento a los senescales y a los bailes, y luego realizar una investigación secreta en todas las casas de los templarios.

Para no despertar sospechas, también se podía hacer una investigación en las casas que pertenecían a las otras órdenes y fingir que se trataba del diezmo acordado por el Papa el 3 de junio anterior.

Luego, el que acompañara al baile o al senescal el día del arresto debía elegir en el último momento a hombres probos con poder en la región, al abrigo de cualquier sospecha —caballeros, regidores, consejeros—, e informarles de la tarea bajo juramento y secretamente. Esos hombres serían enviados enseguida a cada casa y granja para arrestar a las personas, confiscar sus bienes y organizar su custodia. Los primeros interrogatorios debían empezar enseguida.

La operación, cuidadosamente cronometrada, se desarrolló como había ordenado el rey. La investigación secreta realizada por los comisarios permitió determinar con cuidado cuántos hombres debían ser arrestados y qué efectivos se necesitarían. Se evitó reclutar personas que tuvieran un miembro de la familia en el Temple.

Última precaución: los comisarios se abstuvieron de revelar a los hombres de armas la naturaleza exacta de su tarea, sólo se les dijo que actuaban por el Papa y la Iglesia.

¿Los monjes soldados estaban prevenidos?

La envergadura de la operación y su carácter sin precedente nos llevan a preguntarnos si era posible que se hubieran producido «fugas». En otros términos ¿los templarios tenían conocimiento de la amenaza que pesaba sobre ellos?

Se ha especulado mucho al respecto. Ningún testimonio o documento nos permite afirmar que se hubiera divulgado el secreto. Los comisarios eran funcionarios dignos de confianza, amovibles y en consecuencia poco implantados en las provincias que tenían a su cargo. Por lo tanto, no tenían ocasión de trabar amistad con sus administrados, contrariamente a los bailes y senescales. Precaución suplementaria: se exigió juramento a todos los participantes en la operación.

Pero los templarios tenían informadores, para no decir espías; no se es banquero sin estar perfectamente informado. Se dice a menudo que los que llevaron las órdenes de arresto a los cuatro rincones del reino debieron llamar su atención. Esto sería olvidar que la administración, con Felipe el Hermoso, había alcanzado una amplitud sin precedente y que el rey mantenía una permanente correspondencia con sus funcionarios. O sea que las órdenes de arresto pudieron pasar desapercibidas, mezcladas con otros despachos.

Además, el rey tomó la precaución de explicar de manera muy detallada su orden de arresto. Esta orden era el primer acto del procedimiento del legajo y el soberano, como buen legista que era, quería justificar de manera muy precisa su acción. Pero esta orden estaba destinada a todas las personas que participarían en la operación del arresto. Y el mejor medio de proteger el secreto era convencer a cada uno de la infamia en la que los monjes soldados habían caído. ¿Qué comisario hubiera corrido el riesgo de traicionar a su señor en un asunto tan capital? ¿Qué buen cristiano, después de leer esa terrible requisitoria, podía tomar la iniciativa de prevenir sobre lo que se preparaba a un amigo o un pariente que perteneciera al Temple?

En cuanto a los otros hombres —los que tuvieron que aplicar la orden— sólo conocieron el secreto en las horas previas al arresto; y para desalentarlos el acta de arresto relataba los crímenes de los templarios.

Este relato, a la vez detallado y argumentado, sólo podía convencer de las intenciones loables del rey y prevenir cualquier indiscreción: ¿quién iría a informar a los templarios de que serían arrestados en las horas siguientes, después de haber escuchado la lista de sus malas costumbres?

Por qué los templarios no opusieron resistencia

Sin embargo, el enigma del arresto de los templarios no queda claramente elucidado con estos argumentos pertinentes.

¿Por qué los monjes soldados no ofrecieron resistencia a los agentes del rey? Porque, si bien el aspecto sorpresa y los medios excepcionales fueron importantes, si bien ignoraban que planeaba sobre sus cabezas esa medida, al menos sabían que se les acusaba de crímenes horribles desde que el gran maestre había pedido una investigación al Papa. Por eso no es comprensible que no hubieran tomado alguna precaución. Como último recurso tenían la posibilidad material de resistir.

Más tarde, en Aragón y en Alemania, cuando el Papa ordenó el arresto en toda la Cristiandad, se negaron a entregarse y resistiron hasta que los desalojaron por la fuerza. ¿Por qué no reaccionaron de esta manera en Francia el 13 de octubre de 1307?

En las provincias dejaron que entraran decenas, y aun centenares de hombres armados, en sus encomiendas para verificar el diezmo; en París, cuya fortaleza podía resistir un sitio en toda regla, se rindieron ante la primera orden de Nogaret. Su falta de resistencia sorprende tanto más por cuanto tenían el derecho de resistir. Hemos visto que el rey utilizó una artimaña jurídica para ordenar su arresto: según él, al culparlos de herejía, dejaban de beneficiarse de la inmunidad de jurisdicción otorgada por el Papa y podían ser arrestados como herejes comunes. Pero los templarios estaban autorizados para contestar esta argumentación y para resistir, precisamente en nombre de esta inmunidad de jurisdicción.

Una orden de arresto emanada del Papa explicaría que se rindieran sin condiciones, pero no la orden real que les presentaron. Esta extraña actitud de sumisión al poder real, cuando de costumbre eran tan celosos de sus privilegios, ha contribuido mucho al misterio de los templarios.

Louis Charpentier da una explicación que tiene el mérito de resolver el enigma, aunque sea difícil adherirse totalmente a ella. La regla les prohibía tomar las armas contra los cristianos; sólo podían hacerlo con dos condiciones: para defenderse y después de ser atacados tres veces seguidas. Fuera de este caso, se necesitaba una orden del gran maestre y éste no podía dar la orden porque no había sido prevenido del arresto. Pero en París, donde también él fue arrestado ¿por qué no la dio?

Si es ésta la razón de la pasividad de los templarios el día de su arresto, Felipe el Hermoso no podía ignorar este artículo de la regla y está claro que, en ese caso, abusó del mismo. Su operación no podía fracasar. Y no sería la primera vez en el proceso que el rey usaría la regla de los templarios en contra de ellos.

La orden de arresto era una larga pieza de retórica, brillantemente compuesta por el rey y sus legistas, que puso en marcha el proceso que desembocaría en la supresión de la orden, y un documento de propaganda que debía convencer a los señores, al clero, a los burgueses y al resto del pueblo de la legitimidad de la intervención real.

«Un crimen detestable, un delito execrable, un acto abominable...»

El rey empezaba con un largo preámbulo en el que explicaba que «gracias al informe de varias personas dignas de fe», descubrió que se había cometido «un crimen detestable, un delito execrable, un acto abominable, una infamia espantosa, algo totalmente inhumano».

Sin decir todavía quién era el supuesto autor de esta infracción, precisaba que ofendía a su majestad divina. Se comprende entonces que se trataba de un crimen religioso y que el rey actuaba como defensor de la fe. Explicaba luego que se refería a la orden del Temple. Y precisaba su acusación.

El día que profesaban, los templarios renegaban tres veces de Jesucristo y le escupían tres veces el rostro. Luego, desnudos, recibían tres besos de quien los hacía entrar en la orden: en la parte baja de la columna vertebral, en el ombligo y en la boca. El reproche del beso en la boca era deshonesto por parte del rey porque se trataba del bien conocido «beso de la paz» que se daba al vasallo. El mismo Felipe el Hermoso se lo daba a cada vasallo cuando recibía su homenaje.

Así, de acuerdo con los usos feudales, besó *en la boca* al rey Eduardo II de Inglaterra al recibir su vasallaje por el ducado de Aquitania, y cuando se sabe que Eduardo II era un homosexual notorio, la acusación contra los templarios resulta ridícula.

A continuación la orden de arresto reprochaba justamente a los templarios el hecho de ser autorizados al pecado contra natura al entrar en la orden y a entregarse a «un horrible y espantoso concubinato». El rey acusaba finalmente a los miembros de la orden de entregarse al culto de ídolos.

Felipe IV continuaba explicando que al comienzo se había negado a creer en tales abominaciones y que pensó que las difundían personajes envidiosos y odiosos; pero, al multiplicarse las denuncias, debió reconocer que el escándalo ya era público y que debía intervenir.

Empezaban las mentiras: los denunciantes eran más numerosos porque se los había buscado, y se creyó en las afirmaciones de todos los que deseaban dañar a la orden, en especial los ex templarios expulsados por su cobardía o su mala conducta. En cuanto a Floyran, sabemos que era un asesino y un apóstata. Pero el rey no lo tomó en cuenta. Dio a entender que el Papa estaba de acuerdo con el procedimiento que iniciaba.

En realidad, Clemente V sólo estaba informado de una cosa: las acusaciones de Floyran en los años anteriores. El soberano pontífice ignoraba todo sobre el arresto. También había prelados y señores a los que el rey debió consultar en su consejo plenario. Ni un familiar, como su hermano Carlos de Valois, fue informado del arresto que se proyectaba: tomó la decisión en Pontoise en el más absoluto secreto.

El único prelado informado fue Gilles Aycelin, el arzobispo de Narbona, pero lo fue en su condición de guarda del sello, una condición que perdió ese mismo día, en favor de Nogaret, por haberse negado a sellar la orden de arresto. En cuanto al consejo plenario del que hablaba Felipe, nunca deliberó sobre este tema antes del arresto.

Luego de la investigación previa realizada por el inquisidor y a su pedido, el rey ordenó el arresto de todos los hermanos del Temple, su retención para que pudieran ser juzgados por la Iglesia, y la incautación de los bienes de la orden, muebles e inmuebles.

En una nota anexa a la orden de arresto, retomaba la lista de acusaciones y precisaba algunas de ellas. Además de renegar de Jesús, escupir sobre la cruz, los besos obscenos, y la homosexualidad, reprochaba a los hermanos el hecho de que llevaran permanentemente cordones que antes habían pasado por el cuello del ídolo. Precisaba también el aspecto del ídolo, que describía con «la forma de una cabeza de hombre con gran barba». Había una acusación suplementaria dirigida específicamente contra los sacerdotes de la orden, que no consagraban el cuerpo de Nuestro Señor.

Hemos visto cómo este arresto, único en su género, fue un éxito. Con todos los hermanos en las prisiones reales —con excepción de algunos temerarios que habían logrado escapar y que muy pronto serían capturados— el inquisidor podía empezar su tarea. Muy pronto se multiplicarían las confesiones arrojando de manera definitiva una duda considerable sobre la honorabilidad de la orden.

Las confesiones de los monjes soldados

El día 18 de octubre de 1307, el inquisidor general, Guillermo Imbert, empezó su siniestro trabajo. Desde ese mismo día hasta el 24 de noviembre examinó personalmente o hizo que examinaran a ciento cuarenta templarios.

A continuación veremos que todo el procedimiento contra el Temple y los templarios estuvo basado en las confesiones recibidas por la Inquisición. En París, el propio confesor de Felipe el Hermoso, en su calidad de inquisidor general de la fe para el reino de Francia, realizó los interrogatorios, asistido por su fiel Nicolás d'Ennezat.

En las provincias, los hermanos predicadores, o sea los dominicos, procedieron a las investigaciones conforme a las instrucciones recibidas de su jefe, el inquisidor general.

Los templarios dejaron las prisiones de Nogaret, guarda del sello del rey, y fueron confiados al inquisidor general Guillermo Imbert, confesor del rey, para que los interrogara. Terminada esta «formalidad» los devolvieron a los hombres de Nogaret. Los monjes soldados, por lo tanto, estaban totalmente en manos del soberano francés. Y si hablamos de «formalidad» respecto a los interrogatorios es porque la verdad parecía no interesar al inquisidor: sólo quería confesiones que confirmaran las acusaciones de su señor. Veamos cómo se desarrollaron las investigaciones.

Después de su declaración, los templarios juraron que no fueron torturados

Guillermo Imbert, a veces llamado Guillermo de París, hizo escribir en las actas que actuó «contra ciertas personas a él denunciadas por herejía». Los detenidos fueron llevados a su presencia, o a la de sus asistentes, uno tras otro.

Se empezaba por presentarles y hacerles tocar los Santos Evangelios; luego se les hacía jurar que dirían la verdad, plena y total, en lo que les concernía a ellos y a otras personas de la orden. Al final de su declaración, cada hermano volvía a jurar, después de tocar otra vez los Evangelios, que su declaración era la expresión de la verdad, que nada disimuló, ni dijo una falsedad, y que declaró sin temor a la tortura o debido a ella o a cualquier otra causa.

También cada templario era amonestado antes del interrogatorio de acuerdo con las instrucciones del inquisidor. Se informaba a los monjes soldados de que «el Papa y el rey sabían por varios testigos dignos de fe, miembros de la orden, el error y los delitos de los que se hacían especialmente culpables en el momento de su ingreso y por su profesión». Les prometían luego «el perdón si confesaban la verdad y volvían a la fe de la Santa Iglesia» y se los amenazaba con ser condenados a muerte si se negaban.

El 19 de octubre de 1307 compareció el hermano Raynier de L'Archent. Confesó haber renegado de Jesucristo, escupido sobre la cruz y los besos obscenos. Explicó también cómo se incitaba a las malas costumbres. Mientras el profeso prestaba juramento, los asistentes cantaban: «¡Qué dulce y agradable es ver a los hermanos habitar juntos!».

Imbert señaló esto en el acta como si se tratara de un indicio de la corrupción moral de los templarios. Era dar prueba de una mala fe flagrante: ese canto, que el inquisidor pareció considerar perverso, era en realidad un salmo celebratorio de las bellezas de la vida común en la castidad. Era un texto perfectamente ortodoxo que también cantaba el inquisidor cada semana con sus hermanos dominicos.

El 21 de octubre, Guillermo de Giaco, hermano criado destinado a la casa y a la persona del gran maestre, confesó los besos indecentes y los escupitajos sobre la cruz, así como el acto de renegar. Declaró haber visto el ídolo en Chipre y explicó cómo, varias veces en una noche, tuvo relaciones inmundas con Jacobo de Molay. Poco después, otro hermano sirviente, Pedro de Safet, cocinero de la casa del gran maestre, confirmó las escupidas sobre la cruz, la negación y los besos indecentes. Declaró que una noche tuvo relaciones infames con un hermano llamado Martín, que salía de la habitación del gran maestre: no se animó a negarse porque éste último le dijo que esas relaciones entre hermanos estaban autorizadas.

«Es un falso profeta; ¡no es Dios!»

Geoffroy de Charnay, preceptor de Normandía, el primer dignatario en comparecer, fue interrogado el mismo día. Su admisión se había desarrollado en Étampes en 1270, presidida por el hermano Amaury de La Roche, gran maestre, en presencia del hermano Juan Le Franceys, preceptor de París, y otros muertos desde entonces.

Al final de la ceremonia, es decir, después de que le pusieron la capa, le dieron una cruz con la imagen de Jesucristo; y el mismo hermano que acababa de recibirlo le dijo que «no creyera en aquel cuya imagen estaba allí representada, porque era un falso profeta y no era Dios». También ordenó que negara a Jesús tres veces. Charnay precisó que «lo hizo de palabra, no de corazón». El inquisidor le preguntó entonces si había escupido sobre la imagen; Charnay contestó que no se acordaba y que creía que era porque los otros se apresuraban a hacerlo.

Jacobo de Molay, el gran maestre, fue escuchado a su vez el 24 de octubre de 1307. Su admisión había tenido lugar en Beaune, en la diócesis de Autun, en 1255, presidida por el hermano Humberto de Pairaud, caballero, en presencia del hermano Amaury de La Roche y otros hermanos cuyos nombres había olvidado. Al término de la ceremonia, le pusieron la capa y el hermano Humberto hizo traer una cruz de bronce en la que estaba la imagen de Cristo. Le ordenó entonces que renegara de Cristo, cuya imagen estaba en la cruz.

Molay lo hizo, muy a su pesar. Luego, el hermano Humberto le pidió que escupiera sobre la cruz: el futuro gran maestre escupió en el suelo. Interrogado por el inquisidor, que quería saber el número de veces, contestó que escupió una sola vez; lo recordaba muy bien.

El hermano Pedro d'Herblay compareció poco después. Confesó haber renegado de Jesús, escupido sobre la cruz, haber dado y recibido besos obscenos. Declaró haber sido autorizado a entregarse a la sodomía pero negó haber cometido tal acto. El hermano Juan de Elemosina también compareció el 24 de octubre. Confesó haber renegado y la autorización para tener relaciones homosexuales. No escupió sobre la cruz sino en el suelo.

El 27 de octubre el hermano Stéphane de Domont confesó haber renegado de Jesús, haber escupido, los besos impúdicos, la autorización para entregarse a la sodomía; aseguró haber visto recibir a un hermano de esta manera pero no dijo a quien. El mismo día el hermano Pedro de Blésis, sacerdote, confesó haber sido autorizado a cometer actos contra natura porque ésa era, le dijeron, la regla de la orden.

El martes 7 de noviembre, el hermano Pedro de Bolonia, sacerdote, procurador general de la orden en la corte de Roma —este hombre tendrá un papel considerable en el proceso— confesó haber sido llevado aparte y conminado a renegar del «Crucificado». Le dijeron que podía entregarse a otro hermano sin pecar. Confesó también los besos indecentes.

«Todos terminaban por renegar y escupir»

El 7 de noviembre de 1307 escucharon a Hugo de Pairaud, visitador de Francia. Su admisión se remontaba al año 1267, en Lyon, por el hermano Humberto de Pairaud, su tío, en presencia del hermano Enrique de Dole, otro hermano llamado Juan que luego fue preceptor de La Muce, y de algunos otros cuyos nombres no recordaba.

Según el ritual bien conocido, le hicieron prometer que observaría los estatutos y secretos de la orden, y le pusieron la capa. Entonces, el hermano Juan lo condujo detrás del altar y le mostró una cruz en la que estaba la imagen de Jesucristo crucificado. Lo conminaron a «renegar de aquel cuya imagen estaba representada y a escupir sobre la cruz». Pairaud, a su pesar, renegó de Jesucristo, de palabra y no de corazón, según dijo... Se negó a escupir sobre la cruz a pesar de la admonición que le hicieron.

El dignatario explicó luego cómo recibió a varios hermanos: inmediatamente después de pronunciado su voto,

> [los] llevaban a lugares secretos y se hacían besar por ellos en la parte inferior de la columna vertebral, en el ombligo y en la boca. Luego hacían traer una cruz ante el nuevo templario y le ordenaban, en virtud de los estatutos de la orden, que renegara tres veces del Crucificado y escupiera sobre la cruz y sobre la imagen de Jesucristo.

Intrigado, el inquisidor preguntó si había conocido a algunos que se negaran a hacerlo. «Sí —contestó el visitador de Francia—, pero todos terminaban por renegar y escupir.»

El mismo día, el hermano Raúl de Gisy, receptor de Champaña, confesó haber visto el ídolo en siete capítulos celebrados por Hugo de Pairaud y otros. El 13 de noviembre, el hermano Gilles Chérut dijo que le obligaron a escupir sobre la cruz, pero que fingió escupir y que una parte de su saliva no la tocó; confesó los besos indecentes en el ano, el vientre y la boca. Recibió la orden de abstenerse de las mujeres pero admitieron que tuviera relaciones con otros hermanos.

Desde el 18 de octubre al 24 de noviembre de 1307, Guillermo Imbert examinó e hizo examinar a ciento cuarenta templarios arrestados y detenidos en París. Citamos sólo algunos ejemplos, pero casi todos confesaron haber renegado de Jesús poco después de su admisión.

Los tres templarios que nada confesaron

En esta primera sesión de interrogatorios realizada en París por el inquisidor general de la fe, sólo tres templarios no confesaron. Sus nombres merecen ser citados: Juan de Châteauvillars, Enrique de Hercigny y Juan de París.

El 9 de noviembre de 1307 compareció Juan de Châteauvillars. Era un hombre joven, de sólo treinta años. Había sido recibido en 1303 en Mormant, en la diócesis de Troyes, por el hermano Laurent de Beaune, en presencia del hermano Julián, capellán, y otros cuyos nombres había olvidado.

Como los otros, había hecho varias promesas respecto a la observancia de los buenos estatutos de la orden, luego le pusieron la capa y el que lo recibía lo admitió con un beso en la boca, así como todos los hermanos presentes. No le pidieron ni obligaron a otra cosa.

Hay que observar que estos tres templarios no fueron «examinados» por Guillermo Imbert, ni por Nicolás d'Ennezat, su asistente, sino por otro dominico, el hermano Laurent de Nantes. Está claro que éste no puso el mismo celo que sus superiores para obtener las confesiones deseadas.

Es cierto que Guillermo Imbert arriesgaba mucho en este asunto ya que él se pretendía «diputado en el reino de Francia por la autoridad apostólica, en la casa de la milicia del Temple en París, para informar contra ciertas per-

sonas que allí se encuentran y están acusadas ante él del crimen de herejía»,
lo que uno era del todo exacto.

Guillermo Imbert había recibido del Santo Padre la misión de perseguir
a los herejes. Pero los templarios se beneficiaban de una inmunidad de jurisdicción y sólo el Papa podía juzgarlos. En consecuencia, el inquisidor necesitaba una orden especial del Papa para actuar contra ellos y no la tenía. Por
lo tanto tenía que justificar su intervención *a posteriori* mediante la obtención de confesiones circunstanciadas.

¡Los inquisidores no toman en cuenta las negaciones!

En las provincias los interrogatorios tenían lugar en el mismo momento.
Los hermanos predicadores, sometido a la autoridad de Guillermo Imbert,
habían recibido instrucciones claras: «Los comisarios deben enviar al rey
con sus sellos y con los sellos de los comisarios del inquisidor lo más pronto que puedan la copia de la declaración de los que confesaron dichos errores o principalmente la negación de Nuestro Señor Jesucristo.»

Por eso el legajo de los templarios cuenta con muchas confesiones, pero
con una pobreza inmensa cuando se trata de las negaciones y manifestaciones de inocencia que es probable que plantearan algunos hermanos: ¡simplemente no se tomó nota de las mismas!

En Caen, los trece templarios arrestados confesaron todos, con la ayuda
de las promesas, las amenazas y las preguntas, el conjunto de las acusaciones. En Nîmes, los inquisidores recibieron confesiones completas y detalladas de parte de cincuenta y cuatro hermanos detenidos. Tan detalladas
que es difícil creer en su autenticidad. Algunos hermanos no silenciaban
detalles concernientes al ídolo: tanto cabeza de muerto apoyada en un banco,
como gato que hablaba a los hermanos, contestaba las preguntas y prede-
cía el futuro. El ídolo tomaba a veces la forma de mujeres con las que se
entregaban al desenfreno. ¡Al menos estos no arderían en el infierno por
haber tenido relaciones contra natura!

Estas confesiones, a pesar de su carácter extravagante y de las condiciones poco concordantes con el derecho civil en el que fueron recibidas, sirvieron de fundamento al conjunto del procedimiento. Fueron el punto de partida del terrible engranaje que muy pronto trituraría a la orden del Temple.

Jaque al Papa

Desde el día siguiente del arresto, el Temple quedó neutralizado en Francia. El gran maestre y los otros dignatarios quedaron sumidos, impotentes, en prisión. Los soberanos extranjeros no aprehendieron a los templarios que residían en sus territorios respectivos, pero tampoco condenaron la iniciativa del rey de Francia. El clero secular y regular francés no manifestó oposición alguna a la iniciativa real y la Inquisición se dedicó a obtener confesiones rápidas y circunstanciadas de todos los hermanos que tenían en sus manos.

Sólo quedaba un obstáculo por franquear: el Papa.

El verdadero jefe de los templarios

El soberano pontífice no consintió el arresto; ni fue prevenido. Su última iniciativa consistió en pedirle al rey de Francia que procediera a una investigación y que le comunicara los resultados. ¿Cuál iba a ser la actitud de Clemente V, protector natural de la orden y también su verdadero jefe, ya que el gran maestre sólo debía rendirle cuentas a él?

El rey debía estar seguro de la inercia del pontífice para llevar a cabo el resto del proceso de destrucción del Temple. Si el Papa reaccionaba y ponía obstáculos a los designios reales (porque todavía era posible), el resultado buscado podría no alcanzarse jamás. Y el soberano pontífice se opuso al rey, pero no con la virulencia que se podía esperar del defensor natural del Temple. La personalidad del Papa, y también la del rey, no fueron ajenas a esta blandura aparente. El contexto particular de Francia y de la Iglesia también jugó en favor del monarca.

Clemente V se enteró del arresto de los hermanos de una manera muy humillante: por el arresto en la misma curia de Hugo de Pairaud, visitador de Francia. El Papa reaccionó: era demasiado. Los templarios eran hombres de la Iglesia y, sobre todo, dependían exclusivamente de la jurisdicción pontificia. Nadie tenía derecho a levantar la mano sobre ellos sin una orden expresa de su parte. No se engañaba sobre el pretexto jurídico invocado por el rey de Francia. Aunque Felipe lo invocara oficialmente en la orden de arresto, para Clemente estaba claro que la iniciativa del arresto la había tomado el monarca y no el inquisidor general.

Esto provocó evidentemente la inquietud del rey de Francia, cuya preocupación principal era aparecer como un defensor de la fe tanto a los ojos del pueblo de Francia como a los ojos de la Iglesia. La intervención del Papa, aunque previsible, debía ser rápidamente enfrentada.

«¡Habéis hecho lo que vuestros predecesores jamás osaron!»

La reacción papal consistió en una carta que Clemente V envió al rey el 27 de octubre de 1307, o sea, sólo dos semanas después del arresto masivo de los caballeros del Temple. Esta carta tomó la forma de una violenta protesta. El Papa reprochaba a Felipe haber «extendido la mano sobre las personas y bienes de los templarios» y de haber «llegado hasta llevarlos a prisión».

Los templarios eran, como ya hemos dicho, gente de la Iglesia y por lo tanto estaban sometidos a la autoridad directa del soberano pontífice. Ni un obispo podía actuar en contra de ellos; *a flortiori* un laico, aunque fuera el rey, nada podía hacer. En efecto, la audacia de Felipe fue grande, como le recordó el Papa que subraya que «jamás los reyes precedentes osaron juzgar a los clérigos».

El Papa retomó pues la iniciativa y anunció al rey que le enviaba dos cardenales: Berenguer de Frédol y Esteban de Suisy. Además le ordenó que le devolviera a los templarios y sus bienes.

Sin que lo pareciera, Felipe acababa de lograr una gran victoria. El Papa hubiera podido, teniendo en cuenta los vicios de procedimiento flagrantes, ordenarle que liberara a los templarios y le devolviera sus bienes so pena de excomunión. Pero se contentó con fulminarlo. Guillermo Imbert podría continuar su siniestra tarea. Terminó sus interrogatorios el 24 de noviembre.

Las confesiones rápidas obtenidas de los hermanos cautivos y torturados se debieron en gran medida a la reacción moderada del Papa. El 24 de octubre, Jacobo de Molay confesó ante el inquisidor sin haber sido torturado; el 25, confirmó públicamente sus confesiones ante los doctores de la Universidad; el 27, cuando el Papa escribió al rey, era demasiado tarde: ¿cómo ordenar la liberación por vicio de forma de esos monjes que acababan de confesar crímenes contra la fe tan detestables?

El soberano pontífice fue tomado por sorpresa; el 27 de noviembre, cambió de pronto, promulgó su bula *Pastoralis praeeminentiae* y ordenó el arresto de los templarios en toda la Cristiandad, así como la incautación de los bienes de la orden.

Los dos legados del Papa llegaron a París en Navidad. Encontraron a los hermanos prisioneros: el rey no podía impedirles comunicarse con ellos porque los templarios, aunque siguieran en las prisiones reales, estaban bajo la guarda de la Iglesia.

Recuperada la confianza, Jacobo de Molay y los otros dignatarios revocaron sus confesiones: el gran maestre explicó que confesó crímenes imaginarios por temor a la tortura. Se las arregló, además, para pedir a los otros prisioneros que revocaran sus confesiones. Influenciado por el informe de los dos cardenales, el Papa volvió a cambiar de parecer y suspendió los poderes de los inquisidores.

Los teólogos de la Universidad tomaron partido por el rey de Francia

El rey decidió entonces dar un gran golpe para obligar al Papa y también para confirmar públicamente la legitimidad de su iniciativa: después de todo, la inmensa mayoría de los hermanos habían confesado uno o varios crímenes de los que les imputaba la orden de arresto.

Había que impedir que el procedimiento se estancara y obtener del Santo Padre la condena de la orden. En febrero de 1308, Felipe el Hermoso se dirigió a los maestros de teología de París y les consultó sobre varios puntos relativos a la herejía, al estatuto de los templarios y a sus bienes. El 25 de marzo, los doctores dieron una opinión que satisfizo al rey de Francia.

Confirmaban la legitimidad del arresto. En caso de peligro inminente, evidente y notorio, explicaban, se permitía al poder secular detener a los herejes, con la condición de entregarlos a la Iglesia apenas fuera posible. Y agregaban: «No nos parece que en virtud de la autoridad del Nuevo y del Antiguo Testamento, se pueda admitir expresamente que el príncipe secular deba ocuparse de dicho crimen»; lo que significaba que el príncipe no podía hacer más, o sea juzgar él a los herejes, pero tampoco podía hacer menos.

Por lo tanto no era una simple facultad, sino una obligación del rey, detener a los templarios. Los doctores decían luego que había lugar para reprobar la orden ya que la mayoría de los acusados habían confesado los crímenes que les imputaban. De esta manera daban argumento al rey para pedir al Papa la condena de los mismos.

Respecto a los bienes del Temple, debían ser destinados a la defensa de Tierra Santa. Este último punto no debió satisfacer tanto a Felipe como los anteriores, pero los doctores de la Universidad de París eran eclesiásticos y resulta difícil imaginar que no protegieran los intereses materiales de la Iglesia. Sin embargo, era de menor importancia porque los motivos del rey eran políticos antes que financieros. No le importaba que los bienes de los templarios se le escapaban con tal de que la orden fuera decapitada. Acababa de dar un gran paso en ese sentido.

En el mes de mayo de 1308, el mismo día de la respuesta de los teólogos, fortalecido por el apoyo de la universidad, el rey convocó los estados generales y ordenó su reunión en Tours.

Las misivas enviadas a las comunas, al clero y a los grandes feudatarios recordaban la misión real en materia de fe y los crímenes de los templarios:

> Todo violador de la fe es nuestro enemigo, y conspira contra los que somos católicos. [...] Conocéis el error de los templarios, error amargo, abominable, lamentable. Renegaban de Jesucristo, forzaban a los que entraban en la orden a renegar del Salvador y los sacramentos. Escupían sobre la cruz, instrumento de la Redención; la pisoteaban, se entregaban a los más viles contactos, adoraban a un ídolo, y se permitían lo que los brutos ignoran.

Estas enormidades las cometieron en todas partes del reino; los jefes de la orden lo han confesado [...] Las cometieron en Oriente, en todos los países.

El rey terminaba prescribiendo a cada ciudad que enviara a dichos estados generales dos hombres apasionados defensores de la fe.

Los estados generales contra el Papa

Felipe el Hermoso se aprestó pues a utilizar contra Clemente V los mismos métodos que contra Bonifacio VIII. Durante la gran disputa con el viejo pontífice, el rey ya había encontrado apoyo en esta institución revolucionaria creada para sostener su política sin tener que someterse a las exigencias de los grandes señores o de la Iglesia.

La política de Felipe V consistió, durante todo su reinado, en disminuir el poder de sus grandes vasallos. Cuando debió luchar contra la Iglesia, buscó nuevos apoyos: los burgueses.

En el siglo XIII, las ciudades se habían desarrollado y surgió una nueva clase social. No cultivaba la tierra, pero tampoco era noble. Agrupados en burgos donde ejercían los más variados oficios, eran mercaderes, y artesanos, y les llamaban burgueses. Liberados de la tutela del señor, habiendo obtenido privilegios, a veces protegidos por el rey directamente, dirigían los asuntos públicos en el seno de sus comunas. El rey eligió a esta gente del pueblo para enfrentar a los poderes tradicionales que eran la nobleza y la Iglesia.

Había alguno de ellos entre sus colaboradores: Nogaret y Plaisians eran burgueses ennoblecidos. Cuando la lucha contra Bonifacio exigió que toda Francia apoyara al rey contra el Papa, Felipe el Hermoso, aconsejado por sus legistas de origen burgués, creó los estados generales.

Reunían a representantes de la nobleza, del clero francés y de los burgueses. El rey los consultaba sobre los temas que deseaba, sin que pudieran imponer su opinión al soberano contra la voluntad de éste.

A veces se han comparado los estados generales franceses con el parlamento inglés creado por la Carta Magna en 1215, con Juan sin Tierra. Contrariamente a la institución inglesa, que podía oponerse al rey, los estados generales de Felipe el Hermoso sólo daban su parecer... que el rey podía seguir o rechazar. Además, se reunían a petición del rey y únicamente cuando éste sabía que podía contar con el apoyo de los estados.

El rey llegó a Tours el 11 de mayo de 1308. La asamblea apoyó a Felipe en todos los puntos: declaró que los templarios eran culpables y que merecían la muerte. El rey pudo ir así con un gran cortejo a Poitiers para llevarle la noticia al Papa y exigirle actos concretos.

Múltiples presiones al Santo Padre

Felipe el Hermoso llegó a Poitiers el 29 de mayo para encontrarse con el Papa. Clemente V presidía en esa ciudad un consistorio al que asistió el rey de Francia y en el curso del cual, hecho particular, Guillermo de Plaisians, legista próximo a Felipe y fiel asistente de Nogaret, pronunció un discurso destinado a demostrar al Papa la culpabilidad de los templarios y la inutilidad de cualquier defensa. Sobre todo quería incitarlo a actuar contra la orden.

Plaisians presentó el arresto de los hermanos como un milagro que la Providencia había otorgado al rey de Francia. Recordó confusamente la reunión oportuna de todos los dignatarios en el suelo de Francia y las confesiones espontáneas luego reiteradas.

La prueba, según él, de la culpabilidad de los templarios se deducía del gran número de testigos, de la multitud de confesiones, de las actas redactadas por la Inquisición, del testimonio del rey de Francia expresado en la orden de arresto, del rumor público.

Esta culpabilidad también se deducía (siempre según Plaisians) del carácter secreto de la admisión, de la confidencialidad que los templarios reivindicaban frente a los príncipes de la Iglesia, de la celebración nocturna de las asambleas (costumbre de los herejes), de la pérdida de Tierra Santa, de la disipación de los bienes de la Iglesia, del los templarios que habitaban en los reinos de España y que habían pasado a los sarracenos.

El Papa no reaccionó y el 14 de junio de 1308, Guillermo de Plaisians lo llamó a la orden en un nuevo discurso, es posible que redactado por Pedro Dubois. Dubois, del que hablaremos más adelante, era abogado del rey y autor de varios libelos que circularon en la época por el reino para alertar a la opinión pública, lograr la adhesión al parecer del monarca y presionar al Papa para condenar al Temple.

A finales del mes de junio, el rey y el Papa se encontraron por última vez en Poitiers. Felipe IV, que volvía sin cesar al caso de Bonifacio VIII, hizo una concesión al Papa: aceptó que el tema se tratara en un concilio general que se reuniría en Vienne, en el Delfinado.

Como se trataba de los templarios se acordó que serían puestos en manos de la Iglesia, que los inquisidores suspendidos por el Papa serían restituidos a sus cargos, y los bienes del Temple se devolverían a Tierra Santa. El rey dejó Poitiers después de esta entrevista.

El Papa delegó en el cardenal Pedro de La Chapelle, nuncio pontificio en Francia, plenos poderes. Y el cardenal, como no sabía que hacer con los templarios (la Iglesia no disponía de prisiones), los devolvió de inmediato al rey: ¡y así es como los hermanos permanecieron en los calabozos reales!

El Papa es prisionero del rey de Francia

El Papa a su vez quiso dejar Poitiers hacia finales de junio de 1308. Pero Guillermo de Plaisians que se había quedado allí después de la partida de Felipe IV detuvo el convoy pontificio a las puertas de la ciudad y obligó a Clemente V a volver a su palacio.

El Papa había mantenido las promesas hechas al rey: mediante varias bulas había perdonado a Guillermo Imbert, el inquisidor general de Francia, por haber pedido el arresto de los hermanos y empezado los interrogatorios sin su acuerdo; confirió a los obispos del reino los poderes para instruir contra las personas, decidió cómo participarían en este procedimiento los inquisidores y designó una lista de jueces para instruir el proceso.

Pero el rey, al restringir la libertad del pontífice, quería demostrarle que lo tenía en sus manos y que no le quedaba otra solución más que obedecer. Quiérase o no, Clemente V era prisionero de Felipe el Hermoso.

En los días que siguieron al grave incidente, el Papa tomó disposiciones sobre los bienes de los templarios: notificó al rey que si la orden era suprimida, disuelta o abolida, sus bienes presentes y futuros se emplearían en las necesidades de Tierra Santa, y que prohibía para él mismo y para sus sucesores cualquier otro uso de los mismos. Precisaba que los bienes serían administrados por curadores generales y especiales establecidos en cada diócesis y que las rentas se colocarían bajo la salvaguarda del rey. Junto con los curadores y administradores elegidos por el Santo Padre y los obispos, el rey también podría elegir los suyos.

Una bula particularmente instructiva nos informa de que Clemente V había pedido al cardenal de La Chapelle que recibiera a los templarios de manos del rey y los vigilara *fuera del reino*. Sabemos que, por desgracia, el cardenal era amigo del rey y apenas recibió a los prisioneros, los devolvió al rey para que los custodiara.

Clemente V escucha las confesiones de setenta y dos templarios

En la misma época, Felipe hizo elegir con cuidado a setenta y dos templarios entre los que habían confesado. Los llevaron a Poitiers, donde vivía el Papa. Reiteraron lo que habían confesado; se tomó nota de estas declaraciones y se las leyeron en el consistorio en los días siguientes. El Papa estaba conmocionado por lo que escuchaba de boca de esos setenta y dos hermanos del Temple, pero, sin embargo, no tomó las iniciativas que el rey esperaba, a saber, la condena de la orden.

Clemente V pidió al rey que le enviara a Jacobo de Molay y a los otros jefes de la orden. Felipe el Hermoso aceptó pero, en la etapa de Chinon, los dignatarios y el gran maestre sufrieron una «enfermedad» de la que no tenemos los detalles: su viaje terminó allí.

A mediados de agosto el santo Padre envió a tres cardenales para interrogarlos: Frédol, de Suisy y Brancaccio. Parece que los acusados renovaron sus confesiones con algunos matices. Decimos «parece» porque existen graves incertidumbres sobre la autenticidad de las declaraciones que se habrían hecho delante de estos tres prelados.

Sobre todo es de lamentar que Clemente V no considerara oportuno ir a Chinon a examinar e interrogar él mismo al gran maestre y a los dignatarios. Sin duda el protocolo se habría resentido, pero tal vez hubiera surgido la verdad con más claridad.

El 13 de agosto, el Santo Padre por fin dejó Poitiers. Llegó a Aviñón un poco después y de inmediato negoció la compra de la ciudad al conde de Provenza, vasallo de la Santa Sede. Se instaló allí definitivamente en abril de 1309.

Durante ese tiempo, en Chinon, los tres prelados interrogaron a Molay y a los dignatarios. Entre el 17 y el 20 de agosto de 1308, los prisioneros confirmaron las declaraciones hechas al inquisidor. Unos días más tarde, los cardenales hicieron comparecer de nuevo a los dignatarios y, después de haberles traducido sus confesiones al francés, les preguntaron si las confirmaban: y volvieron a hacerlo.

El soberano pontífice traiciona a Felipe el Hermoso

En la misma época, se supo en París que el emperador Alberto de Austria, amigo y aliado del rey de Francia, acababa de ser asesinado. Carlos de Valois, hermano del rey, propuso su candidatura al Imperio. Recibió el apoyo oficial del Papa, que en secreto sostuvo a Enrique de Luxemburgo, que sería elegido el 27 de noviembre de 1308.

Clemente V deseaba un emperador dispuesto a estar al frente de una cruzada. Enrique de Luxemburgo tenía el perfil del caballero que la Santa Sede buscaba. También Carlos de Valois, pero la sombra del rey de Francia planeaba sobre él y el Papa no lo deseaba.

Por prudencia y para hacer un buen papel, apoyó oficialmente al candidato del rey de Francia: su sobrino, el cardenal Raymond de Got, escribió al obispo de Colonia explicando que Valois era el príncipe que la iglesia necesitaba para su cruzada. Pero, paralelamente, Clemente V recordaba al rey de Francia que Carlos, emperador de Constantinopla por su matrimonio con Catalina de Courtenay, no tenía ninguna necesidad de una segunda corona imperial para ir a combatir al infiel en Oriente. Más aún, cuando Felipe se rebeló contra la elección de Enrique de Luxemburgo e intentó retrasar su coronación, el Papa se mostró irónico: el rey de Francia, señor del conde Luxemburgo, no necesitaba la intervención de la Santa Sede, respondió el Papa.

Esta duplicidad que Clemente V mostró en la elección imperial nos dice mucho sobre la personalidad del pontífice y nos muestra bajo otro aspecto el caso del Temple.

Éste aparece en la actualidad como el principal acontecimiento de su pontificado. Es verdad que el pontífice había sido elegido en 1305, en la época en que Felipe el Hermoso empezaba a desear la desaparición o la mutación de la orden, y que moriría en 1314, poco después de la ejecución del gran maestre. Sin embargo, el gran error que cometen la mayoría de historiadores respecto a Clemente V y el Temple es reducir su pontificado a este espinoso caso.

El pontificado de Clemente fue difícil. El Papa debió luchar en el seno de la Iglesia contra las facciones que la dividían. No pudo volver a Roma y no fue por conveniencia personal. También lo ocupó la preparación de la cruzada, al igual que la elección del emperador y la lucha contra las herejías. Fue débil sólo porque el papado era débil: el caso de Bonifacio VIII había disminuido la autoridad papal.

Un interlocutor como Felipe el Hermoso tampoco facilitaba las cosas. La cuestión del Temple ha aparecido como primordial a través del tiempo, pero, en su momento las herejías eran frecuentes y los templarios eran unos herejes más. Para Clemente V la memoria de Bonifacio, con sus consecuencias graves para toda la Cristiandad si estaba manchada, era más importante que la suerte de diez mil monjes que se habían vuelto inútiles.

El hombre providencial

El papel del soberano pontífice en este caso sigue siendo muy controvertido. ¿Fue una criatura dócil y obediente del rey de Francia? ¿O, por el contrario, un Papa astuto que supo ceder en cuestiones subalternas a su real interlocutor con miras a proteger lo esencial?

La situación de la Iglesia en el momento de su pontificado era extremadamente compleja. Clemente V, o más bien Beltrán de Got, debía su elección a la circunstancia de no ser cardenal. A la muerte de Bonifacio VIII, la Iglesia estaba al borde del cisma. Las relaciones con el rey de Francia se habían vuelto tan tensas que podía temerse lo peor. Los cardenales entonces eligieron a un cardenal italiano de genio vivo, dispuesto al compromiso para calmar la disputa con Felipe el Hermoso. El nuevo Papa, Benedicto XI, murió unos meses más tarde después de haber comido unos higos tal vez envenenados.

Los cardenales, de nuevo reunidos en cónclave, fueron incapaces de elegir un Papa en el seno del Sacro Colegio. Unos, la parte italiana, quería un papado fuerte y un pontífice que continuara la obra de Bonifacio; los otros, la parte francesa, preferían un papado moderado que no contrariara la política del rey de Francia.

Circulaban las proposiciones más extrañas: la extravagancia hasta llevó a un cardenal a sugerir burlonamente el nombre de su cocinero. Terminó por prevalecer el nombre del arzobispo de Burdeos.

Beltrán de Got nació hacia 1250. Era hijo de Béraut de Got, señor de Villandraut, un feudo de Gascuña. Pertenecía a la nobleza media. Las grandes posibilidades de Beltrán fueron su tío del mismo nombre, obispo de Agen, y su hermano Béraut, arzobispo de Lyon y cardenal. Después de estudiar derecho en Bolonia y en Orleans, fue nombrado consejero jurídico del duque de Guyenne. Luego fue vicario general de su hermano, el arzobispo de Lyon, después capellán del papa Bonifacio VIII, cuando su tío se convirtió en cardenal. Recibió su primer obispado en 1295: Bonifacio lo hizo obispo de Comminges.

El Papa comprendió la utilidad de un hombre como él, vasallo del duque de Guyenne, rey de Inglaterra, súbdito del rey de Francia que, gracias a esta situación privilegiada y a su experiencia, conocía tanto los asuntos de Francia como los de Inglaterra. En 1299, el obispo de Comminges se convirtió en arzobispo de Burdeos.

El recién promovido tenía sentido del compromiso: era un hombre que había servido fiel y simultáneamente a su señor Eduardo I, a su rey Felipe el Hermoso y a su papa Bonifacio VIII, a pesar de los conflictos que tuvieron unos con otros, sin jamás traicionar a uno de ellos ni desacreditarse. En el cónclave de 1305 fue, por desgracia para él, elegido. Y Beltrán de Got se convirtió en Clemente V.

¿El nuevo pontífice era un hombre débil? Con seguridad este juicio sería demasiado simplista. Clemente V era sin ninguna duda un ambicioso, por no decir un arribista. Pero, antes que nada, era un hábil negociador que prefería la estratagema a la fuerza. Se pudo comprobar en el caso de los templarios donde siempre evitó el conflicto con Felipe el Hermoso, prefiriendo diferir las entrevistas, negociar, pretextar tal o cual enfermedad para retrasar la toma de las decisiones que el rey le exigía.

Clemente V aparece a menudo como el que traicionó a los templarios y los dejó condenar cuando podía, con un solo gesto, salvarlos. Es exacto que el maestre sólo tenía un superior, el soberano pontífice, que era el único que podía perseguirlo, juzgar y llegado el caso condenar a la orden y a sus miembros. Percibido de esta manera podía, como tantas veces se ha dicho, ordenar al rey que liberara de inmediato a los hermanos, fuera lo que fuera lo que hubiesen podido confesar al inquisidor, y esto bajo pena de excomunión, de interdicción y de todas las otras sanciones que el derecho canónico ponía a su disposición. Pero éste es sólo el punto de vista de un historiador sentado en su mesa.

Por qué abandonó a los monjes soldados

En la práctica, la situación era muy complicada. Clemente era un Papa nómada. Elegido por el cónclave de Perugia, se enteró de su elección en Burdeos y fue coronado en Lyon. Nunca puso los pies en Roma. Primer Papa de Aviñón, sólo se estableció allí tarde, en 1309, cuando la presión ejercida por el rey de Francia era demasiado fuerte.

Sus medios de acción eran limitados. Papa de compromiso, tanto por necesidad como por temperamento, no quería reavivar las disputas de la época de Bonifacio. Tal vez tampoco tuviera la sagacidad de Benedicto XI, que trató de allanar la disputa con Felipe sin ceder. Pero Benedicto era italiano y Clemente francés. Defensor de la Iglesia, comprendía la política de Capeto y, sin duda, hasta demasiado.

Era un legista como los Nogaret y otros que rodeaban al rey. Tenía esa visión del mundo heredada del derecho romano y su visión del estado concordaba con la del rey. Entonces ¿Clemente era débil? Sí, en cierta manera, porque no era partidario de la teocracia. Tal vez ni era partidario de defender el orden porque, en definitiva, la idea de cruzada le interesaba poco.

Pero oficialmente la preparaba: ya hemos visto como ésta lo llevó a preferir a Enrique de Luxemburgo antes que a Carlos de Valois. Pero creía poco en su eficacia. No soñaba con la reconquista de Tierra Santa como Bonifacio. Más cercano a las miras del rey de Francia la veía seguramente como algo anticuado. En este sentido era un Papa moderno.

En el caso del Temple, lo menos que se puede decir, es que estaba poco motivado por la defensa de los templarios. ¿Los creía culpables? No importa. En definitiva, es probable que nadie en la época creyera que eran de verdad culpables. Pero las cruzadas habían cumplido su tiempo y el Temple ya para nada servía. Es probable que nunca hubiera pensado en destruirlo por propia iniciativa; no tenía interés. Pero, ante el hecho consumado, lo permitió.

En su descargo reconozcamos que sus medios de acción eran limitados. De entrada estaba marcado el tono: las relaciones con Felipe eran cordiales e hipócritas, nunca hubo un conflicto abierto. Ésta era la fuerza del rey: la voluntad del Papa de evitar el conflicto y de allanar las diferencias. Felipe el Hermoso no vaciló, por otra parte, en abusar de su ventaja.

Los innobles chantajes del rey

El Papa también fue una víctima continua de los chantajes del rey. En la misma época, Felipe quería que se condenara la memoria de Bonifacio.

Nogaret acusaba al difunto Papa de haber sido un simoníaco, un hereje, un perjuro y un sodomita. (¡Decididamente, cuántos sodomitas entre los enemigos del guarda del sello!).

Bonifacio había sido elegido después de la abdicación, única en los anales de la Iglesia, de Celestino V, el papa ermitaño. Que se hubiera convertido en Papa antes de la muerte de su predecesor podía manchar de alguna manera la legitimidad de Bonifacio VIII y era fundamental que éste fuera reconocido como perfectamente legítimo y ortodoxo, sin lo cual todos los actos de su pontificado hubieran sido anulados, incluida la designación de Clemente para el archiepiscopado, y por lo tanto, su elección al trono de san Pedro. En una palabra, si la acción emprendida por Felipe el Hermoso y Nogaret hubiera tenido éxito, habría hundido a la Iglesia y a la Cristiandad en el caos.

En estas condiciones puede comprenderse mejor que Clemente aceptara el innoble regateo propuesto por Felipe: la pérdida de los templarios contra el reconocimiento de la legitimidad y la ortodoxia de Bonifacio.

Con el mismo chantaje Felipe exigió la nominación de Felipe de Marigny, hermano de su chambelán Enguerrando, para el arzobispado de Sens.

En julio de 1309, Clemente V confirmó la elección de Enrique de Luxemburgo. Durante ese tiempo, Felipe volvió a reavivar el tema del proceso de Bonifacio. Mientras partidarios y adversarios del difunto Papa disputaban (y a veces llegaban a las manos), el soberano pontífice decidió, el 13 de septiembre de 1309, que las partes comparecieran ante él a mediados de la cuaresma siguiente.

Durante este período, las comisiones pontificias encargadas de instruir el proceso a la orden se habían establecido poco a poco. El verdadero proceso a los templarios podía empezar: la trampa no iba a tardar en cerrarse sobre ellos.

La trampa de Sens

Clemente V estaba en Poitiers en 1308, cuando hizo pública, poco antes de dejar la ciudad, la bula *Facians misericordiam,* que marcaba el doble proceso al que serían sometidos el Temple y los templarios.

Según los términos de este documento esencial del legajo, los hermanos serían juzgados en cada diócesis. Después de una investigación del arzobispo, se reuniría un concilio provincial para dictaminar sobre la culpabilidad de cada templario. Paralelamente, la orden también sería objeto del análisis de la Iglesia: el Papa nombraría una comisión compuesta por prelados y él mismo recibiría las declaraciones de todos los hermanos que quisieran defender a la orden, así como de testigos externos. Luego de esta información, entregaría su informe al Santo Padre. Por último, el soberano pontífice reuniría un concilio que determinaría la culpabilidad o la inocencia del Temple.

El Papa confía la investigación a un amigo de Felipe el Hermoso

Durante el año siguiente, a pesar de que la creación de la comisión pontificia tardó mucho, los obispos tuvieron tiempo de realizar los interrogatorios de los templarios. Esta comisión no terminó de reunirse hasta noviembre de 1309, con la presidencia de Gilles Aycelin, arzobispo de Narbona y ex guarda del sello de Felipe el Hermoso.

El nombramiento de este prelado al frente de la comisión aparecía como una grave injuria a la equidad, porque el arzobispo formaba parte de algunos íntimos del rey que habían preparado el arresto de 1307. Aycelin se había negado a sellar la orden real pero seguía siendo fiel al monarca, por lo tanto su independencia era dudosa.

Sin embargo, la comisión se reunió bajo su presidencia y los interrogatorios empezaron el 22 de noviembre de 1309.

El gran maestre compareció tres veces ante esta jurisdicción: se negó a defender a la orden. Los otros dignatarios, tal vez por falta de valor, tal vez presintiendo una trampa, también se negaron.

Por el contrario, numerosos templarios recordaron en ese momento las torturas infligidas y las confesiones arrancadas. En marzo de 1310, más de quinientos se declararon dispuestos a defender a la orden. La situación será entonces peligrosa para el rey.

Antes de la reunión de la comisión, el final del Temple parecía marcado: todos habían mantenido las confesiones; los obispos, al volver a aplicar la tortura a los desdichados monjes soldados, habían obtenido su reiteración. Todo iba muy bien para la política real. Pero en adelante la situación se invertiría y escaparía al rey de Francia: los hermanos recuperaban fuerzas y todos querían devolver la dignidad a la orden, lavar su honor personal y proclamar bien alto y fuerte que la orden era santa y que no cometía ninguna de las infamias que le imputaban sus enemigos. Muy pronto el rey daría muestras de su mente retorcida para ganar la partida a pesar de todo.

Las ciento diecisiete acusaciones

El sábado 28 de marzo de 1310, en los jardines del palacio del obispo de París, los comisarios reunieron al conjunto de los hermanos dispuestos a defender a la orden. Les leyeron en latín las inculpaciones y les ofrecieron traducirlas al francés: protestaron con energía contra la falsedad de las acusaciones y se negaron a que les tradujeran semejantes infamias.

El lector encontrará en el anexo, al final de la obra, el texto de los ciento diecisiete artículos de esta acta de acusación que serviría de fundamento a los interrogatorios.

Los prelados instructores debían determinar si los templarios eran gnósticos, docetistas o maniqueos. Los maniqueos separaban a Cristo en un Cristo superior y uno inferior, terrenal. ¿Los templarios habían abrazado la religión de Mahoma, como pretendían las Crónicas de Saint-Denis?

Los comisarios también debían examinar otro punto: ¿los hermanos consideraban a Jesús un falso profeta, un criminal común al que habrían matado por sus delitos? En esta última hipótesis, los templarios entrarían dentro de los asesinos de Jesús, al que crucificaban por segunda vez, como había escrito el rey de Francia.[9]

El gran maestre perseguido por un grave sacrilegio

Inculpaban al gran maestre de un gran sacrilegio —explica Lavocat: habría recibido, aunque fuera laico, la confesión sacramental y dado la absolución de los pecados, hasta de los no confesados. La orden y los hermanos se habrían impregnado de las herejías de Manes, de los cátaros, albigenses y patarinos. Estaban acusados de idolatría, de haber adorado, hecho adorar, en sus capítulos o reuniones secretas, a los ídolos de los maniqueos; de llevar cordones que habían pasado por la cabeza del ídolo.[10]

También se les reprochaba haberse entregado a «promiscuidades vergonzosas», frecuentes en algunas sectas gnósticas y, en sus capítulos, haber mantenido comercio con el diablo que tomaba la forma de un gato. En definitiva, eran sospechosos de haber renegado totalmente de Jesucristo y abrazado la religión de Mahoma.

Para resumir el acta de acusación en dos palabras, se reprochaba a los templarios ser renegados, apóstatas, idólatras y sodomitas.

Inmediatamente después de haber dado lectura a las ciento diecisiete acusaciones, Gilles Aycelin invitó a los templarios a elegir apoderados para defender a la orden.

Los hermanos desgraciadamente no podían hacer esa elección porque les faltaba el consentimiento del gran maestre, a quien debían obediencia en virtud de la regla. Pero, conscientes de que Jacobo de Molay no inter-

---

9. Lavocat, *Procès des frères et de l'ordre du Temple*, París, 1888, pág. 245.
10. Lavocat, op. cit., pág. 245 y ss.

vendría, confiaron en Pedro de Bolonia para que llevara su palabra ante los comisarios.

Es así como la audición de los testigos continuó en presencia del ex procurador general de la orden en la corte de Roma y de otros tres hermanos. La mayoría defendieron, otros, poco numerosos, acusaron a la orden, y algunos finalmente se limitaron a manifestar un prudente rechazo. El movimiento general se inclinaba por la defensa de la orden.

El 7 de abril de 1310, un grupo de templarios conducidos por Pedro de Bolonia empezaron a alegar la inocencia de la orden. Su intervención, llena de sentido común, puso en evidencia todas las irregularidades que habían llevado a las confesiones de los templarios. Pidieron que los testimonios de los hermanos que estaban en prisión no fueran tomados en cuenta si eran desfavorables a la orden porque habían sido conseguidos bajo presión.

También los hermanos que habían renunciado al hábito de la orden debían ser puestos en manos de la Iglesia hasta que se supiera si su testimonio era verdadero o falso. Y ningún laico debía asistir a los interrogatorios para no inspirar temor a los hermanos interrogados.

Bolonia subrayó que ningún hermano del Temple fuera del reino de Francia había confesado alguno de los crímenes imputados a la orden. Lizerand señaló el caso de Humberto Blanc, preceptor de Auvernia, que logró huir a Inglaterra, donde fue detenido e interrogado: nunca confesó.

Este grupo de defensores negó uno tras otro todos los artículos del acta de acusación:

> Esos artículos son mentirosos y falsos —declaró Pedro de Bolonia— y los que han sugerido esas mentiras inicuas a nuestro señor el soberano pontífice y a nuestro serenísimo señor el rey de Francia son falsos cristianos o bien perfectos herejes, detractores y corruptores de la santa Iglesia y de toda la fe cristiana.

Las dos bazas secretas del rey contra los templarios

La defensa de la orden estaba en marcha y cada día, con pocas excepciones, los testigos proclamaban ante la comisión de qué manera inicua habían sido torturados, manipulados, amenazados. Volvían sobre sus confesiones, contaban su verdadera ceremonia de admisión, sin renegación, sin escupidas sobre la cruz, sin incitación al desenfreno homosexual.

Todo esto, sin duda, no podía durar. El rey no había emprendido esa operación para dejar que se le escapara de las manos. Felipe el Hermoso todavía tenía dos bazas contra los templarios: Felipe de Marigny y Gilles Aycelin, el arzobispo de Sens y el arzobispo de Narbona. Era el momento de jugarlas.

El 12 de mayo de 1310 quedaría como un día maldito para los templarios y su orden. Ese día, Felipe de Marigny, reciente arzobispo de Sens nombrado el año anterior a instancias del rey, convocó el concilio provincial que debía juzgar a los hermanos del Temple.

El concilio, sin esperar que la comisión pontificia terminara sus investigaciones, declaró «relapsos» —o sea, que habían vuelto a caer en la herejía después de ser perdonados— a cincuenta y cuatro hermanos que, en un primer momento, confesaron ante el inquisidor y el obispo de París y luego negaron sus confesiones ante la comisión. Condenó a esos desdichados a la hoguera. Fueron ejecutados el mismo día.

Gilles Aycelin, que presidía la comisión pontificia, dejó que lo hicieran. Aunque lo previnieron sobre la medida que Marigny se aprestaba a tomar, no protestó, ni se lo trasmitió al Papa. Se contentó con abstenerse de aparecer en las reuniones de la comisión en los meses que siguieron. La pasividad de Aycelin fue eminentemente culpable porque la audacia con la que el arzobispo de Sens envió a los testigos a la hoguera no podía sino paralizar su acción.

A partir del día siguiente, todos los hermanos renunciaron a la defensa

A partir de ese momento, Marigny inspiró a los hermanos el terror que deseaba: ya ninguno corrió el riesgo de rectificar sus confesiones. Uno tras otro, los hermanos renunciaron a la defensa.

Al día siguiente de esta ignominia, el 13 de mayo de 1310, la comisión escuchó al hermano Aimery de Villiers-le-Duc. Su testimonio nos hace ver el espanto que provocó la decisión conciliar. Este hermano compareció con la barba afeitada, sin capa ni hábito de templario; pálido y totalmente aterrorizado, declaró:

> bajo juramento y con peligro de su alma que todos los errores imputados a la orden eran totalmente falsos, aunque, como consecuencia de las torturas numerosas que

le infligieron los caballeros reales G. de Marsillac y Hugo de la Celle antes de ser presentado al inquisidor, confesó algunos de dichos errores.

Explicó:

que había visto con sus ojos, en la víspera, llevar en carruaje a cincuenta y cuatro hermanos para ser quemados, y que él mismo confesaría y testimoniaría bajo juramento, por temor a la muerte, que todos los errores imputados a la orden eran verdaderos y hasta confesaría haber matado al Señor si se lo pedían.

En el mes de diciembre de 1310, la orden ya no tenía defensor en absoluto. Los más temerarios habían perecido en la hoguera, en especial Ponsard de Gizy, que hizo una declaración muy notable el 27 de noviembre de 1309; los otros fueron degradados y no tenían calidad para testimoniar ante la comisión; y otros pura y simplemente habían desaparecido, como Pedro de Bolonia.

Los últimos recibían las condenas pronunciadas por el concilio que éste se reservaba el derecho de moderar. En otros términos, un hermano condenado a prisión perpetua, si defendía a la orden, pasaría el resto de sus días en prisión y hasta terminaría en las llamas de la hoguera; pero si se mostraba dócil y abandonaba la orden a su triste suerte, tal vez un día recobraría la libertad.

Éste fue el odioso chantaje mudo al que se entregó el arzobispo de Sens con la complicidad pasiva de Gilles Aycelin. Nadie más entre los testigos defendería a la orden. Las sesiones de la comisión pontificia terminaron el 5 de junio de 1311.

La gran complejidad del caso de los templarios reside en este detalle que a menudo pasa desapercibido: no hubo uno sino dos procesos. Y estos dos procesos estuvieron imbricados uno en el otro e interfirieron uno en el otro. Esta maligna combinación permitió a Felipe el Hermoso maniobrar muy bien sus intereses.

Cuando empezó el proceso a la orden en 1309, los miembros de la comisión papal tenían la misión de determinar si ésta estaba corrompida y qué suerte había que reservarle. La comisión debía actuar sin tener en cuenta las declaraciones ya hechas por los templarios ante los inquisidores y los obispos: aunque estaban prisioneros comparecían a título de testigos y no como acusados.

No fueron torturados: en efecto, si bien la justicia medieval no dudaba en torturar a los acusados, no actuaba de la misma manera con los testigos. Fue en ese momento cuando aparecieron numerosas retractaciones.

Estos hombres encadenados, abandonados durante meses en calabozos sombríos, privados de todo contacto con sus hermanos y sobre todo con sus jefes, tenían por fin una posibilidad de defenderse y decir lo que tenían en el fondo de sus corazones y en el secreto de su memoria. Por fin iban a poder exaltar la santidad de la orden y su fidelidad a la fe cristiana.

El concilio amalgama tres procedimientos diferentes

Por desgracia, las cosas no fueron tan simples: los primeros defensores de la orden ante la comisión lo aprendieron a su costa.

En efecto, los que pretendían defender debían modificar sus declaraciones. La mayoría de ellos ya habían confesado dos veces: una primera en 1307 ante el inquisidor, una segunda en 1309 ante el obispo diocesano, durante la fase de preparación de los concilios provinciales destinados a juzgar a las personas. Es verdad que las dos veces habían sido torturados, pero el procedimiento medieval no otorgaba gran interés a este «detalle».

Unos seiscientos quisieron tomar la defensa de la orden ante la comisión. Hombres como Pedro de Bolonia y Ponsard de Gizy dieron el ejemplo desde el comienzo de las declaraciones. Pero estos hombres seguirían prisioneros y quedarían sometidos a la justicia eclesiástica por los hechos que les reprochaban como hermanos del Temple. En el marco de su proceso personal todavía no estaban en espera de juicio, que realizaría el concilio provincial. Ahora bien, en Francia los obispos a menudo eran hombres del rey: el ejemplo más claro es el de Sens, cuyo arzobispo era Felipe de Marigny, el hermano menor del chambelán de Felipe el Hermoso.

Todos estos hermanos, que creyeron inocentemente que podían presentarse ante la comisión pontificia y defender a la orden, cometieron un error monumental.

El Papa había esperado, al organizar dos procesos diferentes, que gracias a la separación saldría la verdad. No previó que los concilios provinciales podían reprochar a los hermanos sus declaraciones hechas libremente ante la comisión.

El gran error de Clemente V fue seguramente el nombramiento de Felipe de Marigny como arzobispo de Sens. De manera totalmente pérfida e ilegal, Marigny reunió tres procedimientos que nada tenían que ver unos con otros: los interrogatorios realizados por el inquisidor, que eran ilegales por falta de autorización del Santo Padre; los realizados por el obispo diocesano en el marco de la preparación del proceso de las personas; los testimonios recibidos por la comisión pontificia que no concernían a las personas sino a la orden.

Gracias a esta odiosa amalgama y con la complicidad de algunos maestros en teología de París que confirmaron su razonamiento, pudo hacer condenar y ejecutar como relapsos a todos los hermanos que habían defendido a la orden después de haber confesado ante el inquisidor y el obispo. También hizo condenar con la misma severidad a los hermanos que, después de confesar ante el inquisidor, se habían retractado ante el obispo.

Las medidas inicuas tomadas por Marigny pusieron fin a las veleidades de defensa de los templarios. Ningún hermano quería que declararan que había vuelto a caer en sus errores pasados y que lo enviaran a la hoguera, sobre todo por crímenes que no había cometido. Es fácil comprender que después de este episodio dramático ya ningún templario tuvo la temeridad de querer defenderse.

Con los hermanos condenados y la orden desprovista de cualquier defensa, todo estuvo listo para que el concilio de Vienne pronunciara la condena del Temple. Pero los monjes soldados aún no habían dicho su última palabra.

El final del Temple

El 16 de octubre se abrió en Vienne, en el Delfinado, el concilio general que debía decidir la suerte de la orden del Temple. Oficialmente los debates se centraron en los socorros que había que enviar a Tierra Santa, los errores y la herejía de los templarios, y la reforma de las costumbres y del estado eclesiástico. De entrada se intentó «ahogar» el caso del Temple en medio de otros temas, en realidad subalternos. La asamblea se componía de aproximadamente trescientos obispos, sin contar los abades y priores.

Los templarios hacía cuatro años que estaban presos; con la orden decapitada ya que sus superiores y defensores naturales se negaron a defenderla, los desdichados que intentaron esa tarea imposible fueron condenados por relapsos y quemados; y los otros, enmudecidos por un terror bien comprensible, renunciaron a continuar esta defensa.

Más de dos mil testigos, como declaró Marigny en el curso de las sesiones del concilio, comprobaron la corrupción de la orden.

Los Padres del concilio apoyaron a los templarios contra el Papa

La discusión se planteó entre los partidarios del Temple, muy numerosos, y algunos adversarios. Mientras la gran mayoría de los Padres quería que se acordara a los templarios la facultad de defenderse ante el concilio, que se siguieran las reglas del procedimiento y de la justicia, que no se condenara a la orden sin escuchar al acusador y al acusado, el Papa, los cardenales, los obispos de Sens, Reims, Ruán y un obispo italiano declararon que había que abolir la orden del Temple sin tardanza. Consideraban que esta medida de rigor era legítima teniendo en cuenta la evidencia de las pruebas.

La mayoría de los obispos persistía en sostener que la orden no había sido citada y que, según el derecho, era imposible condenarla.

Clemente V decidió poner fin a este asunto. Pero no quiso asumir solo la responsabilidad de la condena de una orden a la que, hasta cuatro años antes, nunca se le había señalado una falta.

El concilio de Viena encontraba en esto su justificación. El Papa decidió hacer votar discretamente a los Padres del concilio la supresión de la orden en medio de un debate mucho más vasto y más importante a sus ojos: la política a adoptar respecto a Tierra Santa.

La intervención de Guillermo Durant, obispo de Mende, se orientó en ese sentido: desde el comienzo de los debates propuso proceder a la supresión de la orden sin discutirlo ya que, según su parecer, el caso estaba cerrado. Por otra parte, explicó, el soberano pontífice podía pronunciar esa sentencia en virtud de la plenitud de su poder apostólico.

Pero los partidarios de esta medida expeditiva chocaron con una posición inesperada: el concilio quería debatir el tema, escuchar a los acusadores de la orden, escuchar a sus defensores, y sólo decidirse con conocimiento de causa. Los obispos alemanes, italianos, ingleses, escoceses, irlandeses, españoles y la mayoría de los franceses pidieron conocer las actas de la comisión. Se lo permitieron.

Lo que Clemente temía se produjo: la asamblea, ya favorable a la orden, lo fue aún más después de la lectura de las declaraciones hechas durante los dos años anteriores ante la comisión pontificia.

Clemente V hace encarcelar arbitrariamente a nueve defensores del Temple

Mientras tanto, en noviembre de 1311, se presentaron de manera espontánea nueve templarios que se ofrecieron a defender su orden ante el concilio. Clemente V los hizo encarcelar arbitrariamente: a esos hombres los seguían de mil quinientos a dos mil hombres armados y el Papa temía por su seguridad.

El Papa suscitó aún más la oposición de los obispos del concilio, que protestaron contra este acto autoritario y pidieron que se liberara a los nueve caballeros y se los escuchara. El Santo Padre respondió declarando cerrada la primera sesión del concilio.

En ese momento el rey entró en liza. Mientras el Papa recordaba por carta a cada obispo los crímenes cometidos por los templarios, desde la negación de Cristo hasta la regla secreta, Felipe usó su medio de presión favorito: convocó los estados generales en Lyon para el 10 de febrero de 1312. Clemente comprendió el mensaje y aceleró el procedimiento. El 22 de marzo de 1312, en consistorio secreto, en presencia de los cardenales y sólo de algunos prelados, pronunció la disolución de la orden del Temple por provisión apostólica.

Cuando, el 3 de abril de 1312, durante la apertura de la segunda sesión del concilio, Clemente tomó la palabra —el rey de Francia, sus tres hijos y sus dos hermanos estaban a su lado— los Padres se enteraron de la disolución del Temple por boca del Santo Padre que dio lectura a la bula *Vox in excelso*:

> Con la aprobación del santo concilio, aunque no podemos juzgar de acuerdo con el derecho, por vía de provisión, en virtud de nuestra autoridad apostólica, suprimimos para siempre la orden del Temple; reservamos a la Santa Sede todos los bienes muebles e inmuebles, derechos, acciones, en todas las partes del mundo.

O sea, que la orden no fue condenada —nunca lo fue— sino simplemente suprimida. El concilio ni fue consultado, sólo dio su aprobación tácita. En realidad, se había tenido el cuidado de amenazar con la excomunión a cualquiera que planteara la menor objeción a la bula pontificia.

La bula *Ad providam* decide la suerte de los bienes de la orden

Un mes más tarde, la bula *Ad providam* decidió sobre los grandes temas que preocupaban al rey y al Papa desde 1307: ¿qué iba a pasar con los bienes del Temple?

Ya sabemos que era un tema presente desde el día del arresto de los templarios, y que ya lo era incluso antes porque hombres como Pedro Dubois proponían su confiscación (aun fuera de la supresión de la orden) con miras a financiar una expedición a Tierra Santa. Y lo era aún más después.

Estos bienes eran considerables. Bienes muebles e inmuebles constituían un vasto patrimonio que debía devolverse, a una o varias personas.

El Papa decidió que los hospitalarios recibieran los bienes de la orden disuelta, con excepción de los confiscados en Castilla, Aragón, Mallorca y Portugal. Los bienes del Temple situados en esos cuatro reinos quedaban a disposición de la Santa Sede. Es sabido que los reyes de Castilla eran hostiles a la entrega de los bienes a los hospitalarios y querían que los recibieran las órdenes locales que se consagraban a la Reconquista de la Península.

Examinemos más atentamente qué pasó con los bienes del Temple en los reinos de España.

En Aragón, los devolvieron a los Hospitalarios, con excepción de los situados en el reino de Valencia. Juan XXII, sucesor de Clemente V, daría su conformidad para que se transfirieran a la orden de Montesa en 1317.

En Navarra, los bienes de los templarios se entregaron a los hospitalarios, sin excepción ni dificultad. Hay que recordar que entonces Navarra estaba, políticamente hablando, más cerca de Francia que de España. A falta de herederos varones, el reino de Sancho el Grande había pasado, por los matrimonios, a las Casas de Champaña y luego a Francia. En 1312, el rey de Navarra era Luis de Francia, hijo mayor del monarca Capeto y futuro Luis X el Obstinado.

Los bienes situados en el reino de Mallorca pasaron a los hospitalarios. El rey, don Sancho, exigió que los caballeros del Hospital se comprometieran a cumplir el mismo servicio militar que los templarios.

La devolución de los bienes en Castilla planteó algunos problemas. Fernando IV no pensaba deshacerse de las ochenta encomiendas y los dieciocho pueblos que había confiscado en 1308. La situación en ese reino era especial: abandonados por las circunstancias, esas encomiendas y pueblos se encontraban a merced de los infieles, en especial los que estaban en las fronteras del reino. Los hombres ricos del lugar habían tomado posesión de los mismos y aseguraban la protección de los habitantes.

Don Fernando tuvo que tomar medidas sin demora. Sin esperar la decisión pontificia de disolución, dispuso de ciertos bienes de la orden, que entregó a las de Santiago y Calatrava.

A Juan XXII, sucesor de Clemente V, no le gustó que el monarca conservara de esta manera la mitad de los bienes de la orden, aunque estuviera justificado por circunstancias especiales. Ordenó que todos los que habían recibido bienes templarios los entregaran de inmediato a los hospitalarios. El prior de la orden en Castilla, y luego el arzobispo de Santiago, recibieron el mandato de ejecutar la bula.

Finalmente en 1344 se llegó a un compromiso y los bienes quedaron en manos de los que los habían recibido en 1312.

En Portugal, gracias a la protección del rey, los bienes de los templarios pasaron de manera irregular a una nueva orden, especialmente creada para tal efecto: en 1319, Juan XXII aprobó la creación de la Milicia de Cristo en los reinos de Portugal y del Algrave, más conocida con el nombre de Orden de Cristo.

Por qué el Papa se negó a condenar al Temple: sus motivos inconfesables

¿Por qué Clemente decidió suprimir la orden sin condenarla? Las razones son múltiples y los móviles confesos no deben hacer olvidar sus motivos secretos.

La explicación oficial es que el Temple no podía ser reconocido hereje teniendo en cuenta la falta de pruebas. Pero la duda concerniente a su ortodoxia era tal que no podía continuar como antes. En consecuencia el Papa procedió a suprimirla por provisión (por anticipado). Ésta es la razón oficial. Pero también había razones secretas menos confesables.

Clemente V no quería a ningún precio una condena de la orden por herejía. Esta solución hubiera sido un negocio para todos los soberanos de Europa, con excepción de la Iglesia. En efecto, los bienes de los herejes dejaban de ser reconocidos como bienes de la Iglesia y eran confiscados de inmediato a beneficio del señor del lugar. Los bienes del Temple hubieran escapado a la Iglesia para terminar en manos del rey de Francia y otros soberanos europeos.

Además, la condena de la orden habría sacudido a la Iglesia, que había visto herejías en el pasado pero no de semejante trascendencia y, sobre todo, nunca tan próximas al papado. Los templarios dependían directamente de la autoridad papal.

La supresión del Temple como persona moral no debe hacer olvidar a sus miembros y la suerte de los mismos. ¿En qué se convertirían?

Clemente V promulgó tres bulas en Lyon, en abril y mayo de 1311, durante el concilio de Vienne. La primera, *Vox in excelso*, suprimía la orden del Temple; la segunda, *Ad providam*, determinaba la suerte de los bienes del Temple; y la tercera, *Ad certitudinem praesentium*, establecía la suerte de los miembros de la orden. Mientras el Papa se reservaba el juicio del gran maestre y otros dignatarios, se daban competencias a los concilios provinciales para determinar la suerte de los hermanos.

Esta bula disponía que los inocentes recibirían una pensión vitalicia para su mantenimiento; los culpables que confesaran debían ser tratados con misericordia; los empecinados y relapsos debían ser castigados con toda la severidad requerida. Y así continuó el proceso aberrante realizado desde 1307: los inocentes no existían, ya que los que proclamaban su inocencia eran empecinados o culpables.

En una palabra, todos estaban perdidos con excepción de los pocos que habían tenido la suerte de no caer en manos del inquisidor y no habían confesado ningún crimen.

Los templarios comprendieron lo que les convenía y se mostraron dóciles ante los concilios provinciales, que los reconciliaron con la Iglesia y liberaron al mayor número. En Francia, sin embargo, hubo condenas a la hoguera en París y en Senlis.

¡Absueltos en 1308, condenados en 1314!

Quedaban los dignatarios, con Molay a la cabeza. El Papa se había reservado su juicio, así como el de otros altos personajes de la orden disuelta: el visitador de Francia y los grandes preceptores de París, Normandía, Aquitania, Poitou y Provenza. Estos hombres seguían presos, aunque en 1308 se habían reconciliado con la Iglesia y recibido la absolución. Debieron ser puestos en libertad pero no fue así, porque libres hubieran podido ser un peligro demasiado grande.

Jacobo de Molay seguía esperando encontrarse con el Papa. Nunca lo veía. Después de haber comparecido ante el inquisidor en 1307, ante tres cardenales en 1308, ante la comisión pontificia en 1309, se consumía en prisión. Esto duró hasta 1314.

El 22 de diciembre de 1313, el Papa tomó disposiciones concernientes a los dignatarios: nombró una comisión de tres cardenales. Arnaud de Farges, Nicolás de Fréauville y Arnaud Nouvel recibieron la misión de juzgar a los dignatarios de la orden con poder para condenar y absolver. Tres meses más tarde, el 18 de marzo de 1314, los cardenales, a los que se unió Marigny, emitieron su sentencia.

Para el acontecimiento, el rey hizo levantar un gran tablado en la plaza frente a Notre-Dame. El asunto estaba por cerrarse y quería que el pueblo asistiera a la lectura de la sentencia. Los cardenales ocuparon su lugar y llevaron ante ellos a Jacobo de Molay, Geoffroy de Charnay, Hugo de Pairaud y Godofredo de Gonneville. Los cuatro hombres estaban expectantes sobre el juicio que les aguardaba.

¿Esperaban clemencia? Es poco probable. Si los iban a liberar lo hubieran hecho antes. ¿Morirían en la hoguera? Era poco probable, porque no se demostró la herejía de la orden y el Temple no había sido condenado.

La multitud estaba atenta. Uno de los legados dio lectura en voz alta a la sentencia. Teniendo en cuenta los pecados cometidos y los crímenes confesados, así como su confirmación en varias oportunidades, se les inflige una pena de cadena perpetua. Como última provocación o humillación, Arnaud Nouvel, uno de los legados, pidió a los cuatro hombres que confesaran otra vez y públicamente sus faltas: Hugo de Pairaud y Godofredo de Gonneville lo hicieron.

El último golpe de efecto del gran maestre

Y de pronto la sorpresa. Jacobo de Molay se puso en pie. Con una voz clara que sorprendió a la multitud y a los prelados, clamó su culpabilidad y haber traicionado a la orden para salvar su vida. Geoffroy de Charnay lo repitió. Desconcertados, los prelados levantaron la sesión y confiaron los dos hombres al preboste de París.

El rey reunió de inmediato su consejo y, sin perder un segundo, decidió que los dos dignatarios fueran quemados esa misma tarde por relapsos. Y así, el 18 de marzo de 1314, a la hora de vísperas, el gran maestre Jacobo de Molay y su compañero Geoffroy de Charnay fueron quemados vivos en la isla de los Judíos, frente al palacio de la Cité. Los otros dos que habían reiterado sus confesiones terminaron sus días en prisión.

Se ha planteado muchas veces la pregunta sobre por qué el gran maestre había tardado tanto tiempo para proclamar la inocencia de la orden.

¿Por qué no había hablado así desde el primer día? Era su función y el desarrollo del caso se habría modificado. Algunos autores han visto en esta actitud de última hora una manera de evitar la prisión perpetua. El gran maestre habría tenido un coletazo de valor, pero de valor egoísta que sólo tendía a limitar sus sufrimientos.

Otra hipótesis, mucho más seductora, es la de que en realidad el gran maestre no se dio cuenta de que iba a ser juzgado hasta el último momento. Ciego y cobarde durante todo el caso, sólo habría comprendido la traición de Clemente V, su protector natural, en ese último instante.

Porque si el gran maestre nunca se retractó de sus confesiones a la comisión y siempre pidió ser escuchado por el Papa es porque quería servir a los designios del Santo Padre, aunque ignorara cuales fueran.

Los despojos del Temple

Hacer un balance preciso del proceso de los templarios es difícil, por no decir imposible: ¿cómo establecer cuántos hermanos fueron condenados, cuántos liberados, cuántos murieron en la hoguera y cuántos murieron en prisión?

En este caso, siempre primaron apuestas altamente políticas y la vida de las personas contó muy poco. Si Felipe el Hermoso se hubiera preocupado por los hombres, nada habría pasado o, al menos, nada habría pasado de esa manera.

Raynouard escribió: «El rey fue cruel por temor a parecer injusto». El Temple sólo podía ser destruido como lo fue. Poco importaba la verdad, poco importaba que los templarios hubieran sido herejes o santos. Su organización era tal que acusarlos y dejarles los medios para defenderse era arriesgarse a ser destruido. Frente a una fiera, uno sigue su camino o la mata de una bala entre los dos ojos: herirla sólo es muy peligroso. Felipe el Hermoso eligió el enfrentamiento: una vez tomada esta decisión ya no se podían elegir los medios. Eran as circunstancias las que los imponían.

No volveremos sobre la penosa suerte de los templarios de Francia: todos fueron arrestados el mismo día de 1307, con excepción de algunos a los que se acosó sin respiro. En definitiva, pocos hermanos franceses lograron escapar totalmente a las persecuciones.

Fuera del reino, el destino de los monjes soldados varió según el contexto político del lugar y la actitud de los prelados respecto a ellos. La aplicación de la tortura, o bien el rechazo a recurrir a la misma, tuvo una influencia nada despreciable en las decisiones.

En Alemania, el concilio provincial de Maguncia se reunió en 1311. Se admitió que los hermanos presentaran sus defensas. Es verdad que habían tenido la habilidad de irrumpir armados en medio de los Padres del concilio. Esta actitud les resultó favorable ya que el arzobispo los absolvió.

De la sorprendente manera inglesa de usar la tortura

En Inglaterra, el concilio provincial, reunido para juzgar a la gente del Temple, se celebró a finales de la primavera de 1311. Llamados a presentar su defensa, negaron todo; fueron condenados a penitencia perpetua y terminaron su vida en diferentes monasterios.

Alain Demurger relata cómo se habían desarrollado los interrogatorios ordenados por el Papa, como preparatorios de la reunión del concilio: no podemos resistir el placer de reproducir su relato.

En Inglaterra, no se empieza nada antes de la llegada de dos inquisidores continentales, en septiembre de 1309 (no hay inquisidores en el país). Los templarios encarcelados en Londres niegan. Los inquisidores piden que se utilice la tortura, y el rey se lo concede el 9 de diciembre. Sin embargo, seis meses más tarde, los inquisidores se quejan: ¡nadie quiere torturar! Piden entonces que se transfiera a los acusados a Ponthieu, posesión continental de los reyes de Inglaterra, pero no sometida a las leyes inglesas. Por fin se acaba por encontrar un «verdugo idóneo» y se aplica la tortura. La confesión de tres templarios (solamente tres) no se obtiene hasta junio de 1311.[11]

En Aragón, los templarios se habían encerrado en sus fortalezas y el rey debió sitiarlos para aplicar la orden de arresto papal. El arzobispo Gonzalo de Toledo reunió un concilio provincial en 1311 que reconoció por unanimidad la inocencia de los hermanos. Hay que precisar que el arzobispo no hizo aplicar la tortura.

11. Alain Demurger, ob. cit., pág. 266.

«No permitiré que sean pisoteados caballeros que tanto se han distinguido en la defensa de mis estados»

Los monarcas de la Península no eran, *a priori*, hostiles a los templarios. Pero no todos dieron prueba de la misma buena voluntad respecto al anuncio de su arresto en Francia.

En Navarra, donde reinaba Luis de Francia, hijo de Felipe el Hermoso, los monjes soldados fueron tratados con la misma severidad que en París. Arrestados brutalmente, encarcelados y colocados bajo estricta vigilancia... La mayoría confesaron y más de uno terminó en la hoguera.

En Portugal, por el contrario, se beneficiaron de entrada de la simpatía y clemencia del rey.

Dionis I era abiertamente favorable a ellos. Indignado por los ataques contra los monjes soldados, su reacción fue especialmente caballeresca. El monarca dijo: «no permitiré que sean pisoteados caballeros que tanto se han distinguido en la defensa de mis Estados».

Convencido de su inocencia, les concedió un tratamiento totalmente favorable que merece ser señalado. De acuerdo con el obispo de Lisboa y otros prelados comisionados por el Papa para la instrucción del caso, Dionis consideró que no correspondía tener a los templarios prisioneros. Conservaron su libertad y, llegado el momento, comparecieron libres ante los jueces.

En Castilla y León la situación fue diferente. Fernando IV, aunque no fuera decididamente hostil a los templarios, tomó en consideración las acusaciones de su primo, el rey de Francia. Aplicó las instrucciones pontificias: en 1308 hizo detener a los templarios de sus estados y los encarceló.

Durante el año 1311, se decidió la suerte de los templarios de Castilla, León y Portugal. Los de Castilla y León esperaron el proceso en prisión; sus hermanos de Portugal conservaron la libertad. Comparecieron juntos ante el concilio provincial de Salamanca, en presencia de los arzobispos de Toledo y de Santiago, del obispo de Lisboa, así como de otros prelados castellanos y portugueses.

De los interrogatorios realizados por los padres del concilio, resultó que los hermanos del Temple eran inocentes de los crímenes que se les imputaban y por unanimidad, fueron declarados inocentes de los cargos que pesaban sobre ellos. Recuperaron de inmediato su plena y total libertad.

Los templarios de Aragón, Cataluña y Valencia, súbditos de Jaime II de Aragón, fueron capturados y encarcelados en 1308. El rey de Aragón, que había prestado poca atención a las acusaciones de Esquieu de Floyran, cambió de opinión ante el acta levantada por la cancillería real francesa.

Ante el anuncio del arresto de sus hermanos franceses y navarros, el maestre provincial, el hermano Bartolomé Belbis, comendador de Monzón, inmediatamente reaccionó como un soldado. Dando prueba de la presencia de ánimo y de la determinación que faltaron a Jacobo de Molay unos meses antes, decidió defender, costara lo que costara, la libertad y el honor del Temple.

Al encontrar a los Pobres Caballeros de Cristo replegados en sus sólidas fortalezas, el rey debió sitiarlos para aplicar la orden de arresto pontificia. Después de muchas dificultades lo logró en 1308.

Cuanto estuvieron en prisión, los monjes soldados pidieron justicia al arzobispo de Tarragona. Si Francia tuvo su Guillermo Imbert, tan funesto para los templarios, Aragón contó con su inquisidor general, convencido de la culpabilidad de los caballeros del Temple y preocupado por causar su perdición. El hermano Juan Lotger, de la orden de los dominicos, mostró una extrema severidad contra los templarios y todos los que les eran favorables. Pero tuvo menos éxito en su empresa.

El concilio provincial de Tarragona, finalmente fue convocado el 10 de agosto de 1312, en presencia de los obispos de Zaragoza, Valencia, Huesca, Vic y Tortosa, y de representantes del obispo de Lérida, que no pudo desplazarse por enfermedad. El 4 de noviembre del mismo año, después de escuchar a los testigos y de que los monjes presentaran su defensa, los templarios de Aragón, Cataluña y Valencia fueron declarados inocentes y puestos en libertad.

Los templarios de Rávena son absueltos sin excepción

La actitud del obispo de Rávena debe ser especialmente señalada. Este prelado tuvo la inteligencia de preguntar a los Padres del concilio que había reunido si era necesario aplicar la tortura a los templarios antes de comparecer; se negaron a que se aplicara tanto la tortura simple como la criminal.

Libres de hablar sin presiones, los hermanos proclamaron su inocencia y juraron sobre el Evangelio no haber cometido jamás un crimen. El concilio decidió absolver a los inocentes. Dio de estos una definición muy amplia ya que admitió perdonar no sólo a los templarios que habían negado los crímenes, sino también a aquellos que habían confesado como consecuencia de la tortura o por temor a ésta.

Esta medida se aplicó tanto a los hermanos que se habían retractado de sus confesiones, como a los que no se animaron a retractarse por temor a ser declarados relapsos. Los templarios de Rávena fueron, pues, absueltos sin ninguna excepción.

No todos los prelados de Italia tuvieron ese sentido común ya que en Florencia, Pisa y Provenza (posesión del rey de Sicilia), los templarios fueron torturados. Confesaron y se los trató con la misma severidad que en Francia.

El lector recordará que con su bula *Ad providam*, Clemente V decidió la suerte de las riquezas del Temple. Con toda lógica el Papa ordenó que los haberes de la orden fueran entregados a los hospitalarios de San Juan de Jerusalén, la otra orden de monjes soldados implicada en la reconquista de Tierra Santa y la protección de Occidente de los asaltos de los sarracenos.

Se les debían transmitir todos los bienes confiscados al Temple salvo los que se encontraban en los reinos de Castilla, Aragón, Mallorca y Portugal. En estos cuatro países invadidos por los musulmanes, el Papa conservaba la libre disposición de los bienes. Luego los atribuyó a las órdenes de monjes soldados que luchaban por la reconquista de esos reinos.

Felipe el Hermoso se hace reembolsar los gastos del proceso con los bienes del Temple

Durante un tiempo, Felipe el Hermoso esperó poder confiscar los bienes situados en Francia: en este aspecto perdió, pero lo que le tocó no estuvo mal. En 1307 tenía una deuda de quinientas mil libras respecto a la orden y nunca la pagó.

Además, tuvo la gestión de los bienes durante varios años y es poco probable que entregara los beneficios a los hospitalarios. Por el contrario, en 1313, logró que estos últimos le pagaran doscientas mil libras por un crédito que el Temple supuestamente tenía con él. Se ignora cuándo le había prestado ese dinero a los templarios, pero los hospitalarios, buenos políticos y muy conscientes de que era útil mantener relaciones amistosas con el poderoso rey de Francia, pagaron. El rey recibió también una indemnización correspondiente a los gastos del proceso: el colmo, 60.000 libras...

Nunca nadie pudo saber qué cantidad de metálico encontró el rey en el Temple, en París, en 1307: ¿una fabulosa reserva de oro o telas de araña? Esta duda continúa alimentando la polémica sobre la existencia o no de un tesoro de los templarios.

Ya lo veremos. Recordemos simplemente que Felipe el Hermoso y sus sucesores persistieron, aun después del arresto de los templarios, en usar recursos de todo tipo —sobre todo expoliando en el caso a los lombardos y los judíos— para procurarse un poco de dinero.

También se piensa que los templarios tenían pocos bienes mobiliarios y objetos preciosos. Y esto porque no se encontraron las joyas y objetos de culto que se esperaba: tal vez los habían ocultado.

No tenían un modo de vida modesto, su pobreza era nominal. Por lo tanto hay un hiato flagrante. La hipótesis, no de un tesoro sino de numerosos tesoros templarios, está de acuerdo con el clima de la época.

¿El tesoro de los templarios estaría diseminado por toda la Cristiandad?

Si nos basamos en las costumbres de los monasterios de la época, es probable que cada encomienda y establecimiento templario tuviera un escondrijo donde se colocaban los bienes de valor. Éste podía ser una cripta, un subterráneo, una excavación en una pared. Estas prácticas eran corrientes en la Edad Media, porque resultaba vital protegerse de los cambios políticos imprevistos y de los *raid* de los bandidos de todo tipo. Este escondrijo no era necesariamente de uso permanente: podía servir sólo en caso de urgencia.

¿Descubrieron estos escondrijos? Es posible que sólo las personas más importantes de la encomienda estuvieran al tanto de su existencia y emplazamiento. ¿Qué pasó con ellos? Nadie lo sabe.

La transmisión de los bienes al Hospital no dejó de provocar choques. A los monarcas les fue un poco difícil renunciar a los haberes que administraban desde que el Papa les había pedido que detuvieran a los monjes soldados, en noviembre de 1307, y no obedecieron de inmediato la bula de Clemente V.

Sus sucesores debieron llamarlos al orden. Juan XXII tuvo que intervenir en 1317 para que el Hospital tomara posesión de los bienes de los templarios en Inglaterra. Urbano V, en 1366, debió actuar en el mismo sentido con Pedro IV de Aragón.

Fernando IV de Castilla tuvo mejores resultados que los otros soberanos: habiendo tomado posesión de los bienes del Temple, no quería separarse de éstos y, en 1387, el papa Clemente VII terminó por someterse y atribuir los bienes castellanos del Temple a las órdenes de Santiago y de Calatrava. El rey de Portugal logró que el Papa reconociera la orden de Cristo, cuya creación favoreció, como sucesora oficial del Temple en Portugal.

El Papa también aprovechó los despojos del Temple

También el Papa aprovechó los despojos del Temple. El reino de Sicilia y el conde de Provenza eran vasallos de la Santa Sede, lo que facilitó la negociación entre el Santo Padre y Carlos II de Anjou: se dividieron los bienes mobiliarios del Temple así como un gran número de tierras, en especial en la región de Aviñón.

Existe un gran interrogante al que debemos dar una respuesta clara: ¿El rey Felipe se aprovechó financieramente del Temple? Esta pregunta tiene una importancia especial porque *a posteriori* puede aclararnos más sus motivos.

Con frecuencia sus adversarios han reducido el legajo del Temple a esta única pregunta; el rey siempre estaba corto de dinero, modificaba sin cesar el valor de la moneda para intentar resolver sus dificultades, había agotado todos los recursos contra los lombardos y los judíos y, en última instancia, se habría sentido tentado por el inmenso patrimonio del Temple.

Examinemos una cuestión de derecho muy interesante que podría indicar que tenía interés en la caída del Temple por razones financieras.

El derecho feudal no tenía dudas sobre este tema: los bienes de los herejes se confiscaban en beneficio de su señor. Lo mismo ocurría en caso de crimen de lesa majestad. Al obtener su condena por herejía, el monarca podía apoderarse de los bienes del Temple legalmente. Además, con esta idea inició el proceso.

«La orden gozaba de todas las ventajas del feudalismo sin tener sus cargas»

Pero esto no era todo. El Temple tenía la doble condición de señor feudal y de orden religiosa; a través de los años había conseguido buen número de exenciones fiscales que incrementaron su riqueza y disminuyeron la del rey. Los nùmerosos privilegios de los que se beneficiaban tenían consecuencias graves en materia de impuestos. El Temple poseía muchos feudos en Francia y en otras partes; estos bienes habían conseguido la condición de alodio gracias a los esfuerzos de los templarios.

El rey no podía percibir los impuestos y tampoco los derechos de herencia porque la orden, «persona moral», no moría; no debía el servicio militar, aunque la orden era vasalla directa del rey: los bienes de la Iglesia estaban dispensados del mismo. Como pertinentemente escribe Giorgio Perrini, «la orden gozaba de todas las ventajas del feudalismo sin tener sus cargas».[12]

La confiscación de esos bienes hubiera llenado las arcas del rey con todos los haberes templarios situados en el dominio real, y transformado los otros —confiscados por otros señores vasallos del rey— en bienes ordinarios sometidos a impuesto. Aun en ausencia de confiscación, el simple cambio de naturaleza ya hubiera representado una ventaja financiera sin equivalente para el rey.

En 1311, cuando las tratativas con Clemente V sobre la suerte de los bienes, Felipe IV se mostró hostil a la devolución al Hospital porque esta medida no arreglaba el problema. Los bienes seguían siendo de la Iglesia y escapaban a los impuestos reales.

Por qué el rey de Francia inició este terrible proceso: sus verdaderas razones

Felipe el Hermoso, cuando inició este terrible proceso contra la orden y los hermanos del Temple, tenía dos objetivos principales: primero, suprimir el peligro político y militar que la milicia del Temple significaba para el poder real, teniendo en cuenta su fuerte presencia en el territorio del reino y la obediencia que debía al Papa; en segundo lugar, poner fin a la hemorragia fiscal que creaban las numerosas donaciones y, si era posible, intentar recuperar los haberes de la orden en Francia al obtener la condena del Temple por herejía.

El primer objetivo se consiguió: la supresión de la orden puso fin al peligro que el rey temía. El segundo sólo se alcanzó parcialmente porque, aun-

12. Giorgio Perrini, *Les Aveux des Templiers*, París, 1992, pág. 37.

que el rey llegó a apoderarse de una parte de la riqueza de los monjes sol-dados, la Iglesia conservó la mejor parte, ya que los bienes inmobiliarios pasaron a los hospitalarios.

En cierta manera, Clemente V, a su pesar, realizó la fusión de las dos órdenes, a las que todavía recordaba sus votos en los meses precedentes al arresto masivo de 1307.

Pero realizada en estas condiciones la fusión estaba vaciada de sentido y hacía perder a la Cristiandad la posibilidad de disponer de una fantástica fuerza militar para reconquistar Tierra Santa.

Los hospitalarios, sucesores de los templarios, abandonarían muy pron-to su función militar y se convertirían poco a poco en una orden caritativa. Hablando nominalmente, el Temple no murió con la bula de supresión de Clemente V y el suplicio de Jacobo de Molay: hasta 1789 se continuó dando al gran maestre del Hospital el título de «gran maestre del Temple».

Tercera parte
Los templarios frente a la historia

Confesiones y retractaciones

—¿Es exacto que al final de vuestra ceremonia de admisión, el comendador que os recibió os condujo secretamente detrás del altar? ¿Y que allí os mostró la cruz y la imagen de Nuestro Señor Jesucristo y os hizo renegar tres veces del profeta? ¿Y que luego, también tres veces, os hizo escupir sobre la cruz?
—El inquisidor general continuó —¿Es exacto que os hizo desnudar y que os besó al final de la columna vertebral, debajo de la cintura, luego en el ombligo y finalmente en la boca?

—¿Es exacto que el comendador os dijo que si un hermano quería acostarse con vos carnalmente, debíais tolerarlo, porque debíais y así se consideraba, sufrirlo, según la regla de la orden?

—¿Es exacto que esta cuerdecilla que lleváis noche y día debajo de la camisa fue colocada alrededor del cuello de un ídolo que tiene forma de cabeza de hombre con una gran barba? ¿Y que el gran maestre y los más antiguos besan y adoran a este ídolo en sus capítulos provinciales?

—¿Es exacto que en la misa, los sacerdotes de vuestra orden no pronuncian las palabras rituales y no consagran el cuerpo de Nuestro Señor?

—¿Todo es exacto, hermano Hugo? ¡Responded!

Este es el interrogatorio que todos los templarios detenidos ese viernes 13 de octubre de 1307 en Francia sufrieron uno tras otro; y los templarios confesaron, desde el gran maestre hasta el más humilde hermano sirviente.

Sí, renegaron de Nuestro Señor Jesucristo el día de su admisión. Sí, fueron obligados a escupir sobre la cruz. Sí, algunos de ellos recibieron autorización de tener relaciones con sus hermanos y a veces cedieron a un instinto contra natura. Sí, vieron a los dignatarios adorar a un ídolo o lo adoraron ellos mismos. En París, entre los ciento cuarenta hermanos aprehendidos por Nogaret, sólo tres de ellos no confesaron.

Por lo tanto, la pregunta queda sin una respuesta definitiva. ¿Los templarios eran de verdad culpables?

¿Niños raptados y sacrificados en el curso de las misas negras?

En este proceso, extrañamente, ningún testigo ajeno a la orden vio a un templario renegar de Cristo, ni escupir sobre la cruz, ni adorar un ídolo, ni regodearse en la lujuria. Por el contrario, hasta los primeros rumores —muy tardíos porque son posteriores al año 1303— la reputación de la orden era intachable.

Con seguridad, había envidiosos que trataban de manchar su reputación, porque no todos querían a la orden, sobre todo sus deudores, o las otras órdenes monásticas que tenían celos de sus privilegios religiosos y financieros.

Es verdad que algunos templarios renegados, expulsados por algún crimen o cobardía, o medio locos, contaban sin escrúpulos que los monjes soldados, agazapados en sus encomiendas, raptaban niños, los asaban o los sacrificaban en misas negras invocando al diablo. Pero ¿quién creía en esas pamplinas?

Luego estalló el trueno en un cielo sin nubes: arrestaron a los templarios y éstos confesaron los peores crímenes; crímenes que ningún bandido hubiera confesado; eran renegados, sodomitas e idólatras. El proceso desencadenado por el rey de Francia se puso en marcha y terminó unos años más tarde con la supresión de la orden.

¿Cómo los templarios pudieron consentir en reconocer tales horrores?

Unas semanas antes todavía estaban dispuestos a tomar el camino de Oriente, y a perder su vida si era necesario, para que la Cristiandad conservase una parcela de Tierra Santa constantemente amenazada por los musulmanes.

Si era necesario, estaban dispuestos a ser reducidos a la esclavitud por Dios, Jesucristo y la Santa Virgen María. En el combate, su regla les ordenaba no rendirse jamás, aunque se enfrentaran con enemigos tres veces más numerosos. Hechos prisioneros, elegían ser decapitados antes que renegar de Jesús, aunque fuera sólo de palabra.

En 1291, el heroico Guillermo de Beaujeu, sitiado en San Juan de Acre, no pudo aceptar la rendición honorable que le ofrecían los turcos. Intentó una salida imposible: todos fueron masacrados. En la época del proceso, centenares de templarios prisioneros en Palestina vivían como esclavos por haberse negado a convertirse al islam.

¿Cómo podían esos hombres ser renegados, sodomitas e idólatras?

Una acusación basada en ningún testimonio

Este singular proceso presentó una característica que ningún historiador, que sepamos, ha puesto en evidencia: la acusación no se basaba en testimonio alguno, sólo se fundamentaba en confesiones. No hay testigo alguno fuera de la orden.

Los únicos testigos externos nada vieron por sí mismos. A lo sumo escucharon decir que los templarios se entregaban a tal o cual infamia o herejía. Pero estos testimonios de oídas, como los llaman los legistas, non tienen valor alguno.

Esto no es todo. Los hermanos sólo confesaron por ellos mismos y no se recogió testimonio verdadero contra otro hermano. «¿Este hermano se entregó a la sodomía?» «Sí.» «¿Con quién?», preguntaba el inquisidor. Ya no se acordaba o daba el nombre de otro hermano del que nadie oyó hablar.

Los interrogatorios, aunque eran detallados, nunca llevaban al inquisidor o a sus comisarios a buscar elementos suplementarios que pudieran reforzar el legajo de la acusación. Tampoco trataban de confrontar las confesiones: los resultados hubieran sido decepcionantes.

Geoffroi de Thatan declaró haber renegado según la orden de Juan de Saint-Benoît, que declaró que había recibido a varios templarios y nunca les había exigido que renegaran. Gilley de Endrey dijo haber renegado en presencia de Juan Le Gambier, que declaró que sólo había asistido a la admisión de Juan de Moflers. Simon de Lechun declaró haber renegado en presencia de Pedro de Lagni, que aseguró que no asistió a ninguna admisión.

Raúl de Gisi pretendió haber hecho la admisión ilícita de Juan Le Gambier, que declaró haber sido recibido por Roberto de Beauvais. Felipe Agathe declaró haber recibido con las formas lícitas a Guillermo Bossel , pero éste declaró que Felipe Agathe lo recibió y le exigió que renegara. Juan de Tournon dijo que había visto recibir a Adam de Valincourt sin negación, pero éste aseguró haber sido recibido por Pedro Normant y haber renegado. Hugo La Hugonie declaró haber sido recibido por Imbert de Comborin, y nombró como testigos a Esteban Gorsolas (que declaró que Hugo La Hugonie fue recibido por Godofredo de Gonneville) y Emérin de Prin (que dijo que no había asistido a admisión alguna).

Por fuerza hay que constatar que, por una parte, estas confesiones abominables se contradicen unas con otras si se las examina en detalle; y que, por otra parte, crímenes como la negación de Jesús o la sodomía no parecen compatibles con el valor de los templarios, su papel político y militar fundamental para el mantenimiento de los Estados latinos de Oriente, y su lealtad perfecta a la Iglesia y a los príncipes cristianos en las cruzadas.

El lector comprenderá dónde queremos llegar: ¿estas confesiones fueron sugeridas? Enfrentado a lo increíble, la mente que razona busca una respuesta lógica a la pregunta.

Desde hace siglos el caso del Temple intriga a historiadores y curiosos, y las hipótesis son numerosas.

Descartemos de entrada la hipótesis de una iniciación secreta que hubiera llevado a los monjes soldados a perder la vida por Dios al tiempo que renegaban de Su Hijo el día de su entrada en la orden. Dejemos también de lado la hipótesis absurda que hace de los templarios depravados y fornicadores, como los imaginaban Guillermo de Nogaret y su par, el inquisidor general. Y preguntémonos más bien si la tortura, práctica común en la Edad Media, no les arrancó esas confesiones odiosas.

¿Los templarios fueron torturados?

Los detractores de los templarios tienen la costumbre de recordar que guerreros de su temple hubieran podido resistir las torturas que les aplicara la Inquisición. Las habían visto peores en Oriente, lo cual es verdad. Esos mismos detractores señalan que, si bien algunos hermanos fueron torturados, no todos fueron sometidos a la tortura. Entre los que escaparon a los instrumentos de los verdugos se cuenta el gran maestre, que lo mismo hizo una confesión abrumadora.

Oficialmente, o sea, si nos limitamos a leer las actas de los interrogatorios redactados por los notarios en presencia de testigos, y considerando que dan un resumen honesto del interrogatorio de cada hermano por el inquisidor general, los detenidos no fueron torturados.

> Interrogado para saber si en su declaración había introducido alguna falsedad o si había callado la verdad como consecuencia de la violencia, el temor a las torturas o bien la prisión o cualquier otra causa, dice bajo juramento que no; que por el contrario, por la salvación de su alma, había dicho la pura y total verdad.

Esto es lo que se lee al final de cada declaración.

No seamos cándidos: estas actas, redactadas por notarios al servicio de la Inquisición, tienen un valor poco probatorio en la materia. Hay que considerar esta frase final como una fórmula de estilo: si pudiéramos ver las declaraciones de hermanos muertos en la tortura, sin duda aparecería igual.

Observemos al pasar que esta mención no figura al pie de la declaración del hermano Juan de Châteauvillars, uno de los tres hombres que no confesaron algo reprensible; y, sin embargo, estamos seguros de que no fue sometido a tortura física.

¿Tortura física? ¿Tortura moral? La segunda puede reemplazar a la primera: es mucho más eficaz y deja menos huellas visibles. Cuando comparecieron ante la comisión nombrada por el Papa para instruir el proceso de la orden, fueron numerosos los hermanos que explicaron cómo fueron llevados a confesar crímenes imaginarios: se empleó la tortura física, pero la manipulación, las estratagemas, las promesas de todo tipo así como las amenazas tuvieron una eficacia comparable.

Felipe el Hermoso conocía, por sus agentes, los mecanismos de funcionamiento de la orden y empleó una estratagema muy eficaz, que tuvo tanto más éxito por cuanto pasó inadvertida. Los templarios hacían voto de obediencia al entrar en la orden, la regla los obligaba a una severa disciplina y las faltas se castigaban con rigor. El rey utilizó esta obligación de obediencia al gran maestre con mucha inteligencia: sabía que si éste permitía las confesiones y pedía a los hermanos que confesaran, éstos obedecerían.

El 25 de octubre se alcanzó este objetivo: el gran maestre compareció ante los doctores en teología de la Universidad de París, renovó las confesiones hechas en la víspera ante el inquisidor y pidió a todos los hermanos que hicieran como él. Amenazados o sometidos a los instrumentos de tortura, acostumbrados a obedecer a su maestre y sobre todo conmocionados por las confesiones de éste, confesaron a su vez.

Fueron numerosas las manipulaciones para convencerlos de hacer confesiones que les repugnaban. Para aliviar las conciencias había que descargar a los que confesaban de la responsabilidad del acto que se les pedía que cometieran. Se les mostraron cartas del gran maestre ordenándoles confesar: «Es la voluntad del gran maestre», les decían. Y si no comprendían porqué no importaba. Después de todo, habían entrado en el Temple para obedecer, no para reflexionar o discutir las decisiones de sus superiores.

Está claro que estas cartas eran falsas: Jacobo de Molay nunca escribió esas misivas, pero éstas bastaron para crear la duda en el espíritu de los hermanos prisioneros. ¿Había que decir la verdad? ¿Había que resistir la tortura? ¿Había que obedecer o debían escuchar su conciencia? Circularon otras cartas: emanaban del Papa o del rey y prometían el perdón a los que confesaran sus errores. El soberano pontífice, que todavía no estaba al corriente del arresto, no podía ordenar confesiones, pero eso tampoco importaba. Los templarios ignoraban que eran falsas y obedecieron.

Manipulaciones, cartas falsas y amenazas de muerte

El 14 de febrero de 1310, compareció como testigo ante la comisión papal Juan de Cochiaco, que explicó la hábil manipulación de la que había sido víctima. Esta maniobra no tuvo lugar de inmediato después del arresto, sino en el segundo interrogatorio que sufrieron los hermanos, en 1309, antes de la reunión del concilio provincial que debía juzgar a los miembros de la orden.

El testigo blandió ante los comisarios una extraña carta: con dos sellos ilegibles y entregada a los prisioneros por un clérigo, contenía tanto promesas tentadoras como terribles amenazas.

El preboste de la iglesia de Poitiers y el ujier de armas del rey, los dos encargados de la custodia de los templarios en Sens, Ruán y Reims, les decían que habían conseguido que el soberano los enviara al obispo de Orleans para reconciliarse. Los prisioneros debían reiterar sus confesiones ante el obispo sin lo cual, continuaba la misiva, por orden del Papa serían condenados a muerte y quemados vivos. Mientras esperaban ir a ver al obispo recibirían habitaciones decorosas.

Esta carta intrigó a los comisarios que llamaron al preboste. Éste negó categóricamente haber dictado esa misiva. Los templarios juraron que nunca les ordenó otra cosa que decir lo bueno y verdadero. Es lamentable que la comisión no creyera útil escuchar al clérigo del preboste, portador de la carta y que podía ser el autor de la falsificación.

Este incidente es revelador de las estratagemas que se emplearon para obtener la reiteración de las confesiones ante las comisiones episcopales instituidas por el Papa. Señalemos también que este incidente tuvo lugar en Sens, el arzobispado del que dependía París.

El momento de las retractaciones

Después del momento de las confesiones llegó el de las retractaciones. El arresto súbito y los métodos persuasivos en el interrogatorio provocaron muchas declaraciones que la soledad de la prisión, el tiempo consagrado a meditar y la duración del procedimiento hicieron lamentar.

«¡Confesad y seréis perdonados!», les había susurrado el inquisidor. Pero perdonados no significaba libres: los hermanos, hubieran confesado o no, se pudrían en la prisión, víctimas del frío y el hambre, sin poder asistir a misa ni comulgar. Solos con algunos compañeros de infortunio, frente a Dios, lamentaron su debilidad y también tomaron conciencia de que habían sido traicionados. El rey los había encarcelado, el Papa no los había hecho poner en libertad como podía hacerlo y el gran maestre se había refugiado en un mutismo que muchos hermanos consideraban culpable.

Llegó el momento en que volvió a comenzar la investigación. Las comisiones pontificias, encargadas del proceso contra la orden, iban a escuchar a los templarios como testigos; y si a veces se torturaba a los acusados todavía no se torturaba a los testigos. Más de quinientos templarios quisieron defender a la orden; podrían explicar cómo habían sido tratados y cómo les habían arrancado esas confesiones inmundas.

Uno de estos hermanos decidido a devolver el honor a la orden, Ponsard de Gizy, el 27 de noviembre de 1309 aportó a la comisión pontificia informaciones preciosas sobre los métodos de la Inquisición y de ciertos obispos ganados por la causa del rey.

Las acusaciones articuladas contra la orden, a saber que la orden reniega de Jesucristo y escupe sobre la cruz y que se da permiso a los hermanos para unirse carnalmente uno con otro, así como las otras enormidades que se le reprochan son
falsas —clamó el preceptor de Payns. Todo lo que yo y los otros hermanos de la
orden confesamos al respecto ante el obispo de París o en otra parte es falso.
Sólo lo confesamos obligados por el peligro y el terror, porque fuimos torturados por Floyran de Béziers, el prior de Montfaucon, y el monje Guillermo Roberto, nuestros enemigos. Hemos confesado en virtud de un acuerdo y de una instrucción que emanaba de los que nos detuvieron en prisión, y también por temor
a la muerte. Treinta y seis de nuestros hermanos murieron en París, así como
muchos otros en otros lugares, como consecuencia de las torturas y tormentos.

No contento con defenderse él mismo, el hermano Ponsard de Gizy
acusó y entregó a la comisión una lista de nombres de algunas personas que
eran enemigos de la orden y querían su condena.

Éste es el texto de esa cédula:

Lista de los traidores que han articulado falsedades contra la gente de la orden
del Temple y les imputaron actos desleales: Guillermo Roberto, monje, que los
puso en tela de juicio; Esquius de Floyrac, de Béziers, coprior de Montfaucon;
Bernardo Pelet, prior de Mas-d'Agenais, y Gerardo de Boyzol, caballero, veni-
do de Gisors.

Ponsard de Gizy explicó luego las torturas que había sufrido.

El lector recordará que los templarios fueron interrogados tres veces:
una primera vez en 1307, poco después del arresto, a cargo de la Inquisición; una segunda, hacia 1309, por los obispos en preparación de los concilios provinciales que debían juzgar a las personas; y una tercera un poco
más tarde, por la comisión de investigación pontificia encargada de instruir
el proceso contra la orden.

Ponsard de Gizy relató así su segundo interrogatorio:

Tres meses antes de la confesión que hice ante el obispo de París, fui colocado
en una fosa, con las manos atadas a la espalda tan fuerte que la sangre corría
hasta mis uñas, y así me quedé, sin más espacio que la largura de la cuerda. Pro-
testé y dije que si me torturaban renegaría de todo lo que decía y confesaría todo
lo que quisieran. Tanto como estoy dispuesto a sufrir, con tal que el suplicio sea

corto, la decapitación o el fuego o el agua hirviendo, soy incapaz de soportar los largos tormentos que ya estaba sufriendo al estar encarcelado desde hacía más de dos años.

Esta declaración nos dice mucho sobre los métodos utilizados para obtener confesiones. Legalmente hablando, haciendo referencia al derecho medieval, este hermano no fue torturado; simplemente sufrió los malos tratos que se infligían cotidianamente a los prisioneros.

Felipe el Hermoso, cuando descubrió en 1314 que sus nueras engañaban a sus esposos, sin ningún escrúpulo ordenó que encerraran a Margarita y Blanca de Borgoña en la fortaleza de Château-Gaillard donde el frío, el pan y el agua muy pronto matarían a la primera y volverían casi loca a la segunda.

Pequeño manual de torturas para uso de los verdugos

La Edad Media despreciaba el cuerpo. La justicia apelaba a la tortura para obtener confesiones y los medios empleados eran de un refinamiento a menudo ingenioso. Esta es una lista detallada de los tormentos que corrientemente se infligía a los desdichados sometidos a la tortura.

Se desvestía al paciente —explica Raynouard—, se le ataban las manos detrás de la espalda; se le colgaban pesos enormes en los pies; la cuerda que apretaba sus manos pasaba luego por una polea colocada en lo alto del instrumento fatal de la tortura; a una señal de los inquisidores, la cuerda se movía, el paciente, que quedaba rápidamente suspendido en el aire y con todo su cuerpo cruelmente tironeado, lanzaba gritos; los inquisidores se aseguraban de que los escribanos tomaran nota no sólo de las respuestas del acusado, sino también de todos sus suspiros, de todas sus lágrimas.

Una de las variantes de la tortura consistía en alzar el cuerpo y luego soltar rápidamente la cuerda, y en retener de golpe en el aire el cuerpo que volvía a caer con todo su peso: la caída y el movimiento retrógrado causaban al paciente la dislocación de todos sus miembros y horribles dolores, sobre todo en los brazos y en los muslos, etc.

La tortura de la cuerda era la más usada; a veces se empleaba la del fuego. Se encajaban los pies descalzos del paciente en un instrumento que no le permitía retirarlos; se frotaban con un elemento untuoso y así se presentaban al fuego más fuerte. Para probar la constancia del torturado, se colocaba de golpe, entre sus pies y el fuego, una plancha que interceptaba el dolor; y, si persistía en sus negaciones, se retiraba la plancha y el dolor recomenzaba.

También existía la tortura de los talones. Se extendía al paciente en el suelo, se encerraba su talón desnudo en un talón cóncavo de hierro que se apretaba a voluntad, y esta compresión causaba un dolor insoportable. Si la debilidad del cuerpo no permitía otra tortura, se colocaban entre sus dedos pequeños trozos de varillas, cortados en bisel, que se apretaban con fuerza con el fin de quebrar los huesos de los dedos.

Además de estos tormentos comunes, en los procedimientos utilizados contra los templarios se ve que sufrieron otros aún más crueles. En algunos países les arrancaban los dientes, en otros, les calcinaban los pies; además, colgándoles pesos en diferentes partes del cuerpo, no temían convertir la tortura en impúdica.[13]

Gran cantidad de caballeros perecieron durante estas pruebas terribles; en París, treinta y seis de ellos murieron como consecuencia de las torturas sufridas. Los caballeros que tenían la fuerza de resistir las torturas, arrojados en calabozos y amenazados con nuevos tormentos, sólo tenían pan y agua como alimento.

¿La tortura explica realmente las confesiones? Después de todo los templarios no eran monjes que pasaban sus días orando ni sumergidos en la vida contemplativa. Habían hecho la guerra, enfrentado a los sarracenos en las peores condiciones. Su valor era tan legendario que se decía que sólo los templarios podían cazar leones. Cuántos de ellos terminarían sus vidas en cautiverio, no en las mazmorras del rey de Francia por el crimen de herejía, sino en las del sultán, por no haber renegado de Jesús. Aun sometidos a las peores torturas que los infieles nunca vacilaron en infligirles, preferían la muerte o la esclavitud.

Por qué los monjes soldados confesaron crímenes imaginarios

Los templarios estaban hechos de un acero suficientemente bien templado para resistir la tortura. Pero distingamos entre tortura y tortura. Hecho pri-

13. Raynouard, *Monuments historiques relatifs à la condamnation des chevaliers du Temple et à l'abolition de leur ordre*, París, 1813, pág. 33 y ss.

sionero por los infieles y conminado a convertirse al islam, el templario prefería la muerte al deshonor de la apostasía: la tortura física que le infligían estaba compensada por la fuerza moral que tiene aquel cuyo combate es justo.

Pero, prisioneros del rey de Francia, se extraviaron. Para estos cruzados permanentes, el rey de Francia debía ser el primero de sus aliados, y el Papa su protector. Cuando el primero los hizo arrestar y el segundo los abandonó a su suerte, los monjes soldados ya no supieron a qué santo encomendarse. Privados de esta fuerza moral que es lo único que puede triunfar sobre la tortura física, obedecieron y dijeron al inquisidor lo que quería escuchar.

Por desgracia, la tortura no lo explica todo. Las confesiones arrancadas por ésta presentan siempre la particularidad de ser estereotipadas. Por el contrario, las de los templarios son de una inusual diversidad: ninguno confesó lo mismo que otro hermano. ¿Es posible, entonces, que hubiera alguna verdad en lo que los monjes soldados confesaron al inquisidor, al obispo y a los comisarios pontificios?

De santos y renegados

Entre las acusaciones hechas a los templarios, la primera y más seria fue la de renegar de Cristo. Era de una extraordinaria gravedad. Póngase el lector en el lugar de un hombre del siglo XIV: toda la sociedad estaba basada en la ley religiosa y cristiana; ninguna herejía podía tolerarse porque desestabilizaba el orden social.

En el siglo anterior, los cátaros, esos herejes que adquirían cada vez más importancia en el suroeste de Francia, predicaban que el mundo terrenal era la creación de un dios maléfico, condenaban la procreación y el matrimonio, y veían en el suicidio el medio supremo de alcanzar el dios bueno creador del alma; fueron exterminados con un salvajismo igual al peligro que la secta significaba para el mundo cristiano.

La vida del Occidente cristiano estaba enteramente condicionada por Dios. El bautismo, el matrimonio, la muerte de cada uno estaban marcados por el sonido de las campanas. Un signo evidente es que el mismo calendario estaba sometido a los azares de la fe. Pascuas era el primer día del año. Negar una sepultura cristiana entregaba al difunto a la condena eterna. La excomunión y la interdicción eran sanciones terribles que mientras pesaban sobre alguien, lo excluían de la sociedad.

Recuérdese a Roberto el Piadoso, hijo de Hugo Capeto, que fue excomulgado en el siglo X por repudiar a su mujer Susana, una viuda mayor que él, y casarse con Berta de Borgoña a la que amaba. Abandonado por todos en su reino, sus criados quemaban lo que él había tocado, y terminó por someterse.

El poder político encontraba su legitimidad en un mandato virtual dado por dios a los príncipes temporales. La coronación investía al soberano con una función sacerdotal que hacía de él una especie de sacerdote. El rey de Francia curaba las escrúfulas con una simple imposición de manos. Rey por la gracia de Dios, Capeto no rendía cuentas a nadie en la tierra, excepto al Papa.

En este contexto, la herejía era una cuestión de todos. El hombre moderno a menudo se impresiona por la brutalidad con que los príncipes y señores trataban a los herejes en esa época, y se sorprende por la severidad de las jurisdicciones religiosas; pero este comportamiento reflejaba el de la gente, y estas prácticas recibían el asentimiento pleno y total del pueblo.

Se lo ignora, pero en esa época, los herejes (o supuestos tales) eran frecuentemente perseguidos por la multitud que los linchaba sin otra forma de proceso. La Inquisición medieval, que aparece a menudo como un instrumento creado por la Iglesia para perseguir a pobre gente y asegurarse el control de las almas, en realidad introdujo el derecho en la lucha contra la herejía y, en muchos casos, moderó el furor popular. Si la libertad religiosa no existía en el siglo XIV era porque nadie quería que existiera.

En París, ciento treinta y siete templarios confiesan la negación de Jesús

En principio, es verdad, Guillermo Imbert, inquisidor general de la perversidad hereje para el reino de Francia, y su segundo, Nicolás d'Ennezat, los dos dominicos, estaban más preocupados por servir a la política del rey de Francia que por hacer triunfar la justicia de Dios. Y en la sala baja del Temple de París, empezaron a interrogar y a hacer confesar a los hermanos de la orden.

Desde el 18 de octubre hasta el 24 de noviembre de 1307, ciento cuarenta hermanos comparecieron ante ellos. Todos —con excepción de tres que no confesaron algo que fuera reprensible, y treinta y seis que murieron por malos tratos— reconocieron haber renegado de Jesús en su admisión. La tortura no explica todas las confesiones: se sabe con certeza que Jacobo de Molay no fue torturado, sin embargo, hizo una confesión circunstanciada. O sea, ¿que los templarios habían abdicado de la fe cristiana y abrazado una herejía? ¿O bien otra explicación, ésta honorable, justifica ese rito perverso introducido en las ceremonias de admisión?

Es posible que esas confesiones hubieran sido arrancadas por la tortura o por otros medios poco honestos; ya hemos tratado sobre cómo los torturadores hacían decir lo que querían a sus víctimas. Sin embargo, algunos elementos del legajo permiten pensar que los templarios —o algunos de ellos al menos— tenían una conducta que no estaba rigurosamente de acuerdo con las costumbres de la Iglesia. Tal vez algunos hermanos renegaron de verdad de Jesús. Pero ¿por qué actuaron así?

Godofredo de Gonneville dio una explicación totalmente plausible. El preceptor de Poitou y de Aquitania, en su comparencia del 15 de noviembre de 1307, explicó al inquisidor que pensaba que la negación se practicaba en memoria de san Pedro, que había negado tres veces a Cristo. Esta explicación no carece de lógica y encuentra justificación en las Escrituras. Pero ¿qué puede decirse de escupir sobre la cruz?

Una prueba para sondear la fe de los nuevos templarios

Algunos historiadores han visto en la negación una práctica que tendía a sondear la fe de los recién llegados. Esta prueba, pedida a algunos pero no a todos, habría sido el medio para evaluar el grado de sumisión del nuevo templario a sus superiores. Por lo tanto se ponía a prueba el juramento del nuevo profeso inmediatamente después que lo prestara.

¿Y qué se le podía ordenar, para probar su obediencia, que fuera peor que renegar de Cristo y escupir sobre la cruz? Si lo hacía, se veía en él a un hermano obediente pero poco combativo; si protestaba, era un buen combatiente. En esto había, en efecto, una práctica un poco perversa, ya que sobreentendía que las necesidades de la guerra justificaban que los templarios estuvieran sometidos a su maestre antes que a Dios.

Cuando el 9 de febrero de 1310 lo escuchó la comisión pontificia, el hermano Picart declaró que tres días antes de su admisión se confesó con el hermano predicador de Troyes. Este monje, que también era el confesor del obispo —por lo tanto un hermano más allá de toda sospecha— le dio la absolución y le impuso una penitencia de un año. Le explicó que la negación y escupir sobre la cruz servían para probar su fe: «Si te hubieras negado a renegar —agregó— te hubieran enviado a Tierra Santa».

En la misma época, el hermano Guillermo de Soromine explicó que quien lo recibió quería probar de inmediato sus votos, sobre todo el de obedecer a su maestre, cualesquiera fuesen las órdenes que le dieran. Para hacerlo le ordenaba renegar de Dios. Estupefacto, Soromise se negó: un hermano que estaba presente, Arnaud d'Aldigène, insistió: «Vamos, reniega sin temor porque hay muchas cosas que se dicen de palabra y no de corazón.» Después de lo cual, Soromine, como todos los otros hermanos que tuvieron que renegar, fue a confesarse y recibió la absolución.

El testimonio del hermano Hugo de Caumont, el 16 de enero de 1310, ante la comisión pontificia, nos pone en claro la tendencia y el significado de esta práctica extraña. Su confesor, después de darle la absolución, le contó que había recibido varias veces las confesiones de templarios moribundos y nunca había comprendido el significado de esa negación. Pensaba que se trataba de una especie de prueba para asegurarse de que, si era apresado por los sarracenos, el hermano no renegaría de su fe.

Porque si existe una certeza es, por supuesto, ésta: los templarios capturados no apostataban. Sólo se conocen algunos casos de hermanos que renegaron de su fe. La regla entonces era extremadamente severa contra ellos. La negación, fuera pronunciada de palabra o bajo amenaza, era un crimen. Aun capturado por el enemigo, aun por salvar la vida, un templario nunca debía renegar de Jesús. Su honor y la regla le ordenaban preferir la muerte a la traición. El hermano que apostataba era, si volvía con los suyos, condenado a prisión, luego excluido de la orden. Fueron numerosos los hermanos que eligieron la decapitación o la deportación.

El hermano Pedro de Bolonia, cuando intentó defender la orden y probar que la renegación sólo era una invención de sus enemigos, hizo valer este argumento. ¿Por qué eran tantos los templarios que se negaban a apostatar ante el sultán cuando los apresaban? Después de todo habría sido bien fácil y poco doloroso para su conciencia, ya que lo habían hecho al entrar en la orden si se cree en la acusación.

El testimonio de un hermano moribundo

¿El testimonio de un moribundo puede ser considerado la pura verdad? El 13 de abril de 1309, los obispos de Limoges y de Bayeux se desplazaron a la cabecera de un templario moribundo, el hermano Juan de Saint-Benoît. Este hombre viejo no era víctima de las torturas del inquisidor, sino que murió después de estar cuarenta años en la orden.

Recordó que el día de su admisión, en La Rochelle, el hermano de Légion le hizo renegar de Jesucristo. ¿Lo llamó Jesucristo o el Crucificado? No se acordaba. Aceptó renegar, pero de palabra no de corazón. Agregó que habiendo recibido él mismo a numerosos hermanos nunca actuó de esa manera. No creía, por otra parte, que los otros hermanos hicieran renegar de Jesucristo a los nuevos miembros. Cuando le ordenaron escupir sobre la Cruz escupió hacia ella pero no sobre ella.

La renegación era una práctica inexplicable. Si las otras acusaciones parecían fantasiosas, la renegación y escupir sobre la Cruz eran creíbles, en especial porque no era fácil cuestionar la sinceridad de testimonios como el que acabamos de citar.

Pero es difícil de imaginar que estos monjes soldados hayan podido combatir por Cristo cuando renegaban de él el día de su admisión. La historia pasada mostraba que eran hombres duros y que combatían por la fe.

¿Cómo creer que gente que, de manera manifiesta, no estaba corrompida antes de su entrada haya podido aceptar esta especie de corrupción? ¿Es posible que los esbirros de Felipe el Hermoso conocieran este rito dudoso (después de todo los templarios se habían confesado a menudo con hermanos predicadores; el secreto, pues, debía de haberse filtrado) y que transformaran una práctica anodina y después de todo inocente, en crimen abominable?

¿Una broma del cuerpo de guardia o una práctica maligna introducida por un mal maestre?

Algunos testimonios hacen de la renegación una novatada, una broma que los antiguos le gastaban a los nuevos. Esto no concuerda con la mentalidad de los templarios. A menos que haya que verlo como una última libertad antes de pasar a las cosas serias: se cerraban las puertas, se amenazaba al nuevo hermano con una espada si era necesario y se le obligaba a renegar antes de darle un fuerte abrazo y decirle que se fuera a confesar.

El hermano Bernardo de Guast explicó cómo los sarracenos atacaron en el mismo momento en que el hermano Raynier, que lo recibía, sacaba su espada para obligarlo a renegar de Jesús. Se detuvieron en el acto, se echaron sobre los infieles y tuvieron veinte muertos. Al volver, el hermano Raynier explicó al nuevo miembro que la renegación era un simple juego. Esta explicación nos deja perplejos. Sin duda, la idea de una novatada podía germinar en el espíritu de simples caballeros pero, para manifestarse con un acto tan impío, hubiera sido necesario el consentimiento del gran maestre. Si se le quería gastar una broma a un nuevo hermano había sin duda otras posibilidades.

La multiplicidad de explicaciones dadas por los templarios muestra que en realidad este rito, al parecer antiguo, había perdido todo sentido. O más exactamente que el sentido exacto ya no se conocía. Daban una explicación para satisfacer la curiosidad legítima del recipendiario pero, en realidad, ignoraban su significación real. Era un acto obligado, una formalidad a la que los nuevos se sometían sin darle gran importancia. Muy a menudo, para superar las reticencias o la negación categórica del profeso se le decía: «Vamos, si te confesarás con el capellán.»

Godofredo de Gonneville hizo una extraña revelación al declarar ante el inquisidor. Hablando de la negación de Cristo, en vigor en la ceremonia de admisión, confesó: «Es una de las prácticas malas y perversas que el maestre Roncelin introdujo en el estatuto de la orden.»

El problema es que se ignora quién era el maestre Roncelin. El único con ese nombre que se conoció en la orden es un tal Roncelin du Fos, caballero, recibido en 1281. Pero es poco creíble que un simple y oscuro caballero, que entró sólo veintiséis años antes de la caída de la orden y posteriormente a la admisión de la mayoría de los dignatarios, fuera el origen de estas infamias.

Por supuesto se han perdido las huellas de este maestre Roncelin. Y es algo posible ya que faltan los nombres de algunos de los primeros grandes maestres y tampoco existe la lista completa de los maestres de menor importancia.

También se hizo mención, en el curso del proceso, a un mal maestre que había aceptado que los nuevos hermanos prestaran ese juramento a cambio de que el sultán lo liberara. Pero, en ese caso ¿por qué el Papa no relevó al maestre de ese compromiso tomado bajo presión? La pregunta sigue sin respuesta.

¿La negación había caído en desuso después de la pérdida de San Juan de Acre?

Esta práctica de la negación ¿era una antigua práctica que había desaparecido desde la pérdida de Tierra Santa?

El hermano Juan de Châteauvillars —que no fue interrogado por Guillermo Imbert— no confesó la negación. Este hermano era el más joven de todos los que estaban prisioneros en París y es posible preguntarse si esta práctica no se había abandonado desde hacía algún tiempo. Si tenía por objeto probar la capacidad de obediencia de los hermanos ya no tenía sentido desde que se había perdido Tierra Santa y en Oriente había terminado la lucha contra los sarracenos. Además, este hermano, que sólo hacía cuatro años que estaba en el Temple, podía ser un ejemplo de las nuevas costumbres más ortodoxas de la orden.

A decir verdad, los hermanos caídos en San Juan de Acre en 1291 hubieran podido aclararlo: ¿todos esos valientes, muertos a centenares frente a cientos de miles, habían renegado? Si, como suponemos, los que no aceptaban renegar eran enviados a Tierra Santa, es posible que pocos de ellos hayan aceptado ese sacrilegio en el que consintieron la mayoría de los que permanecieron en Occidente.

¿Todos los templarios estaban obligados a renegar cuando eran recibidos, o sólo aquellos a los que se proponían enviar a Palestina? Disponemos únicamente de las declaraciones de los que confesaron. ¿Cuántos se negaron a confesar? Y, sobre todo ¿Cuántos se negaron a renegar?

Este punto sigue siendo oscuro. Ninguna declaración menciona el caso de un templario que haya sido obligado a renegar pero que se hubiera negado y mantenido su rechazo cualesquiera fueran las amenazas. El inquisidor quería declaraciones contra la orden ya que el objetivo era lograr su condena. Las instrucciones reales eran claras: recoger las declaraciones de los monjes que confesaran los crímenes que se les imputaban. Si algunos hicieron declaraciones que no concordaban con las acusaciones el inquisidor no levantó el acta.

Estas confesiones no tenían interés para la acusación. Sin duda habrían demostrado que la orden estaba corrompida, ya que exigía un acto sacrílego de sus nuevos miembros. Pero demostrar con esas declaraciones que una parte de los miembros había resistido con éxito la corrupción hubiera podido servir a la orden y al Papa contra el rey: y ése no era el objetivo de Guillermo Imbert.

¿Los templarios poseían secretos concernientes a Jesús?

Se ha dado una explicación muy interesante de esta negación: habría sido tal vez una manera de negar la naturaleza humana de Jesucristo. Pero renegar del Crucificado, es decir, del hombre que había muerto en la cruz, constituía la premisa de una herejía, ya que el dogma romano hace de Jesús a la vez hombre e hijo de Dios. Negar su condición de hombre y reconocer sólo su naturaleza divina era una posición que olía a azufre.

¿Los templarios habían hecho en Tierra Santa descubrimientos que les habían llevado a revisar su fe? ¿Habían realizado investigaciones arqueológicas en los alrededores del Templo de Salomón que ocupaban?

Algunos autores han afirmado que buscaban el arca de la alianza, en la que los judíos conservaban las Tablas de la Ley. ¿La encontraron? Ningún texto antiguo o reciente permite confirmar esta hipótesis.

Es verdad que los templarios estaban en contacto con los musulmanes, que recibían un tributo del Viejo de la montaña y de sus Asesinos. La historia nos muestra que más de una vez debieron pactar treguas con el enemigo: ¿hay que ver en esto una traición o una adhesión a la fe musulmana? No tiene sentido.

Las modernas investigaciones sobre Jesús —que revelan las contradicciones que aparecen en los Evangelios, las que se basan en los apócrifos, las que ven en Jesús un hombre político heredero del trono de Israel intentando reconquistar su reino— son las que han llevado *a posteriori* a pensar que los templarios pudieron poner en duda su divinidad y lo hubieran apartado, al menos simbólicamente, de su orden. Lejos de renunciar a su fe simplemente habrían negado al que veían como un impostor, el Hijo, para consagrarse mejor al verdadero Dios, el Padre.

¿Los sacerdotes de la orden omitían las palabras de la consagración?

La acusación de no consagrar el cuerpo de Cristo durante la misa es el corolario lógico de la negación. Si Jesús no era Dios, la consagración no tenía sentido; no hay pues razones para que tenga lugar y, además, consagrar la hostia sería una manera de reconocer que Jesús es Dios.

En uno u otro sentido, si los templarios renegaban de Jesús, los sacerdotes de la orden debían omitir las palabras de la consagración cuando daban misa. Pero sobre este punto los inquisidores no consiguieron confesión alguna: todos los sacerdotes afirmaron que decían las palabras y todos los hermanos, desde el gran maestre hasta el más humilde servidor, reconocieron que oían misa de acuerdo con la ortodoxia.

Los acusadores de la orden, al reprochar a los sacerdotes no decir la fórmula de consagración en la misa, querían hacer un paralelismo con el catarismo. Se sabía que los cátaros, cuya herejía todavía estaba viva en la memoria popular, rechazaban los sacramentos.

La acusación también era grave en otro sentido: una misa que no termina con la consagración del cuerpo de Cristo no tiene sentido, por lo tanto todas las misas que se hubiesen dicho y por las cuales habían recibido ofrendas eran nulas y no se ha producido. Los difuntos enterrados en el recinto de la encomienda del Temple, después de recibir los últimos sacramentos de un sacerdote perteneciente a la orden y una misa funeraria dicha irregularmente, estarín tan poco en paz con Dios como los que habían muerto excomulgados.

El objetivo del rey era fácilmente perceptible: se trataba de suscitar la furia de todos los que un día habían comulgado con los templarios, o tenían un pariente, un hermano o una hermana, un amigo enterrado con ellos. ¡Y eran tantos!

No creemos que los sacerdotes de la orden omitieran las palabras de la consagración: nada en el legajo permite afirmarlo. Las negaciones de los sacerdotes fueron muy firmes y el inquisidor, que veía lo absurdo de la acusación, no insistió para lograr confesiones forzadas.

Guillermo Imbert tenía algo mejor que reprochar a los templarios, algo más sensacional, más gráfico y menos sutil que la ausencia de consagración. Algo que de inmediato, en la mente del pueblo, uniría a los templarios con los infieles: la idolatría.

El inhallable Bafomet

Las descripciones del famoso «ídolo» de los templarios por lo menos coinciden unas con otras. La orden de arresto del rey de Francia no era explícita: los templarios llevaban cordones que habían «sido colocados alrededor del cuello de un ídolo que tenía la forma de una cabeza de hombre con una gran barba, y esta cabeza, la besaban y adoraban en sus capítulos provinciales». Se esperaba saber más después de los interrogatorios.

En realidad, todo se hizo más confuso. Hugo de Pairaud, visitador de Francia, declaró que «había visto, tenido y palpado en Montpellier, en un capítulo, y que él mismo y otros hermanos presentes la habían adorado. Luego explicó que tenía cuatro pies, dos delante, dos a los costados de la cara y dos detrás».

«El ídolo habló y prometió a los hermanos una buena cosecha»

Bernardo de Salgues, interrogado por Alais en el Languedoc, contó que en el curso de un capítulo al que asistía en Montpellier, en plena noche, había una cabeza: habló y prometió a los hermanos una buena cosecha; contestó también a las preguntas que le hizo el maestre que presidía ese capítulo. Todos los hermanos adoraron la cabeza y él hizo lo mismo que los otros.

En el curso de ese mismo capítulo, el diablo apareció en forma de gato. Luego aparecieron demonios con formas de mujer y cada uno pudo entregarse al desenfreno con ellas. Él se abstuvo.

Interrogado sobre lo mismo, Bernardo de Silva confirmó la aparición del diablo en forma de gato y de demonios que tomaban forma de mujer. Según él, el gato era el que contestaba a las preguntas de los asistentes. Otros testigos interrogados precisaron que la cabeza era una cabeza humana; para algunos, una cabeza de hombre, para otros, una cabeza de mujer.

Taillafer de Gêne, hermano sirviente, vio una cabeza el día de su admisión, según dijo a los comisarios pontificios en la gran investigación de 1309-1311: colocada en un altar, tenía aspecto humano y su grosor era de una cabeza de hombre. Era de color rojo o parecido.

Los comisarios, preocupados por saber si los templarios habían abrazado la herejía de los maniqueos, que disponían de ídolos pintados de varios colores, preguntaron si la cabeza estaba pintada: el testigo no lo había notado. Por otra parte, la cabeza estaba colocada demasiado lejos como para que la viera con claridad y no pudo describir en qué material estaba tallada.

Sus cabellos eran ensortijados como los de los negros

La descripción de la cabeza mágica varía mucho de un testimonio a otro. Se ignora si es de oro, plata, madera o madera dorada. Tal vez se trataba de una verdadera cabeza humana: ya sea un cráneo o una cabeza todavía recubierta de carne humana. Tenía una larga barba pero de color impreciso. ¿Blanca? ¿Negra? ¿Canosa? Sus cabellos eran ensortijados como los de los negros y los moros, y también muy negros. Sus ojos eran extremadamente brillantes y terroríficos.

Radulphe de Gysi, receptor de Champaña, afirmó que vio el ídolo durante siete capítulos presididos por Hugo de Pairaud y otros hermanos. Cuando aparecía, todos se retiraban el capuchón, se prosternaban en el suelo y lo adoraban. El aspecto de esta cabeza era terrible: se parecía a un *Maufé*, o sea, a un demonio.

—¿Por qué los hermanos adoraban esa cabeza? —preguntó el inquisidor.

—Si se renegaba de Jesús se podía adorar esa cabeza —respondió el templario.

La idolatría imputada a los templarios es difícil de admitir. Las confesiones concernientes a la adoración de la cabeza o del gato se hicieron ante el inquisidor al que le gustaban las preguntas sobre este tema, o ante la comisión de investigación pontificia *después* que el arzobispo de Sens, en 1310, hubiera enviado a la hoguera a quienes se retractaron de sus confesiones.

Cuando Raynier de L'Archent —que en 1307 había declarado ante el inquisidor que el ídolo «era una cabeza con barba a la adoraban, cubrían de besos y llamaban el Salvador»— compareció ante la comisión el 3 de febrero de 1310, afirmó categóricamente que los templarios no tenían ídolos. Estuvo entre los que terminaron en la hoguera unos meses más tarde.

Bernardo de Salgues y Beltrán de Silva —que en 1311 dijeron haber visto una cabeza o un gato que hablaba, así como demonios hembra con los que los hermanos se entregaban al desenfreno— recibieron la tortura «moderada» tres semanas antes del interrogatorio, y luego los dejaron prisioneros pero sin grilletes: es comprensible que después de haber probado la tortura y luego una cierta «libertad», no quisieran correr el menor riesgo y confesaran todo lo que se esperaba de ellos.

Guillermo d'Herblaye, que en principio declaró que la cabeza era de una de las once mil vírgenes, cambió su testimonio ante la comisión el 5 de febrero de 1311: pensaba que era la cabeza de un ídolo. Este hermano acababa de ser condenado a prisión perpetua por el concilio de Sens, pero su pena podía disminuirse si el concilio lo consideraba oportuno. ¡De qué horrible pero temible medio de presión fue objeto este templario!

¿Traidores que pactaban con los musulmanes?

La acusación real no era inocente. No fue porque les gustara lo grotesco que Felipe el Hermoso, Nogaret y el inquisidor general acusaron a los templarios de adorar un ídolo. La idolatría era una práctica asimilada de inmediato con una herejía, aún por los que no tenían gran saber en teología.

Si los monjes soldados estaban corrompidos y se habían convertido en los adoradores de un ídolo pagano o diabólico, entonces era más comprensible la pérdida de Tierra Santa: sobre ellos se abatía la cólera de Dios, al igual que sobre los creyentes que los colmaban de favores desde hacía siglos. Por lo tanto, había que poner fin rápidamente a este escándalo, antes de ser alcanzados por los rayos divinos.

En el espíritu del rey germinó la idea de hacer de los templarios traidores que pactaban con los musulmanes.

Recuérdese con qué séquito fastuoso había desembarcado en Francia Jacobo de Molay unos meses antes y qué impresión detestable había causado, ataviado más como jefe de guerra turco que como pobre caballero de Cristo. La asimilación que quería conseguir, en Francia y en otras partes, era la siguiente: si los templarios adoran un ídolo es porque han renunciado a la fe cristiana y abrazado la de los musulmanes.

Esta deducción era ridícula. Los musulmanes no representan a Dios, ni a su profeta de forma alguna. Tienen una concepción de la idolatría por la cual, para ellos, los cristianos —con sus estatuas en las iglesias, sus santos, la cruz, sus reliquias— son los idólatras. Basta con entrar en una mezquita para comprenderlo.

O sea, querer deducir un pacto de los templarios con el islam basándose en la adoración de una cabeza o de un gato negro, o de cualquier objeto, es falso. Sin embargo, en el Occidente medieval, así se percibía a los musulmanes, y para cualquier creyente súbdito de Felipe el Hermoso, eran idólatras. Por un silogismo perverso, si los templarios eran idólatras, esto demostraba que pactaban con los infieles.

El verdadero significado de la palabra «Bafomet»

Tampoco los templarios estaban a salvo de tales errores: un caballero occitano, al que interrogaron sobre este ídolo, confesó haber visto y adorado a «Bafomet».

El nombre pasó a la posteridad, y la cabeza mágica que se decía que adoraban los templarios, corrientemente se llama Bafomet. La etimología de esta palabra ha hecho correr litros de tinta. Es verdad que no pertenece a ninguna lengua conocida y que su significado ha sido objeto de explicaciones tan numerosas como poco convincentes. En realidad, «Bafomet» (Baphomet, en francés) es una simple deformación occitana de «Mahomet» (Mahoma).

Y así resulta confirmado por un miembro de la orden la idea de que en Occidente los cristianos pensaban que los musulmanes eran idólatras.

Que los monjes soldados se entregaran al diablo o adoraran un ídolo o un gato nos parece absurdo. Pero, una vez sugerida por las acusaciones y las confesiones arrancadas por la tortura, la idea suscitó testimonios: se afirmó que los monjes soldados se habían vendido al demonio desde el comienzo de su existencia.

En 1310, escuchado por la comisión pontificia encargada de la instrucción contra la orden, un teólogo, Pedro de Palude, de la orden de los predicadores, declaró bajo juramento que había escuchado decir que Hugo de Payns y Godofredo de Saint-Omer —los dos primeros caballeros del Temple— se habían entregado al diablo.

La tradición cuenta que, en signo de fraternidad y pobreza, los primeros templarios montaban dos en el mismo caballo. El sello que representa esta situación es, además, el más conocido de todos los sellos templarios.

Según Pedro de Palude, en el curso de un combate, uno de los caballeros se había encomendado a Jesucristo y lo hirieron, mientras que el que se había encomendado al diablo salió ileso. Desde entonces los dos hombres se habían entregado al demonio. Para el teólogo, el caballero que decía haberse encomendado al demonio no era un hombre, sino el diablo en persona. Se ignora si se trataba de Hugo de Payns o de Godofredo de Saint-Omer.

Los agentes de Felipe el Hermoso encontraron la «cabeza barbuda»

La comisión pontificia, más serena que el inquisidor general, se puso a buscar el ídolo. Si los hermanos adoraban uno en cada capítulo provincial, debían existir varios ejemplares. Y los hicieron buscar. Los agentes del rey pusieron mucho empeño en encontrar al menos un ejemplar de esta famosa cabeza barbuda.

No debía ser demasiado difícil, después de todo, porque la habían visto tanto en París como en Chipre y, según las declaraciones, era adorada en cada capítulo. Sus investigaciones fueron infructuosas. Pero hicieron un hallazgo interesante. El 11 de mayo de 1311, los administradores y guardianes de los bienes del Temple, Guillermo de Gisors, Guillermo Pidoye y Ragnier Bourdon, comparecieron ante los comisarios con el fin de presentar «todas las cabezas de metal o madera encontradas en los edificios del Temple».

[Aportaron] una cabeza grande, hermosa, de plata dorada; era el rostro de una mujer, que encerraba los huesos de una cabeza envueltos en un lienzo blanco fino; un sudario (traje de tela fina o gasa de Siria), de color rojizo, colocado encima, la recubría. Se leía esta palabra y este nombre en una etiqueta: *Capud LVIII*. Esos huesos parecían los de una pequeña cabeza de mujer y se decía que era la cabeza de una de las once mil vírgenes.

El ídolo en cuestión resultó, pues, ser una santa reliquia como las que poseen todas las órdenes religiosas y todas las iglesias. Un tiempo antes, el 15 de marzo de 1311, un notario apostólico e imperial, Antoine Sycus de Vercellis, hizo la siguiente declaración ante la comisión investigadora:

Hace cuarenta años estaba al servicio de los templarios, en ultramar, en calidad de notario y clérigo. En la ciudad de Sidón escuché decir a menudo que en otra época, un señor de esta ciudad había amado apasionadamente a una dama noble de Armenia; que jamás la había poseído en vida; pero que después de su muerte, la conoció en su tumba, la noche siguiente a su entierro. Escuchó entonces una voz que le dijo: *Volverás para el momento del parto y encontrarás una cabeza que tú has procreado.*

Este caballero volvió en el plazo fijado, y encontró una cabeza humana entre las piernas de la muerta. Volvió a escuchar la voz que le dijo: *Guarda bien esta cabeza, de ella vendrán todas tus riquezas en el futuro.* En esa época, el preceptor de Sidón era el hermano Matthieu le Sarmage, nacido en Picardía. Se había convertido en el hermano del sultán de Babilonia, porque cada uno había bebido la sangre del otro.

Para este hombre culto no había duda de que los templarios habían hecho un pacto con el demonio y se habían convertido al islam. Se encuentran las diferentes creencias de la época en cuanto a los poderes de la brujería: el que adoraba al demonio recibía a cambio poderío y riqueza; los musulmanes eran, entonces, para todos, criaturas del diablo; el pacto con el sultán era una forma suplementaria de brujería.

¿El cordón, un rito cátaro?

Se recordará que se reprochaba a los templarios el hecho de llevar un cordón en la cintura. Algunos cátaros también llevaban cordones: significaban que habían recibido el consolamentum. En la mente de los acusadores del Temple, era un argumento suplementario para reprochar a los templarios haber caído en la herejía, aunque esas acusaciones carecían de coherencia.

Los maniqueos adoraban un ídolo, los cátaros llevaban un cordón: en una palabra, se reprochaba a los templarios ser a la vez maniqueos y cátaros. Era demasiado. El origen de este cordón era muy inocente: era el que los monjes llevan generalmente en signo de castidad. Los jóvenes comulgantes, generalmente de unos doce años de edad, llevan el mismo: es un signo de virginidad y pureza.

Se emplearon todos los argumentos para intentar presentar a los monjes soldados como herejes. La negación, escupir sobre la cruz, adorar un ídolo, llevar un cordón sospechoso, fueron los signos más visibles. También se reprochó a los hermanos que sólo se confesaran unos con otros. De este uso se dedujo que tenían espantosos secretos que ocultar.

Por qué los templarios tenían que confesarse con un sacerdote de la orden

Se utilizó este artículo de la regla contra los templarios y la orden para justificar la existencia de un terrible secreto que no habría dejado de impresionar a cualquier sacerdote no iniciado. En apariencia el razonamiento era lógico: ¿por qué temían confesarse con un sacerdote común si nada grave tenían que ocultar?

Además, el secreto de la confesión es una ley que se aplica a todos los sacerdotes, por lo tanto nada había que temer.

Pongamos las cosas en su lugar: en primer lugar, los templarios se confesaban con un sacerdote no perteneciente a la orden cuando era el único disponible. Los hermanos preferentemente debían confesarse con un capellán de la orden; pero en caso de impedimento, cualquiera fuera la causa (enfermedad, lejanía), otros sacerdotes regulares o seculares podrían recibir su confesión.

En segundo lugar, recordemos que el Temple se creó en un clima teológico hostil a esta forma híbrida de monaquismo mitad monje mitad guerrero. Se necesitó, pues, toda la influencia y la retórica de un san Bernardo para justificar esta «monstruosidad».

Además, el clero en general era hostil al Temple: el clero secular porque le quitaba diezmos, el regular porque era un competidor poderoso al que se le daba mucho, por no decir demasiado. Permitir que cualquier sacerdote confesara, era acoger a los sacerdotes ajenos a la orden en su seno, hacerles conocer mejor los engranajes.

En el siglo XII la confesión no era la de la época actual. El hombre moderno confiesa lo que quiere a su confesor, cuando se confiesa. El hombre de la Edad Media trataba a menudo con un sacerdote que, sin ser todavía un director espiritual, lo cuestionaba y entraba en la intimidad de su vida.

En un clima hostil, no era deseable que cualquier sacerdote pudiera entrar en la intimidad de la orden. Por otra parte, si bien la confesión es secreta, un sacerdote regular puede ser liberado de ese secreto por su obispo, o un monje por su abate. Permitir que cualquier sacerdote confesara era dar armas contra el Temple a sus numerosos adversarios. Ésta era la verdadera razón de la obligación de confesarse con un sacerdote de la orden.

Y por último: las otras órdenes monásticas tampoco permitían la confesión con sacerdotes de otras órdenes. Guillermo Imbert, dominico, se confesaba con otro dominico.

¿El gran maestre daba la absolución sacramental?

Último argumento para intentar desacreditar a la orden: se reprochaba al gran maestre que diera la absolución sacramental. Era una grave falta porque al no ser sacerdote no tenía derecho.

El 12 de enero de 1311, el hermano Gerardo de Caux, caballero, compareció ante la comisión. Interrogado al respecto, declaró que el gran maestre nunca dio la absolución de los pecados, pero podía conceder gracia por penas disciplinarias o bien moderarlas. El hermano confirmó que nadie se confesaba en los capítulos, que sólo los hermanos capellanes recibían las confesiones y daban la absolución. Al final de la asamblea, el maestre otorgaba una indulgencia al capítulo.

Un comisario le preguntó si pensaba que los hermanos que asistían al capítulo creían recibir la absolución de sus pecados aunque no se hubieran confesado, de Caux contestó que «algunos hermanos simples e idiotas tal vez lo creían».

De manera manifiesta, los monjes soldados comprendían bien que la indulgencia del maestre no era la absolución. Una semana más tarde, el 20 de enero de 1311, el cura del Temple de París, el hermano Raynaud de Tremblay, confirmó que los hermanos que se habían beneficiado con la indulgencia de su maestre al final del capítulo no pensaban haber sido absueltos de sus pecados. Dio una prueba de ello: después de la asamblea, él recibía sus confesiones.

Las costumbres equívocas de los hermanos

Para que los templarios sucumbieran de manera segura y perdieran toda la simpatía de la gente, la falta contra la fe caracterizada por la negación de Jesús y la idolatría no bastaban. Estos crímenes, por odiosos que fueran, eran demasiado «elaborados» para suscitar el odio de un pueblo inculto que no necesariamente comprendía las sutilezas del derecho canónico.

La negación podía justificarse por la imitación de san Pedro, y la existencia de ese ídolo llamado «Bafomet» era poco creíble. Había que mostrar al pueblo un vicio suplementario que le resultara inequívocamente execrable: sería la sodomía. Nogaret tenía la costumbre de reprochar este crimen a los enemigos de su señor; hasta se lo habían reprochado a Bernardo Saisset y Bonifacio VIII.

Según la acusación, se le explicaba al nuevo templario, en su ceremonia de admisión, que si un hermano de la orden quería acostarse con él carnalmente, tenía que aceptarlo, porque era su deber y tenía que sufrirlo, según el estatuto de la orden.

Por lo tanto la acusación era triple: primero, se acusaba a los templarios de practicar la sodomía, que era un pecado respecto a la fe así como un crimen susceptible de provocar sanciones penales (eventualmente la pena de muerte); segundo, se reprochaba a la orden que favoreciera estos actos contra natura; tercero, se hacía mención al estatuto de la orden que autorizaba y alentaba estas prácticas, mientras que se sabía bien que la regla establecida por el concilio de Troyes, adaptada a través de los años, era perfectamente ortodoxa.

Este último punto llevaba a suponer que los templarios tenían otra regla, secreta, que contenía las normas que trataban esas costumbres reprensibles.

Las confesiones referentes a las prácticas homosexuales son concomitantes con las relativas a la negación de Cristo. Desde los primeros interrogatorios del inquisidor general, los dignatarios reconocieron haber recibido esas culpables autorizaciones. Geoffroy de Charnay, preceptor de Normandía, declaró el 21 de octubre de 1307 a Guillermo Imbert, que el día de su admisión «escuchó al hermano Gerardo de Sauzet, preceptor de Auvernia, decir a los hermanos presentes en el capítulo que consideraba que valía más unirse a hermanos de la orden que desahogarse con las mujeres».[14]

Varios testimonios implican a Jacobo de Molay

El inquisidor evidentemente buscó saber si también el gran maestre había adoptado ese comportamiento indigno. El 21 de octubre de 1307, Guillermo de Giaco declaró que en efecto había tenido varias veces relaciones sexuales con Jacobo de Molay. «La orden —dijo— permitía estos comportamientos inmundos.»

Sin embargo, cuando en 1310 lo escuchó la comisión pontificia, no repitió sus primeras confesiones y precisó que nunca había visto a los hermanos entregarse a ese tipo de infamias.

Fueron pocos hermanos los que admitieron haber tenido relaciones contra natura: los testimonios que recordaban la autorización fueron numerosos, pero los que reconocían haberlas practicado fueron pocos.

Otro testimonio implicó al gran maestre, esta vez indirectamente. Un tal hermano Martin habría sido visto por el hermano Pedro de Safet cuando salía una noche del cuarto del maestre, y lo habría obligado a tener relaciones con él. El gran maestre le habría dicho que ese tipo de relaciones estaba autorizado. Cuando se confrontó con Molay en presencia de los comisarios pontificios, se contentó con decir que no quería defender a la orden.

Otro testimonio que implicaba al gran maestre: Hugo de Narsac, hermano sirviente, contó que los hermanos de ultramar decían que Jacobo de Molay

14. Georges Lizerand, *Le Dossier de l'affaire des Templiers*, París, 1923, pág. 33.

tenía relaciones contra natura con uno de sus criados, un tal Jorge. Pero nunca encontraron a ese criado, ni tampoco al autor o autores de este rumor.

Estos son los testimonios por habladurías que nunca debieron ser tomados en cuenta ni escuchados. Sin ser numerosos, pero relatando hechos cuya realidad el testigo no pudo comprobar por él mismo, hicieron mucho daño a los templarios porque emanaban a menudo de personas a las que se consideraba dignas de fe.

Otro ejemplo es la declaración de Guichard de Marchant. Este caballero no era del Temple, sino que lo había sido su tío Hugo de Marchant y «desde el día de su admisión, nunca volvió a ser el mismo», explicó su sobrino. Se había vuelto extremadamente triste y nunca volvió a sonreír en su vida, cuando antes era de temperamento alegre y feliz. Además había hecho grabar en su sello las siguientes palabras: Sigillum Hugonis Perditi, sello de Hugo el Perdido. El testigo no sabía por qué había hecho eso pero —después de haber escuchado todas las ignominias que se reprochaban al Temple—, pensaba que su tío quería decir que había perdido su alma al entrar en la orden.

Éste es un caso típico de testimonio gravemente influenciado por la acusación y cuyo valor es dudoso, a pesar de la manifiesta buena fe de su autor.

Tres templarios convictos de sodomía son condenados a prisión perpetua

El testimonio de Gerardo de Caux, el 12 de enero de 1310, nos muestra un poco más sobre las costumbres de los monjes soldados. Según él, los templarios estaban autorizados a practicar actos contra natura, pero nadie se entregaba a esos horrores. Por otra parte, los que cometían el error de hacerlo eran muy severamente castigados.

Contó que, con el gran maestre Thomas Béraut, tres hermanos convictos de haber sucumbido a esta maligna tentación fueron condenados a prisión perpetua. Esta actitud es totalmente extraña: ¿por qué reprimir prácticas previamente autorizadas? Este hermano repetía un testimonio que le habían sugerido o había incoherencias manifiestas en la organización de la orden.

Esta autorización general y previa para costumbres contra natura podría interpretarse mejor como una «novatada» que debía sufrir el nuevo templario y de la que nada diría. De ahí las sanciones aplicadas en caso de no hacerlo.

Los comisarios le preguntaron por qué no dejó el Temple. «Se había hecho imposible» —explicó. ¿De qué hubiera vivido cuando todos sus bienes se habían convertido en propiedad de su hermano mayor? ¿Y quién le hubiera creído de haber dicho lo que pasaba en el interior de la orden? El Temple era poderoso y él tenía miedo.

Se encuentra un testimonio del mismo tipo hecho por el preceptor de Aquitania. La orden le desagradaba tanto, dijo, que la habría dejado si se hubiera animado. El poder de los templarios daba miedo, dijo. Y, además, allí tenía todo lo necesario, dinero y el uso de los bienes comunes: los templarios eran pobres pero la orden era rica.

El pecado de sodomía era tan odioso para los hermanos que la mayoría de ellos quisieron librarse de esa sospecha. Algunos templarios, que mantuvieron sus confesiones por temor a las sevicias o que se negaron a defender a la orden, se retractaron de la confesión según la cual se habrían entregado a esos desenfrenos infames.

El hermano Juan de Tourteville, el 27 de noviembre de 1309, ante la comisión, renunció a defenderse por ser prisionero y persistió en sus declaraciones hechas ante el obispo de París, con excepción de las concernientes al pecado contra las costumbres. El temor a nuevas torturas lo había llevado a confesar todo lo que esperaban de él.

Puede verse que ese pecado contra natura era radicalmente rechazado por la inmensa mayoría de los templarios. Un hermano menor, Étienne de Nereaco, relató a la comisión el 27 de enero de 1310 que escuchó a los templarios decir que hubieran obedecido a sus superiores de haberlos conminado a tener relaciones con mujeres, pero que jamás se hubieran entregado a relaciones contra natura con hombres, aun por orden de dichos superiores.

¿Y si se trataba de compartir su cama con toda inocencia?

El 7 de mayo de 1310, el hermano Balduino de Saint-Just dio un testimonio muy interesante. En la admisión le dijeron que si otro templario pedía compartir su cama, debía aceptar. El testigo explicó «que no había pensado que podía ser pecado compartir su cama con un hermano que no la tenía».

¿Este hermano era más sutil que los otros y logró disimular con términos anodinos una autorización grave? O, por el contrario ¿los inquisidores con total falta de honestidad transformaron un uso anodino en un crimen monstruoso? Porque, después de todo ¿los inquisidores no trataron de ver en una autorización natural —compartir la cama— una práctica innoble?

El inquisidor, en los interrogatorios de 1307, buscaba la perdición de la orden más que la de los hermanos. El rey quería la desaparición de esta organización militar que, un día, podía amenazar su poder o el de sus sucesores y comprometer la independencia de Francia.

Los hombres no le interesaban. O, más exactamente, la condena de los templarios sólo tenía sentido si permitía mostrar la corrupción de la orden y proporcionaba un motivo para destruirla. Sin duda por esto Guillermo Imbert se dedicó a obtener numerosas confesiones concernientes a la autorización de entregarse a la homosexualidad, y raramente insistió sobre los comportamientos individuales.

Cuando trató de establecer que Jacobo de Molay había mantenido relaciones culpables con ciertos hermanos fue sólo porque, al tratarse del gran maestre, su eventual corrupción salpicaba de inmediato a toda la orden.

Las confesiones ante el inquisidor y los testimonios ante la comisión pontificia, concernientes a tales prácticas en el seno de la orden del Temple, no resultan convincentes. La fuerza con la que los hermanos que confesaron haberse entregado a esos desvíos se retractaron luego —aunque, por temor a la hoguera, mantuvieran los otros elementos de sus declaraciones— debe convencer al lector de que los templarios nunca se entregaron a la lujuria.

La sodomía era particularmente reprobada en la Edad Media: constituía un pecado mortal y un crimen pasible de muerte. Es posible que a veces se cometiera entre personas especialmente predispuestas naturalmente o que no soportaban la abstinencia; pero ya hemos visto con qué severidad se castigaban tales desbordamientos.

¿Una tolerancia justificada por los rigores de la vida militar?

Pero al parecer se otorgó la autorización a entregarse a relaciones culpables con otros hermanos: ¿cómo explicarlo?

Ya hemos visto que podía tratarse de una «novatada» que se hacía a un nuevo hermano. A quien ordenaban renegar de Jesús, recibía la autorización de «calmar sus ardores con otro hermano...».

No olvidemos que estos monjes eran soldados, reclutados por su valor militar más que por sus cualidades intelectuales. Se les pedía que fueran combatientes, no intelectuales refinados. Monjes o no, tenían el mismo talante que todos los soldados del mundo, y no rechazaban las bromas, sobre todo las de gusto dudoso. Los templarios, rudos cuando había que destriparse con el infiel, también eran vividores.

Además, estas bromas nada excepcional tenían en una Edad Media que practicaba poco la ascesis, esculpía demonios en las fachadas de sus catedrales y bailaba en las iglesias en ocasión de las fiestas populares. Estos comportamientos no chocaban al pueblo ni a los grandes; sólo uno se sintió sorprendido: Felipe el Hermoso que, desde la muerte de la reina en 1305, observaba una abstinencia rigurosa.

Esta autorización escandalosa podía corresponderse con una simple tolerancia perdonada por adelantado, teniendo en cuenta las circunstancias especiales. Un testimonio menciona «el calor del clima, el peligro del escándalo», como un motivo posible para esta autorización. «Bajo un cielo ardiente ¿cómo remediar los ardores de los temperamentos?», se pregunta Grouvelle.[15]

Admitamos, en efecto, «que los habitantes de los climas templados aprecian mal la influencia de los países cálidos».[16] ¿Puede suponerse que dar esta autorización haya sido la mejor manera, a los ojos de los dirigentes del Temple, de calmar los sentidos acalorados de los hermanos en Oriente? Al tolerar estas prácticas en el seno de la orden, se evitaba cualquier escándalo afuera.

Esta idea, aunque no agrade al lector, merece, sin embargo, nuestra atención. Echemos una rápida ojeada a las disposiciones contenidas en los estatutos de otras órdenes monásticas pero contemplativas.

La regla de los capuchinos les prescribía el uso de una especie de bragas, llamadas *mutandes*, que mantenían inmóviles algunos órganos y los preservaba de cual-

---

15. Philippe Grouvelle, *Mémoires historiques sur les Templiers*, edición Jean de Bonnot, París, 1994, pág. 190.
16. Ibid.

quier frotamiento irritante. Otra regla, la de los monjes de Siria, prohibía criar en los monasterios un animal hembra. Estos hechos son más expresivos que todos los discursos.[17]

Entre los templarios, la continencia no podía ser controlada por medios tan triviales: jóvenes, vigorosos, diestros en los ejercicios físicos, con una vida agitada y aventurera, para ellos el llamado de los sentidos debía manifestarse con más frecuencia que entre los benedictinos. Pero el comercio con las mujeres, opina Grouvelle, podía comprometer el honor de la orden, su reputación y su integridad: podían temerse aventuras escandalosas, indiscreciones, defecciones, traiciones y hasta apostasías.[18]

En lugar de esto, la tolerancia de un pecado, aunque fuera mortal en el otro mundo, podía salvar muchas vidas en éste. La misión del Temple tal vez tenía ese precio: los jefes de la orden, siempre más políticos que religiosos, pudieron aceptar esta idea hasta el punto de prevenir a los nuevos hermanos, cuando entraban, que el comercio con otros hermanos era preferible al de las mujeres.

En cuanto a los castigos infligidos a los monjes que aplicaban esta autorización, sin duda era posible según las circunstancias: se admitía un desahogo pasajero cometido con discreción, pero no era cuestión de tolerar prácticas repetidas que, a la larga, podían escandalizar. Evidentemente, la tolerancia de estos actos o su castigo estaban en función del maestre, cuya opinión sobre este punto podía variar de una encomienda a otra.

Sin querer entrar en detalles sórdidos o escabrosos señalemos que, en el ejemplo que hemos mencionado, los hermanos que se habían entregado a la sodomía y habían sido castigados eran tres. La tolerancia tenía sus límites y era de justicia.

Los besos obscenos: ¿práctica diabólica o rito iniciático?

La acusación no se limitaba a acusar a la orden de incitar a los templarios a entregarse a la homosexualidad. Describía también una práctica extraña que consistía en dar besos obscenos, al nuevo hermano despojado de su

17. Ibid.
18. Philippe Grouvelle, ob. cit., pág. 191.

ropa, en el extremo de la columna vertebral, debajo de la cintura, luego en el ombligo y después en la boca. Para el rey y el inquisidor, esos besos escabrosos estaban relacionados con la incitación al desenfreno entre hombres, que la orden parecía preconizar. Pero no está excluido que esos besos tengan totalmente otro significado.

Las confesiones al respecto son numerosas: Hugo de Pairaud, Raynier de L'Archent, Pedro de Tourteville, Pedro de Bolonia y muchos otros describieron ese ceremonial extravagante que consistía en dar los tres besos.

El beso en la boca o «beso de la paz» estaba de acuerdo con la regla, los otros dos no. ¿Hay que ver en esto una práctica repugnante de carácter escatológico, una broma cuya finura sólo podían apreciar los soldados, o bien un rito iniciático?

Para la acusación, la causa estaba clara: era un elemento suplementario que atestiguaba que los templarios eran sodomitas, y también una prueba de que los monjes soldados habían renegado de Dios para entregarse al diablo. Las misas negras incluían, en efecto, un rito análogo en el curso del cual se besaba a un macho cabrío, animal satánico por excelencia, debajo de la cola.

Juan Markale explica esta costumbre de una manera original, basándose en la tradición alquimística que toma la materia en la parte de abajo de la columna vertebral, la transforma en el vientre y la lleva a la cabeza, donde se convierte en espíritu.

Esos besos obscenos —afirma— no son una broma escabrosa de colegiales, sino lo que queda de un ritual iniciático de gran alcance, cuyo objetivo es hacer tomar conciencia al nuevo caballero de que *debe partir de abajo para llegar arriba* y no creer que ya se ha llegado arriba y volver a bajar luego.[19]

La explicación es seductora.

San Bernardo, en sus Textos políticos, expresa esta idea de que la elevación progresiva del alma humana no puede llevar al hombre al amor a Dios si no es por el amor previo y natural de la carne. Esta idea es la que se creía expresar con esos sorprendentes «besos obscenos».

Por desgracia, se comprueba que los hermanos se entregaban a este acto

19. Jean Markale, *Gisors et l'énigme des Templiers*, París, 1986, pág. 246 y ss.

sin comprender su significado y sin que se lo explicaran. Podemos afirmar sin temor a equivocarnos que este ritual había perdido todo significado, tanto para el que lo imponía como para el que lo ejecutaba.

Por otra parte, ningún templario jamás intentó dar la menor explicación ante el inquisidor o la gran comisión.

Estos rituales, el de la negación antes que éste, superaban el entendimiento de los pobres caballeros de Cristo; la sabiduría que se consideraba que simbolizaban les resultaba completamente hermética. Por el contrario, estos ritos extraños sólo sirvieron en el momento del proceso para descargar sobre ellos la pesada mano de la Inquisición y de su jefe, el hermano Guillermo Imbert.

En las garras del inquisidor

En el caso del Temple hubo un hombre cuyo papel fundamental ha pasado desapercibido. Este clérigo, en el que los historiadores se han interesado poco, es, sin embargo, el personaje clave de todo el asunto. Sin él, el rey nunca hubiera podido llevar a cabo el proceso, ni crear el dispositivo que terminaría en confesiones rápidas y en la implicación del Papa en un proceso que no deseaba.

Este hombre no era un político. Sin embargo, fue más importante que Nogaret, el guarda del sello, o Felipe de Marigny, el arzobispo de Sens, que tanto contribuyeron a la perdición de los caballeros del Temple. El proceso de los hermanos y de la orden duró siete años pero, en realidad, desde el primer día, el Temple y los templarios estaban perdidos.

Felipe el Hermoso había analizado hábilmente la situación: el clima de entendimiento, por no decir de perfecta armonía, que existía entre el papado y el rey de Francia, y tal vez también los compromisos imprudentes tomados por Beltrán de Got antes de su elección, impedían cualquier conflicto abierto con Clemente V. El monarca tenía, pues, las manos libres para actuar, con la condición de hacerlo con rapidez, determinación y eficacia.

Pero detener a los templarios no bastaba. Felipe IV tenía que justificar legalmente este arresto a los ojos de los otros soberanos y a los ojos del pueblo.

Como la orden no emanaba del Papa —que sin embargo era la única jurisdicción a la que pertenecían el Temple y sus caballeros— el rey debía encontrar un artificio jurídico para justificar su acción y probar su legitimidad. De lo contrario, el arresto parecería lo que era, un abuso de autoridad, y podía surgir una nueva crisis entre Francia y la Santa Sede.

Todos, en el entorno del rey, eran conscientes de este riesgo. Los soberanos extranjeros no se engañaron y esperaron las órdenes del Santo Padre para actuar. El rey Capeto también debía probar, a posteriori, obteniendo confesiones rápidas, la realidad de sus acusaciones y tapar de esta manera las irregularidades de procedimiento.

Si lograba reunir estas dos condiciones —arresto legal y confesiones rápidas—, Felipe el Hermoso ganaba la partida. En efecto, si el Temple era condenado el rey de Francia lograba su objetivo inicial; si lo declaraban inocente lo mismo el rey triunfaba porque la orden estaba desacreditada. A los ojos de la opinión, los orgullosos monjes soldados seguirían siendo para siempre renegados y sodomitas. El soberano podría expulsarlos, como ya había hecho con los judíos y los lombardos.

En el reino de Francia un sólo hombre podía cumplir la misión de dar carácter legal al arresto y obtener confesiones rápidas: el inquisidor general de la fe.

La Inquisición a las órdenes del confesor del rey

Guillermo Imbert, conocido también con el nombre de Guillermo de París, era inquisidor general de Francia desde 1303. En 1305, época en la que Nicolás de Fráuville fue hecho cardenal, se había convertido en confesor del rey.

Un confesor del rey no era un personaje sin importancia en la Edad Media: debía ser un hombre de confianza a quien el soberano tenía que poder hablar con total libertad, sin temor a que sus palabras fueran trasmitidas a otros, en especial al Papa. Este cargo llevaba naturalmente a ejercer funciones políticas, al menos a estar mezclado muy de cerca en las decisiones de gobierno. Esto fue exactamente lo que sucedió entre Felipe el Hermoso y Guillermo Imbert.

El hermano Guillermo estaba cerca del rey desde hacía varios años; antes había sido confesor de sus hijos, desde 1299 a 1301. Pero el encuentro decisivo fue sin duda el de Nogaret. El secretario del rey buscaba apoyos en el seno de la Iglesia después del asunto de Anagni y se acercó al inquisidor: muy pronto comprendió que podía beneficiarse de una alianza con él para resolver el problema de los templarios, ya que tenía a los hermanos predicadores, los dominicos, bajo su autoridad; una sola palabra que pronunciara permitiría poner toda la orden al servicio del rey.

Guillermo Imbert era un fiel servidor de Felipe el Hermoso, y ya había dado pruebas de fidelidad durante la disputa con Bonifacio: mientras que, en otras regiones, los hermanos predicadores habían apoyado a Bonifacio, él y sus hermanos de París habían tomado partido por el rey.

El Inquisidor general encubre con su autoridad un procedimiento ilegal

Cuando el 14 de septiembre de 1307, en Pontoise, el consejo decidió el arresto de todos los hermanos de la orden, Guillermo Imbert aportó la solución al problema jurídico que el rey y Nogaret se planteaban.

Los templarios sólo respondían a la justicia del Papa. Como gente de la Iglesia, escapaban a la justicia real; pero como hermanos del Temple, escapaban también a la justicia eclesiástica ordinaria. Por lo tanto, la Inquisición no podía perseguirlos.

Nogaret e Imbert elaboraron entonces el razonamiento siguiente: si los templarios renegaban de Jesús, escupían sobre la cruz y adoraban un ídolo, habían dejado de perseguir el fin para el que se creó la orden y que explicaba los privilegios de jurisdicción recibidos. Entonces, la Inquisición podía actuar contra los hermanos de la misma manera que si se tratara de personas comunes; Guillermo Imbert hasta podía pedir la ayuda del rey de Francia para cumplir su tarea.

Sobre la base de este razonamiento, hábil pero dudoso, el inquisidor tomó oficialmente la iniciativa. El monarca sólo era el ejecutor: «aquiescente a las requisiciones de dicho inquisidor, que ha apelado a nuestro brazo», escribió Felipe en la orden de arresto. Esta frase capital otorgaba toda su legalidad a la operación.

A partir del 27 de septiembre de 1307, es decir, tres semanas antes del arresto, Guillermo Imbert dio instrucciones precisas a los inquisidores de Toulouse y Carcasona. Estableció también todas las medidas necesarias para que los hermanos predicadores tomaran a su cargo a los templarios y procedieran a los interrogatorios requeridos.

Como vemos su acción no fue sólo teórica. Lejos de limitarse al papel de simple sacerdote, en nombre del rey, el inquisidor general de la fe organizó los interrogatorios que debían seguir al arresto. Él personalmente, del 18 de octubre al 24 de noviembre de 1307, se dedicó a interrogar sin descanso a los ciento cuarenta templarios detenidos en París.

El terrible método Imbert

Muy pronto el terrible método Imbert mostró toda su eficacia. Obtener confesiones es un arte en el cual el Inquisidor reveló toda su maestría. El tono estaba marcado por las instrucciones anexas a la orden de arresto:

> Se dirigirá [a los hermanos] exhortaciones relativas a los artículos de la fe y se les dirá cómo el Papa y el rey están informados por varios testigos muy dignos de fe, miembros de la orden, del error y los delitos del que se han hecho especialmente culpables en el momento de su entrada, y de su profesión, y les prometerán el perdón si confesaran la verdad y volvieran a la fe de la Santa Iglesia, o de otra manera serán condenados a muerte.

En los días siguientes al arresto empezaron las investigaciones. El comienzo de cada interrogatorio era invariable. Introducían al acusado. El inquisidor le preguntaba su nombre, su condición en el seno de la orden, su edad. El acusado, llamado «testigo que ha jurado decir la verdad sobre él y sobre los otros», prestaba juramento sobre el Evangelio de decir la verdad pura, simple y total. El inquisidor le preguntaba sobre la fecha y el lugar de su admisión.

Hasta este momento el interrogatorio se desarrollaba cortésmente. Luego le rogaban al acusado que describiera cómo se desarrolló su ceremonia de admisión. Llegaba el momento en que el inquisidor le pedía que confesara los crímenes que otros, «muy dignos de fe» pero con los que no había sido confrontado, habían confesado.

Es grande la perfidia: los testigos muy dignos de fe de los que hablaba la acusación no existían antes del 13 de octubre. Ningún miembro de la orden había confesado o revelado las infamias que se reprochaban a los hermanos.

Esquieu de Floyran, el «denunciante del error de los templarios», no era miembro de la orden y su «testimonio» tenía un carácter indirecto, ya que reproducía las palabras de otro. En cuanto a su moralidad, recordemos solamente que había cometido el crimen de apostasía y dejemos que el lector juzgue... Los únicos templarios que Nogaret había podido reunir en el marco de su investigación previa eran hermanos que «habían perdido la razón», es decir, que habían sido expulsados de la orden por su mala conducta y sus faltas.

Sin embargo, el inquisidor hacía creer al «testigo» interrogado que otros habían confesado y que sólo le quedaba hacer lo mismo a su vez. Se le decía que el Papa estaba informado; el testigo por lo tanto podía creer que el procedimiento había recibido la autorización pontificia. Sabemos que no es así: Clemente V se enteró del arresto en los días siguientes al mismo.

Si el testigo consentía en la confesión que le pedían, se tomaba nota de su declaración.

Pero, muy a menudo, su declaración, demasiado ortodoxa, no satisfacía al inquisidor. Los torturadores entonces aplicaban su ciencia: mostraban los instrumentos de tortura o los usaban. El acusado debía entrar en razón y comprender dónde se encontraba el interés de su alma... Y como los templarios no eran hombres de ceder a la primera amenaza con frecuencia se los torturaba.

El inquisidor se negó a sellar las actas que no tenían confesiones

Sólo las confesiones eran útiles. O sea, que el inquisidor no levantaba acta de los interrogatorios que no terminaban en el objetivo que él deseaba.

No tenemos las actas de las declaraciones de treinta y seis desdichados que no confesaron y murieron en París por las torturas. Habían apresado en Chaumont a dos hermanos alemanes a los que no torturaron porque eran súbditos del emperador. Como negaron las acusaciones imputadas a la orden, el inquisidor se negó a sellar el acta.

El hermano Imbert, sutil psicólogo, sabía que algunos caballeros estaban dispuestos a morir en defensa de su fe. Lo habían hecho en Tierra Santa, donde más de uno de ellos prefirió la deportación o la decapitación antes que la conversión al islam.

La persuasión fue muy útil para obtener confesiones. El gran maestre no fue torturado porque no era necesario cuestionar su declaración de ninguna manera. Además, no hubiera sido sensato «hundir» a los detenidos. Se trataba de una dosificación inteligente: demasiado fuerte, el acusado confesaba todo, pero podía morir; demasiado suave, era inútil.

Con los templarios, que nada tenían de monjes contemplativos espantados a la menor amenaza, convenía destruir la voluntad del testigo y desorientarlo: el método psicológico funcionó mucho mejor que la fuerza.

Cómo Imbert obtuvo confesiones abrumadoras

Las confesiones tomaron entonces el aspecto de una negociación relajada: el inquisidor quería confesiones y sabía sobre qué puntos tenía más posibilidades de obtenerlas.

Hemos visto que es muy verosímil que durante su admisión los templarios renegaran. ¿Tomadura de pelo, imitación de san Pedro, manifestación de obediencia o práctica herética? Poco importa. La Inquisición sin duda estaba advertida de estos hechos porque la información se había filtrado un poco, por ejemplo, con la confesión de los templarios moribundos.

Un imputado, desde que se da cuenta de que su acusador sabe, está en situación de debilidad. En ese caso, resistir a la tortura es difícil, pero esto se hace imposible cuando se trata de disimular un hecho real. El inquisidor sabía, pues, que podía obtener esa confesión. En época normal, ningún templario aceptaría reconocer que había cometido ese acto el día de su entrada; pero, sometido a tortura, estaba más inclinado a revelar ciertos secretos.

El inquisidor también sabía cómo proceder para que el testigo pudiera justificar su confesión frente a él mismo y a los otros. Pedía que confesara la negación. El acusado se negaba. Le aplicaban la tortura. Volvía a negarse.

En este momento convenía darle una buena razón para confesar: se la sugerían con una compasión hipócrita de palabra y no de corazón. El templario veía abrirse el horizonte: si se negaba, los torturadores volverían a actuar; si confesaba, las torturas terminarían. Lo mismo había salvado su honor por haber resistido.

¿Acaso no le habían prometido el perdón y habían dicho que era voluntad del gran maestre y del Santo Padre que confesara? Se aferraba al cable que le tendían: aceptaba. El notario entonces podía escribir que el acusado había confesado haber renegado de Jesucristo, pero de palabra y no de corazón.

Continuaban con las acusaciones.

Y en ese momento nuestro pobre templario se daba cuenta de la trampa en la que había caído: sin quererlo, acababa de abrir la caja de Pandora. El inquisidor le pedía que confesara haber adorado a un ídolo y haberse entregado a la sodomía con sus hermanos. ¿Cómo podría proclamar su inocencia? En adelante, el inquisidor tendría la suerte de él en sus manos, no podría sino confesar las otras infamias.

Y así es cómo Guillermo Imbert obtuvo confesiones abrumadoras.

Geoffroy de Charnay, preceptor de Normandía, confesó haber negado a Cristo tres veces. Había oído al preceptor de Auvernia decir a los hermanos presentes en el capítulo que más valía unirse con hombres que desahogarse con mujeres. Por fin se logró que reconociera que su admisión había sido «vergonzosa, sacrílega y contraria a la fe católica».

«¡Mirad qué bueno y agradable habitar juntos los hermanos!»

El inquisidor manipulaba la Biblia sin vergüenza. Así, el 19 de octubre, cuando interrogó al hermano Raynier de L'Archent, logró que explicara por qué se había entregado a la sodomía. Éste contó que el día de su admisión como nuevo hermano, se cantaba un canto que empezaba con estas palabras «Mirad qué bueno y agradable habitar juntos los hermanos.»

Pérfidamente, Guillermo Imbert, que sin duda, sugirió la explicación, deja que se tome nota de esta declaración. Es sabido (y el hermano Guillermo, que era un erudito, no podía ignorarlo) que ese canto es el salmo treinta y tres, un texto perfectamente ortodoxo que celebra las bellezas de la vida monástica en la castidad.

Los testimonios que se suceden son de este tipo. Juan de Tourteville, obligado a contestar si había cometido el acto de sodomía, se aterró y dio el primer nombre que le pasó por la cabeza: el hermano Guillermo. Sin duda ésta fue una suprema ironía por parte del desdichado: usar el nombre de su verdugo.

Se impone una observación importante: la fórmula de las actas no permitía decir que los templarios habían confesado expresamente. Muchos historiadores, para facilitar la lectura de las declaraciones, vuelven a formularlas en forma de diálogo entre el inquisidor y el testigo; de esto resulta un texto más cómodo de leer pero que falsifica la verdad, porque se ignora si hubo un verdadero diálogo.

Es mucho más probable que, torturado, sufriendo atrozmente por los tormentos que le habían infligido, el acusado asintiera con un «sí» resignado a las afirmaciones del hermano Guillermo Imbert.

Para considerar mejor la terrible eficacia del inquisidor y su adjunto Nicolás d'Ennezat, hay que echar una ojeada a las declaraciones de los templarios de París que no confesaron. Son sólo tres: Juan de Châteauvillars, Enrique de Hercigny y Juan de Paris. Coincidencia: ninguno fue interrogado por uno de ellos, sino por otros dominicos.

El 9 de noviembre de 1307, los hermanos Guillermo y Nicolás estaban ocupados en interrogar a personajes más importantes. El hermano Laurent de Nantes tuvo a su cargo el interrogatorio de Juan de Châteauvilliers: se trataba de un hombre joven, de treinta años, recibido hacía cuatro años. «Después que hizo muchas promesas respecto a la observancia de los buenos estatutos de la orden, le pusieron la capa y luego el que lo recibía lo besó en la boca, así como los otros hermanos presentes. No le ordenaron ni prescribieron otra cosa.»[20]

El hermano Laurent, poco al tanto de los intereses superiores del reino, nada hizo para forzar a este templario a confesar: le pidió que relatara su admisión, éste lo hizo y se fue.

Al final del acta figuran los nombres de los diferentes testigos, lo que no siempre aparece en las otras actas del procedimiento. El hermano Laurent, monje escrupuloso y respetuoso del procedimiento, realizó un interrogatorio honesto tendente a que dijeran la verdad, sin presiones ni torturas.

¿Las confesiones de Jacobo de Molay fueron fabricadas?

La acción de Guillermo Imbert fue tan determinante que hasta podemos preguntarnos si no falsificó (o fabricó) las confesiones de Jacobo de Molay, tan abrumadores y tan desfavorables para toda la orden.

20. Georges Lizerand, op. cit., pág. 45.

Ivan Gobry subraya, en efecto:

> Cuando Jacobo de Molay compareció ante la comisión pontificia, mostró su sorpresa al saber que pretendidamente había confesado y negó de manera formal y con dignidad, haber confesado tales crímenes. O sea que es necesario suponer que o bien el gran maestre permaneció en el fondo de su prisión y que el inquisidor le armó una declaración; o bien que el negó firmemente los crímenes de los que lo acusaban, y los jueces transformaron esa protesta en negación de confesiones hechas antes; lo que hacía del acusado un relapso. El rey había dado la orden al inquisidor general de que obtuviera confesiones completas; poco importaba que las hubiera formulado el acusado; lo importante era que estuviesen consignadas en un acta oficial.[21]

La eficacia del hermano Guillermo no se limitaba a París: su autoridad se extendía por toda Francia y los dominicos de las provincias realizaron los interrogatorios con celo comparable. Al igual que en París, sólo las confesiones, muy numerosas, fueron consignadas por escrito, de acuerdo con las instrucciones del inquisidor.

Se ignora cuántos hermanos murieron en la tortura, ni cuántos la resistieron. Cualquier resistencia era en vano y los monjes soldados, siguiendo el ejemplo de su gran maestre, hicieron todas las confesiones que les pidieron.

21. Ivan Gobry, op. cit., pág. 102 y ss.

El enigmático Jacobo de Molay

El gran maestre de la orden del Temple el 13 de octubre de 1307, al alba, estaba en la cama cuando Guillermo de Nogaret en persona fue a apoderarse de él. Inmediatamente lo llevaron a la prisión mientras que, todavía en la víspera, lo trataban como príncipe soberano.

El proceso de Jacobo de Molay, así como sus tomas de posición influyeron considerablemente en el desarrollo del caso. En sus declaraciones y en su actitud no faltó lo inverosímil.

De la misma manera que existe un misterio de los templarios, existe un misterio acerca de Jacobo de Molay. ¿Por qué el jefe de la orden actuó como lo hizo? ¿Fue manipulado? En ese caso ¿por quién? ¿Por el Papa? ¿Por una jerarquía oculta que dirigía la orden en secreto y de la que él era la fachada?

¿Sus miserables confesiones fueron el reflejo de la realidad? ¿O bien la consecuencia de una debilidad culpable? ¿Le fueron sugeridas? ¿Fabricadas? Algunos historiadores hasta han supuesto que podría no haber sido presentado al inquisidor.

¿Cómo él, cuya primera misión era la defensa de la orden, pudo hacer declaraciones tan aberrantes y adoptar esa actitud incomprensible a lo largo del proceso? Ese hombre era la clave de la bóveda de la orden y su inacción ¿paralizó la defensa de ésta? Y finalmente, la pregunta crucial ¿era verdaderamente el jefe del Temple? De no ser así ¿quién era ese verdadero jefe?

El texto oficial de las confesiones del gran maestre

Detenido el 13, el gran maestre se consumió en su celda hasta el 24 de octubre de 1307. Ese día, el inquisidor lo hizo llevar al Temple de París para interrogarlo, allí donde la mayoría de los hermanos parisienses estaban prisioneros.

Todo empezó con el juramento sobre los Evangelios de decir «sobre él y sobre los otros, la verdad pura, simple y entera». Luego el gran maestre expuso que, hacía cuarenta y dos años había sido recibido en Beaune, en la diócesis de Autun, por el hermano Humberto de Pairaud, caballero, en presencia del hermano Amaury de La Roche y de varios otros hermanos cuyos nombres había olvidado. Humberto de Pairaud, tío paterno de Hugo de Pairaud, fue preceptor de Inglaterra hasta 1270. Amaury de La Roche fue gran maestre de la orden desde 1264 hasta 1273; antes había sido maestre del Temple de Francia.

Por un deseo de exactitud y de rigor, citamos a continuación el texto, en sus pasajes esenciales, de la declaración oficial hecha por Jacobo de Molay ante el inquisidor.

A pesar de su carácter poco atractivo —como lo son a menudo los textos jurídicos— es un documento capital para la historia del proceso, que no podemos, según se acostumbra a menudo, reescribir, ni siquiera para conseguir una mayor claridad y legibilidad.

El hermano Jacobo de Molay, gran maestre de la orden de la milicia del Temple,

dijo también bajo juramento que después de haber hecho varias promesas relativas a las observancias y a los estatutos de la orden, le pusieron la capa. Y el que lo recibía hizo traer a su presencia una cruz de bronce en la que estaba la imagen de Cristo y le dijo que le ordenaba renegar de Cristo cuya imagen estaba allí. Y él, a su pesar, lo hizo. Y entonces el que lo recibía le ordenó escupir sobre ella, pero él escupió al suelo. Interrogado sobre si sabía cuántas veces lo hizo, dijo bajo juramento que sólo escupió una vez, y de esto se acordaba muy bien.

Requerido a declarar bajo juramento si los otros hermanos de dicha orden fueron recibidos de esta manera, dijo que creía que no le habían hecho algo que no hicieran a los otros hermanos; además agregó que recibió a pocos templarios. Dijo, sin embargo, bajo juramento, que había recibido a los que creaba, y prescrito a algunos de los asistentes que los llevaran aparte e hicieran lo que debían. Dijo también bajo juramento que su intención era que les hicieran y prescribieran lo que le habían hecho y prescrito, y que fuesen recibidos de la misma manera.

Interrogado para saber si había mezclado en su declaración alguna falsedad o callado la verdad como consecuencia de violencias, temor a las torturas o a la prisión o por cualquier otra causa, dijo bajo juramento que no; que, por el contrario, había dicho la pura verdad por la salvación de su alma.[22]

En una palabra, el gran maestre declaró que no había sufrido presión alguna, física o moral.

Las confesiones fueron abrumadoras. Molay reconocía que la orden estaba gravemente corrompida: a él mismo, el día de la admisión, le ordenaron negar a Cristo y escupir sobre la cruz, y había obedecido. Luego, al recibir a muchos templarios les había hecho cometer el mismo sacrilegio.

Observemos que sólo la negación de Cristo parecía interesar al inquisidor, que no planteó ninguna pregunta sobre el ídolo, el cordón o las palabras de la consagración que se consideraba omitían los sacerdotes de la orden. El tema de las relaciones homosexuales entre hermanos sólo se mencionó de pasada.

Jacobo de Molay llama a los templarios a confesar, luego cambia de parecer

A partir del 25 de octubre de 1307 (es decir, al día siguiente), el gran maestre confirmó sus confesiones ante los doctores de la Universidad e invitó a los otros hermanos a aliviar su conciencia, a confesar los crímenes de la orden. Los hermanos, cuya voluntad ya estaba muy afectada por las condiciones de la detención y las torturas, confesaron en masa.

Después de todo ¿por qué intentar resistir cuando el superior de la orden había cedido al pedido de confesar?

Muy pronto, Molay lamentó su debilidad y se retractó ante los dos cardenales enviados por el Papa en Navidad de 1307. También intentó comunicarse con los otros prisioneros para que a su vez se retractaran. Pero era

22. Georges Lizerand, ob. cit., pág. 35 y ss.

demasiado tarde: las actas del inquisidor ya estaban redactadas y publicadas. ¡Sólo eso contaba!

Jacobo de Molay estuvo en prisión hasta agosto de 1308. En ese momento el Papa se encontraba en Poitiers. En sus entrevistas con el rey de Francia trataron tanto sobre los templarios como sobre el proceso por herejía que Felipe quería iniciar a título póstumo contra Bonifacio VIII.

El horrible regateo que se originó pudo conducir al abandono de los templarios a la voluntad del rey de Francia a cambio de que éste reconociera la ortodoxia de Bonifacio.

Clemente, presionado por el rey Capeto a condenar a los hermanos y a la orden del Temple, temía por su propia seguridad (los hombres del rey le habían impedido abandonar Poitiers), y pidió encontrarse con los dignatarios de la orden. Quería formarse su propia opinión y no confiar en sus legados, de los que se preguntaba si habían optado por su partido o por el del rey.

Plaisians organizó el viaje de Molay, Pairaud, Charnay y Goneville. Los conducía un sargento del rey, Juan de Jamville, y los acompañaba Raymbaud de Carond, comendador de Chipre. Los comendadores de Francia y de Provenza, cuya presencia también deseaba el pontífice, no formaron parte de la comitiva: es verdad que no habían hecho ninguna confesión.

En la etapa de Chinon se dio una excusa torpe para decir que no era posible llegar a Poitiers.

El Papa nunca los vio. No se desplazó y envió a los cardenales Bérenger de Frédol, Étienne de Suisy y Landulphe de Brancaccio. Como lo comprueba Marion Melville, para Clemente Vera «la demostración brutal de que su autoridad no superaba los límites de la Curia».[23]

Cuando los tres prelados llegaron a Chinon, Plaisians y Nogaret se les habían adelantado. La entrevista tuvo lugar en presencia o bajo la presión de los enviados del rey. Los dignatarios de la orden no pudieron expresarse tan libremente como lo hubieran hecho en Poitiers o en otra parte, delante del Papa.

El episodio más misterioso de todo el proceso

La entrevista de Chinon es, sin duda, el episodio más misterioso de todo el proceso.

23. Marion Melville, *La Vie des Templiers*, segunda edición, París, 1974, pág. 306.

No disponemos de un acta de los interrogatorios, sino sólo del informe que los tres cardenales enviaron al Papa el 20 de agosto. Existe también una copia de ese informe, firmado por Nogaret y Plaisians y que Jamville llevó al rey.

Los cardenales llegaron el 14 de agosto pero no vieron a los jefes de la orden hasta el 17.

El preceptor de Chipre, Carond, fue el primero en comparecer: confesó la negación y el escupir sobre la cruz. Charnay, preceptor de Normandía, reconoció el mismo día haber renegado. Gonneville, preceptor de Aquitania, explicó que había hecho un compromiso con quien lo recibía: si éste último no lo obligaba a renegar diría, si se lo preguntaban, que efectivamente había renegado.

Pairaud, visitador de Francia, y Molay, gran maestre, comparecieron una primera vez el domingo; los dos pidieron reflexionar hasta el lunes por la mañana. Finalmente, tanto uno como otro confirmaron sus confesiones del otoño de 1307. En su carta a Felipe el Hermoso, los cardenales subrayaron la sumisión del gran maestre, del visitador de Francia y del comendador de Chipre y, a la vez que le recordaban que los tres habían confesado sus faltas, abjurado de cualquier herejía y pedido su absolución, los prelados pidieron al rey que les otorgara su perdón, como la Iglesia les otorgaba el suyo.

Chinon fue en esos días el teatro de negociaciones ásperas entre los emisarios pontificios y los enviados del rey. Tal vez los dignatarios, en especial el gran maestre, recibieron ciertas seguridades de parte de los cardenales. Resulta claro que la presencia de Nogaret y Plaisians tenía el objetivo de impedirles hablar libremente.

¿Pero que pasó durante las cuarenta y ocho horas que precedieron al primer interrogatorio? Puede suponerse que las tratativas preliminares llevaron a un compromiso entre las tres partes presentes, según el cual los tres dignatarios renovaron sus confesiones, los cardenales dieron la absolución y los enviados del rey garantizaron el perdón real.

Este acuerdo podía satisfacer a las tres partes: al Papa, que daba así al rey pruebas de su «buena voluntad» y a cambio podía dejar Poitiers; al rey de Francia, que obtenía confirmación de las confesiones ante los enviados pontificios, confesiones que muy pronto serían reproducidas en una bula dirigida a toda la Cristiandad; y a los dignatarios, que no volvían a caer en manos del inquisidor, se reconciliaban con la Iglesia y eran admitidos en la comunión y en los sacramentos.

El desarrollo de los acontecimientos mostró que los compromisos de los cardenales no fueran respetados ya que, al año siguiente, ante la comisión, Molay reclamó que se le permitiera recibir los sacramentos. Puede considerarse que las partes se habían comprometido a guardar el secreto de los interrogatorios o a considerarlos como una confesión.

Después de la entrevista de Chinon, Molay y sus hermanos volvieron a París y el Papa, cuando recibió el informe de los cardenales, promulgó la bula Faciens misericordiam. Esta bula, cuyos detalles ya hemos dado, organizaba el doble proceso de los hermanos y de la orden y precisaba que los bienes del Templo se destinarían a la reconquista de Tierra Santa.

Jacobo de Molay y los otros dignatarios volvieron a consumirse en sus calabozos, reconciliados con la Iglesia pero privados de la comunión. Hubiera sido natural que los liberaran y les permitieran recibir los sacramentos. Nada de esto sucedió.

¿ La bula pontificia era una falsificación tosca?

Esta bula implica un vicio que ha hecho correr mucha tinta y a justo título. Relata, en efecto, las confesiones hechas por el gran maestre en Chinon ante los cardenales, pero extrañamente está fechada el 12 de agosto de 1308, cuando ha quedado establecido que el interrogatorio se realizó el 20 de agosto.

Se pueden dar varias explicaciones a este enigma. La primera, y la más simple, es ver en esta incoherencia de las fechas un error material: la bula pontificia llevaría una fecha errónea, por ejemplo la de un borrador redactado el 12 de agosto. Pero es posible también que en esto tengamos la prueba de que la bula de Clemente V es una falsificación manifiesta: sin preocuparse un solo momento por lo que iban a declarar los jefes de la orden, y cediendo a la presión de Felipe el Hermoso, el Papa habría relatado confesiones que todavía no habían tenido lugar.

Es difícil decir, como han pretendido algunos, que Molay no hizo ninguna confesión en Chinon y que la prueba es esa fecha errónea; porque la relación de las confesiones no sólo se encuentra en la bula sino también en una carta enviada por el cardenal de Frédol al Santo Padre y al rey de Francia.

Al año siguiente de este misterioso episodio, el miércoles 26 de noviembre de 1309, Jacobo de Molay compareció ante los comisarios encargados de instruir el proceso de la orden. Le preguntaron si quería defender a la orden o hablar por él.

El gran maestre se asombró de que

la Iglesia pusiera tanta precipitación en exigir la defensa de la orden, cuando la sentencia relativa al emperador Federico había estado suspendida durante treinta y dos años. No tengo —continuó el gran maestre—, ni bastantes luces, ni bastante talento para defender a la orden, sin embargo, estoy dispuesto a hacerlo, según mis débiles medios: ¿no sería vil y despreciable a mis ojos y a los ojos de otros, si abandonara la defensa de una orden que me ha procurado tantas y tan preciosas ventajas?

No me oculto la dificultad de la empresa, porque soy cautivo del Papa y del rey, y no tengo el menor dinero para sufragar los gastos de esta defensa: pido, pues, socorro y consejo. Mi intención es que se ilumine la verdad, no sólo para los caballeros sino en todas partes del mundo, para los reyes, príncipes, prelados, duques, condes y barones; estoy dispuesto a atenerme a las declaraciones y testimonios de los reyes, príncipes, prelados, duques, condes y barones, y otros hombres probos.

El gran maestre, por primera vez desde comienzos del caso, mostraba la energía que se esperaba de él. Se ofrecía a asumir la defensa del Temple y a hacer brillar la verdad.

Su actitud inquietó a los comisarios que le respondieron enseguida para tratar de desalentarlo:

Reflexionad bien sobre vuestro ofrecimiento de defender a la orden; pensad en las confesiones que habéis hecho contra ella y contra vos mismo. Sin embargo, admitiremos que la defendáis, si persistís en esta intención; hasta os concederemos un plazo; pero os advertimos que en materia de herejía, se procede sumariamente y sin formalidades, sin alegatos de abogados ni forma de juicio.

Molay debía saber de entrada que el procedimiento casi no le dejaba medios para defender a la orden y, por cierto, tampoco el comparecimiento como testigos de todos los soberanos, príncipes, duques y prelados del mundo. ¡Era para desalentarlo!

Por otra parte, para que pudiera reflexionar con conocimiento de causa y darse cuenta de que cualquier tentativa de defensa era inútil, los comisarios le dieron a leer, en lengua vulgar, los documentos que contenían sus poderes.

Durante la lectura de las cartas apostólicas, que suponen la confesión del gran maestre en presencia de los cardenales que lo interrogaron en Chinon, hizo y repitió a menudo el signo de la cruz, explica Raynouard; con otros signos más enérgicos, manifestó su asombro y su indignación, agregando que si no debiera respeto a los enviados del Papa, se expresaría de manera diferente; como los comisarios le respondieron que no estaban allí para aceptar un desafío, respondió que no pensaba hablar de tregua, sino que placía a Dios que en este caso se actuara como lo hacían los sarracenos y los tártaros, que cortaban la cabeza y partían el cuerpo por la mitad a los que eran reconocidos perversos.[24]

Los comisarios le notificaron entonces que la Iglesia abandonaba a la justicia secular a los que reconocía como herejes obstinados. La amenaza no era velada: daba a entender que si el gran maestre rectificaba sus confesiones, la comisión podría considerarlo relapso y entregarlo a la gente del rey.

Se ha pretendido que Molay nunca salió de su celda de Chinon y que nunca fue presentado a los cardenales, y que estos hicieron al Papa un relato falsificado de sus entrevistas, lo que explicaría la actitud del gran maestre al leer las cartas apostólicas. Es más verosímil que los cardenales obtuvieran la reiteración de las confesiones prometiendo secreto; tal vez la presentaron como un acto político pedido por el Papa para complacer al rey de Francia.

Jacobo de Molay ignoraba que sus declaraciones serían reproducidas en un acta oficial enviada a los cuatro rincones del mundo cristiano y comprendió que lo habían traicionado cuando se dio cuenta de que todo lo que había aceptado confesar bajo secreto se había reproducido en la bula pontificia. El gran maestre debía obediencia al Papa: Nogaret y Plaisians supieron sacar partido de esta realidad para influenciar a los cardenales y a los templarios.

24. Raynouard, ob. cit., pág. 58 y ss.

Plaisians presionó a Molay durante las sesiones de la comisión pontificia

Y justamente Guillermo de Plaisians asistía a este interrogatorio. Los comisarios se preocuparon de señalar que no lo habían llamado. El alter ego de Nogaret pidió a Jacobo de Molay que cuidara de no perderse impunemente. El gran maestre comprendió la amenaza, se dio cuenta que debía reflexionar sensatamente, y pidió plazo hasta el viernes.

El viernes 28 de noviembre, reapareció ante los comisarios: se le habían concedido dos días para reflexionar y decidir, sí o no, si quería defender a la orden. Los comisarios sin esperar le hicieron la pregunta: respondió que era «un caballero iletrado y pobre» y ya que «el Papa se había reservado juzgarla, él y algunos otros dignatarios del Temple, no querían hacer nada más al respecto».

Los comisarios insistieron y le pidieron que dijera expresamente si quería defender a la orden. Molay respondió que no, pero que se presentaría al Papa y abogaría ante él. Suplicó a los comisarios y les pidió, visto que era mortal como todos los hombres y sólo disponía del momento presente, que hicieran comprender al Santo Padre que debía llamarlo lo más rápido posible.

Sólo entonces «dirá, en la medida de sus fuerzas, al señor Papa lo que hace al honor de Cristo y de la Iglesia».

Esta expresión revela con palabras encubiertas que temía por su vida. Teniendo en cuenta la manera en que los carceleros trataban a los otros templarios —no dudando en ponerlos a pan y agua en las semanas que precedían al interrogatorio para tener la certeza de que sus fuerzas estarían disminuidas y su voluntad anulada—, Molay, aunque las condiciones de su detención eran mejores, para dar al proceso la apariencia de equidad, tenía motivos para inquietarse.

En cuanto a la fórmula famosa «soy un caballero iletrado», debe comprenderse en su sentido exacto, a saber, que en la Edad Media era iletrado el que no sabía latín. Jacobo de Molay no era analfabeto: leía y escribía corrientemente en francés; pero la lengua de la Iglesia y del derecho le era desconocida y veía en esto un obstáculo difícilmente superable para encargarse de la defensa de la orden.

El gran maestre también sabía que el proceso no era leal y que no podía expresarse libremente ante el arzobispo de Narbona, Gilles Aycelin, el predecesor de Nogaret en la cancillería, sobre todo si Nogaret o Plaisians estaban en el lugar y si luego lo entregaban a la custodia de los sargentos del rey. Sólo una entrevista con el Papa, su superior natural, le parecía aceptable.

Molay pensaba que Clemente se había reservado el juicio de los dignatarios para que pudieran escapar a las garras del rey y de los hombres de la Iglesia que lo apoyaban. El desarrollo de los acontecimientos nos probará que esta actitud era de una gran ingenuidad, pero el razonamiento no carecía de lógica.

Nogaret intenta intimidar al gran maestre durante su declaración

Sin embargo, en ese mismo interrogatorio y aunque se negó a defender a la orden sin la presencia del Papa, Molay deseó, para aliviar su conciencia, presentar tres observaciones en favor del Temple.

En primer lugar —empezó el gran maestre— ¿hay alguna orden cuyas iglesias estén mejor provistas de ricos ornamentos, y de todo lo necesario para el culto divino; donde los sacerdotes y clérigos celebren mejor el oficio? Sólo exceptúo las catedrales. En segundo lugar ¿alguien distribuye tantas limosnas? En todas nuestras casas es una regla otorgar limosnas tres veces por semana a todos los pobres que se presentan. En tercer lugar, ¿hay alguna en que los caballeros se hayan expuesto tan generosamente por la defensa de la religión cristiana contra los infieles, hayan derramado tanta sangre por ella y también se hayan hecho temer por los enemigos de la fe católica?

—Sin fe —respondieron los comisarios—, esos cuidados, esas obras, ese valor, son inútiles para la salvación del alma.

—Estoy de acuerdo con esa verdad. Pero doy testimonio de que creo en Dios, en la Trinidad de las personas y en todos los artículos de la fe católica; creo que hay un solo Dios, una fe, un bautismo, una Iglesia, y que al morir, cuando el alma se separa del cuerpo, hay un juez de los buenos y de los malos.[25]

25. Raynouard, ob. cit., pág. 66 y ss.

El guarda del sello, Guillermo de Nogaret, que estaba presente, tomó entonces la palabra:

En las crónicas de Saint-Denis, se dice que en la época de Saladino, sultán de Babilonia, el gran maestre de entonces, y los otros jefes de la orden le prestaron vasallaje, y que también el sultán, al conocer sus reveses, declaró públicamente que los caballeros eran víctimas de su vicio de sodomía y falta a su fe y a la de ellos.

—Nunca, hasta este día, escuché tales calumnias —replicó Jacobo de Molay—. Cuando estaba en ultramar y durante el magisterio de Guillermo de Beaujeu, yo y varios jóvenes que querían luchar, como es la costumbre entre los jóvenes militares, murmurábamos contra el gran maestre, que mantenía la paz con el sultán durante la tregua entre los cristianos y los sarracenos establecida por el rey de Inglaterra. Pero luego nos convencimos de que el gran maestre actuaba prudentemente, visto que la orden poseía varias ciudades y fortalezas enclavadas en las tierras del sultán y que de otra manera no las hubiera podido conservar.[26]

La presencia del guarda del sello y su manera insolente de observar e intimidar a los templarios en público, bajo la mirada de la justicia, dicen mucho sobre lo que se animaban a hacer en la sombra y el secreto de las prisiones, señala Raynouard.[27]

Nogaret no podía ignorar con qué firmeza el gran maestre, dos días antes, había protestado contra esas pretendidas confesiones enunciadas en la bula. Tomó, pues, la palabra para intentar intimidar y crear la duda en el ánimo de los comisarios.

Al igual que Plaisians dos días antes, Nogaret tampoco había sido invitado por los comisarios a intervenir; su presencia y su intervención hubieran debido ser objeto de una amonestación por parte del presidente de la comisión, pero éste nada hizo.

Después de este incidente, terminado el interrogatorio, el gran maestre rogó humildemente a los comisarios y al guarda del sello que le permitieran oír misa y los otros oficios divinos. Esto prueba que la promesa de reconciliación recibida en Chinon en agosto de 1308 no había surtido efecto: seguía prisionero y excomulgado. ¡Qué extraña reconciliación! Nogaret y

26. Ídem.
27. Raynouard ob. cit., pág. 69.

Aycelin prometieron hipócritamente y de acuerdo velar por ello... y Jacobo de Molay volvió a su celda.

El 2 de marzo de 1310, compareció por última vez, la tercera, ante la gran comisión de investigación. El presidente, Gilles Aycelin, volvió a preguntarle si quería tomar la defensa de la orden: se oponía otra vez a la voluntad de Molay de dirigirse sólo al Papa en persona e intentó tranquilizarlo en cuanto a eventuales temores personales señalando que la comisión hacía un proceso contra la orden y no contra las personas.

Con esto se sobrentendía que todo lo que dijera ante la comisión nunca se usaría en contra de él en su juicio como hermano del Temple. Molay —cuyos temores estaban fundados ya que el concilio de Sens, dos meses más tarde, trataría como relapsos y enviaría a la hoguera a los hermanos que se habían retractado ante la comisión— se obstinó en su silencio y sólo pidió a los comisarios escribir al Papa para darle a conocer su posición.

Jacobo de Molay regresó a su celda, siempre privado de los sacramentos de la Iglesia, y no volvió a comparecer. Clemente V jamás lo escuchó.

El gran maestre se había negado, en el curso de sus tres comparecencias, a aprovechar la ocasión de defender a la orden, creando así una corriente de desamparo entre los templarios. Su rechazo a defenderla, sin empujar a los más valientes a renunciar a cualquier iniciativa personal, puso a los que habían elegido ese camino ante la imposibilidad de llevar a buen término su acción. Veremos en el capítulo siguiente cómo la actitud de Molay fue nefasta para los hermanos que querían tomar partido en favor de la orden.

En 1314, suprimido el Temple por el concilio de Vienne y condenado Molay a prisión perpetua, éste proclamó por fin la inocencia de la orden. Demasiado tarde: por orden del rey fue de inmediato enviado a la hoguera por relapso. Así murió el último gran maestre de la orden de los Pobres Caballeros de Cristo del Templo de Salomón de Jerusalén.

El personaje más enigmático en el caso de los templarios

En definitiva, el personaje más enigmático en el caso de los templarios es el gran maestre. Su actitud, siempre a contratiempo, sus silencios incomprensibles en los momentos en que debía defender al Temple, sus confesiones marcadas por la cobardía cuando hubiera debido dar prueba de valor, arrojan dudas sobre sus verdaderas motivaciones. Y su final patético suscita todavía más controversias.

¿Quién era Jacobo de Molay? Unos ven en él a un soldado, elegido por sus cualidades de jefe militar en una época en que acababa de perderse Tierra Santa, superado por apuestas políticas que no podía comprender. Para otros, el gran maestre era, por el contrario, un administrador al que apelaron porque, después de la pérdida de Palestina, había que asegurar la reconversión de la orden. En esta segunda hipótesis sería un político que habría fracasado en su misión.

Los capítulos eran secretos, no tenemos informaciones fiables sobre las deliberaciones y motivaciones que condujeron a la elección de este caballero para esa función. Pero existen cierto número de certezas.

Los mejores hombres habían muerto en la pérdida de San Juan de Acre. Quedaban los caballeros de menor importancia, los que no estaban en Tierra Santa, los caballeros que la orden consideraba que no eran lo suficientemente valerosos para combatir en Oriente, y que permanecían en las casas de Occidente para asegurar su dirección e intendencia. Molay era uno de ellos. No era un cobarde, pero ¿habría sido elegido si otros, con más méritos que él, no hubieran muerto? Seguramente no.

El Temple que Felipe el Hermoso destruyó en 1307 no era el que había tenido Tierra Santa en sus manos durante dos siglos, a la que luego debió renunciar perdiendo allí a sus mejores elementos. No era más que la sombra de la brillante orden, una organización decadente en busca de una reconversión que no logró.

Molay tuvo la tarea de preparar una reconquista que todos querían sinceramente, pero que nadie estaba dispuesto a emprender en las mismas condiciones que en el pasado.

El rey de Francia era un pragmático que, durante todo su reinado, evitó cualquier guerra de conquista. Sus preocupaciones se encontraban en Flandes y en Guyena. Consiguió Navarra y Champaña por matrimonio. Cuando soñaba con el imperio era para renunciar enseguida a él. Calmó los deseos de su hermano Carlos de subir al trono imperial de Constantinopla. Y además, al comienzo de su reinado, en 1285, renunció a conquistar el reino de Aragón que el Papa ofrecía a Carlos. A los diecisiete años —la edad en que se piensa que el mundo es de uno y donde todo es posible—, Felipe el Hermoso estaba más preocupado por agrandar el territorio que por correr tras quiméricos imperios.

La cruzada ya no estaba a la orden del día en 1307. Los monarcas como el rey de Francia habían comprendido que Tierra Santa estaba perdida definitivamente. El único medio que se consideraba eficaz para intentar conservarla había mostrado sus límites. Las cruzadas sucesivas nunca permitieron crear una base estable en Oriente que no fuera cuestionada por los sarracenos.

En el siglo XIV se empezaba a comprender que la conquista de Jerusalén en 1099 se debió a un feliz concurso de circunstancias, a una especie de milagro que la Providencia otorgó al pueblo cristiano. Porque si la primera cruzada fue victoriosa se debió sobre todo al efecto sorpresa que provocó esa marea humana.

Nunca las fuerzas cristianas fueron tan numerosas como en la época de Gaulterio Sans Avoir y Pedro el Ermitaño. Pero en los años siguientes los peregrinos volvieron a Europa y los reinos de Oriente debieron hacer frente a ese despoblamiento. Las disputas internas dividían a los principados latinos de Siria y Palestina. Las cruzadas ulteriores nunca permitieron convertir en permanente la presencia cristiana en la región.

El papa Clemente, un hombre de la generación de Felipe, tenía el mismo punto de vista. La cruzada ya sólo era un pretexto político para recaudar impuestos o movilizar a la opinión. Las intenciones iniciales habían desaparecido.

El candor político del gran maestre

A pesar de todo, Molay quería sinceramente reconquistar Tierra Santa. En esto era un hombre del pasado. No comprendió que el mundo había cambiado: fue su gran error.

El proceso mostró claramente que el gran maestre no era un político sutil. Por el contrario, dio prueba de un candor poco común.

Desde el comienzo de los primeros rumores sobre la orden, mostró su total ausencia de malicia política y se metió en la boca del lobo. Y por eso volvió a Francia, con lo que permitió que el rey lo capturara.

En 1307, cuando la orden estaba amenazada y Felipe el Hermoso pedía su disolución, se encontraba seguro en Chipre. Por poderoso que fuera el rey de Francia allí no podía tocarlo. Si intentaba cualquier cosa contra la orden, el gran maestre y los otros dignatarios podían reaccionar. En tal situación, Jacobo de Molay hubiera podido permanecer fuera del alcance de su peligroso adversario. Sin embargo, cándidamente, él y su areópago volvieron a Francia y se instalaron allí.

En ese momento actuó como un general que va a la batalla en primera línea con sus soldados. Era loable, pero si lo mataban, el ejército se desorganizaba y la guerra se perdía. El gran maestre tuvo esas actitudes que lo hicieron pasar por un caballero. Con seguridad debía serlo, pero creía que sus enemigos también lo eran. Molay pensaba tontamente que bastaba ser inocente para no ser condenado.

Sin duda, la orden era inocente de los crímenes que se le imputaban, al menos de algunos, pero era sobre todo culpable de existir en un mundo en el que ya no tenía lugar. Era culpable de ser una potencia adormecida. Era culpable de tener la capacidad de enfrentar un día u otro al actual rey de Francia o a sus sucesores.

No nos engañemos: el proceso del Temple no fue un proceso religioso sino político.

Poco le importaba a Felipe el Hermoso que los templarios fueran sodomitas o idólatras. Lo que contaba es que estaban libres de impuestos y que cada bien que entraba en su patrimonio se beneficiaba de esta dispensa y de esta manera reducía, poco a poco, la recaudación del tesoro real; que formaban un ejército permanente, entrenado y disponible en cualquier momento mientras que él no disponía de esa fuerza militar; que ya sólo cumplían su función religiosa accesoriamente y se habían transformado en una banca internacional que no obedecía más ley que la que aceptaba que le aplicaran.

El rey no actuó por celos. Persiguió el objetivo que se había fijado desde el comienzo: consolidar la obra independizadora de sus predecesores, hacer de Francia ese reino poderoso y respetado que no obedecía al Papa, ni al emperador, ni al rey de Inglaterra ni a ningún otro soberano. Al destruir el Temple, Felipe el Hermoso actuaba como un gran monarca, sin duda cruel, pero consciente de las necesidades del Estado.

Unas décadas más tarde, las «hazañas caballerescas de Felipe VI y de Juan el Bueno, sus sucesores, le valdrán a Francia vergonzosas derrotas y, hecho sin precedente, el cautiverio de un Capeto en Londres.

El hombre que quería salvar a los templarios

Desde el primer día de su cautiverio los templarios estuvieron solos. El inquisidor los había hecho torturar. El gran maestre se mostraba impotente para protegerlos. El rey de Francia pedía todos los días la supresión de la orden que, se suponía, era una secta demoníaca. El Temple parecía condenado a desaparecer rápidamente y sin resistir.

Pero el procedimiento que Felipe el Hermoso quería que se desarrollara rápidamente se volvió más lento al no condenar el Papa con toda la fuerza que podía la iniciativa real, a la vez que se multiplicaron las maniobras dilatorias.

Luego de las entrevistas de Poitiers en 1308, en el momento en que Clemente V parecía bajar los brazos y ceder a las exigencias de Felipe IV, llegó una ayuda inesperada del pontífice que dio a los hermanos la ocasión de defender su orden. Esta ayuda estaba manifiestamente destinada a Jacobo de Molay y a los otros dignatarios. No supieron aprovecharla, pero algunos oscuros hermanos, con la dirección del procurador general de la orden en la corte de Roma, intentaron salvar al Temple. Ésta es la historia que contaremos.

El 12 de agosto de 1308, poco antes de dejar Poitiers, con la bula Facians misericordiam, Clemente V tomó por fin la dirección del caso después de meses de tergiversaciones.

Decidió que se realizarían dos procesos. El primero contra los hermanos. En cada diócesis, los templarios detenidos serían sometidos a un nuevo interrogatorio efectuado por una comisión presidida por el obispo.

Luego de este interrogatorio se redactaría un informe individual sobre cada hermano. Después, se reuniría un concilio provincial para decidir la inocencia o la culpabilidad de cada uno.

De manera paralela, se realizaría un proceso contra el Temple. A este efecto, el Papa nombró una comisión a la que encargó ir a París y conseguir, contra la orden en general, una información jurídica cuyas pruebas pudieran motivar la decisión del concilio general que decidiría en última instancia. Los miembros de esta comisión eran Gilles Aycelin, arzobispo de Narbona; los obispos de Bayeux, de Mende, de Limoges; los archidiáconos de Ruán, de Trente, de Maguelonne; el preboste de Aix.

Los caballeros que querían defender al Temple serían citados ante los comisarios. Terminada la instrucción, la orden, con el ministerio de sus síndicos o defensores, comparecería ante el pontífice en el concilio general que se reuniría en Vienne, en 1311, para juzgarla y pronunciarse sobre su eventual culpabilidad.

Toda la Cristiandad estaba dividida en distritos en los que cada arzobispo, cada obispo, todos los delegados del Papa y todos los inquisidores recibieron la orden expresa de perseguir a los templarios. En Francia, Inglaterra, Suecia, Noruega, Dinamarca, Alemania, Polonia, Castilla, Aragón, Navarra, Portugal, Italia, en las islas de Mallorca, Córcega, Cerdeña, Sicilia, Chipre, en el ducado de Acaya y en Constantinopla, ya no les quedó ningún asilo, en todas partes estaban bajo los ojos y la mano de la Inquisición.

El mismo día, con otra bula, el Papa decidió que se reservaba el derecho de escuchar y juzgar él mismo a los dignatarios de la orden. Por otra parte, los bienes del Temple, sucediera lo que sucediese, se destinarían a la cruzada. Mientras, el rey de Francia aseguraría su custodia así como la de los hermanos prisioneros, ya que la Iglesia no tenía prisión.

Las disposiciones de la bula pontificia son muy claras. Cada uno de los hermanos se defendía individualmente cuando fuera juzgado en el proceso a las personas, haciendo valer sus argumentos y sufriendo la sentencia pronunciada por el concilio provincial. El proceso de la orden se organizaría de manera diferente y sólo en el curso de este procedimiento los monjes soldados podrían defender al Temple.

La comisión pontificia inició sus trabajos en noviembre de 1309. Escuchó a seiscientos treinta y ocho templarios entre el 22 de noviembre y el 26 de mayo de 1311.

En un primer momento, es decir, hasta marzo de 1310, los interrogatorios tendían únicamente a censar a los hermanos que querían defender a la orden y los que no lo deseaban.

Los comisarios los hicieron sacar de sus calabozos y comparecer uno tras otro para plantearles esta simple pregunta. Como ya hemos visto, Jacobo de Molay y los otros dignatarios se negaron a defender al Temple. Sólo después pudo empezar verdaderamente la investigación sobre la orden.

Los templarios se niegan a nombrar apoderados

El 28 de marzo de 1310, el proceso entró en una nueva fase. La acusación ya se había planteado en la corte de Roma y se tendría que contestar a ese largo inventario de crímenes imputados al Temple. Los comisarios reunieron a todos los hermanos que se habían ofrecido a defender a la orden en los jardines del obispado de París y les leyeron el acta de acusación que retomaba la lista de los ciento diecisiete cargos.

Ya hemos analizado este documento que se resume en cuatro puntos principales: se reprochaba a los monjes soldados ser renegados, apóstatas, idólatras y sodomitas. Esta lectura provocó una vasta corriente de indignación entre los hermanos presentes: ¡eran quinientos noventa y dos!

Terminada la lectura, los comisarios invitaron a su auditorio a elegir entre ellos apoderados encargados de asegurar la defensa de la orden. Su idea era simplificar el procedimiento: seiscientos hermanos no podían presentar una defensa, por lo tanto era indispensable que designaran representantes.

Los templarios, sorprendidos por este pedido que no esperaban, reaccionaron: Pedro de Bolonia, procurador general de la orden en la corte de Roma, se adelantó y protestó; Renaud de Provins, preceptor de la Casa de Orleans, se unió a él.

Privaron a los hermanos de los sacramentos de la Iglesia, acusó Bolonia. Desde su arresto los han despojado de sus bienes y del hábito de la religión; están encadenados en sus celdas de la manera más humillante y carecen de todo. La mayoría de los que han muerto en prisión han sido enterrados fuera de los lugares sagrados y de los cementerios, y se les han negado los últimos sacramentos.

Pidió en consecuencia que todos los que querían defender la orden se reunieran con el gran maestre y los preceptores de las provincias para deliberar sobre el tema, reservándose el derecho de «hacer lo que debieran hacer» si les negaban su apoyo.

Los hermanos, en efecto, tenían representantes naturales: sus superiores, al frente de los cuales se encontraba Jacobo de Molay; por lo tanto era normal, y de acuerdo con su regla y sus votos, que fuera él quien tomara la defensa de la orden frente a la comisión o, al menos, una persona o un grupo de personas que hubieran recibido el poder de parte de él.

No dieron la razón a los hermanos: el arzobispo de Narbona les informó de que el gran maestre y los otros dignatarios habían renunciado a defender a la orden y los volvió a conminar a que nombraran apoderados. Los comisarios no tenían la intención de reunir a todos los hermanos en cada audiencia, y la única posibilidad que quedaba era nombrar mandatarios.

La defensa del Temple disminuida por la carencia del gran maestre

Los templarios se encontraban en este momento en un impasse jurídico: el gran maestre no iba a cumplir el papel que le incumbía y en el estatuto de la orden nada había previsto para suplir esa carencia, en especial en un momento tan grave.

Este episodio es un ejemplo característico de la manera en que los enemigos de la orden supieron usar sus propias reglas en contra del Temple.

Aycelin y los otros comisarios, sin tener la virulencia y la furia de un Nogaret o de un Felipe de Marigny, eran hombres de Felipe el Hermoso. Gilles Aycelin, el presidente de la comisión, era el ex guarda del sello del rey de Francia; Guillermo Durant, obispo de Mende, fue uno de los Padres del concilio que pidieron la condena de la orden sin discusión.

Estos prelados no tenían ningún sentimiento de piedad respecto al Temple, y para ellos contaba más el servicio al rey que a la Iglesia. No podían ignorar que la carencia del gran maestre paralizaría la defensa de la orden o, al menos, disminuiría su eficacia. Además, al solicitar el nombramiento de apoderados modificaban el procedimiento establecido por el Santo Padre en un sentido desfavorable para el acusado. Los templarios, sin embargo, no se decidieron a desconocer las exigencias de su regla.

A partir del día siguiente, el lunes 30 de marzo de 1310, se enviaron notarios a cada lugar de detención de los hermanos para tomar nota de los nombres de los apoderados que se habían elegido. Todos dieron la misma respuesta: «No podemos nombrar mandatarios sin el consentimiento del gran maestre y de nuestros superiores.»

Los notarios recibieron esta respuesta en todos los lugares a los que fueron: en el Temple de París, en la abadía de San Antonio, en Saint-Martin-des-Champs, en la casa del conde de Saboya, en la abadía de Santa Genoveva, y en otros lugares de París donde estaban detenidos los templarios.

El martes 31 de marzo de 1310, en el Temple de París, donde había encarcelados setenta y cinco hermanos, Pedro de Bolonia hizo una declaración importante: «Tenemos un jefe -dijo-, nada podemos hacer sin su autorización, nos es imposible nombrar mandatarios, nos ofrecemos para defender la orden y comparecer en persona ante la comisión.» Luego se indignó por las alegaciones de la bula pontificia.

Detestables, horribles, mentirosos, falsos, inicuos: éstas fueron las palabras que empleó Pedro de Bolonia para describir los ciento diecisiete artículos de la acusación elaborada por el Papa. «Son falsas invenciones en la sombra, sugeridas por enemigos de la orden», agregó inmediatamente. Tomó la defensa de la religión del Temple que era «pura, inmaculada».

«El suplicio de uno solo ha causado el terror de todos»

Una amplia parte de su declaración trata de las confesiones hechas por los hermanos: «Son mentira», afirma. Bolonia menciona la tortura que sufrieron, así como las amenazas: «El suplicio de uno solo ha causado el terror de todos.»

Esta frase nos aporta una valiosa información: puede ser que no todos los hermanos fueran torturados. Pero se les había mostrado el riesgo que corrían si no daban prueba de la docilidad que se esperaba de ellos, y obedecieron:

No había otro medio de escapar a la tortura que el de hacer confesiones mentirosas. Todo esto es público, notorio, y pedimos justicia, por el amor de Dios. Queremos defender a la orden, por todos los medios, explicó Bolonia. Para lo cual pedimos que nos devuelvan la libertad. Pedimos presentarnos en persona en el concilio general.

La declaración que Renaud de Provins presentó al día siguiente, el primer día de abril de 1310, contenía cierto número de argumentos jurídicos importantes. Según este hermano, los comisarios sólo podían proceder jurídicamente contra la orden en tres casos: por una acusación; por una denuncia; de oficio.

Si actuaban por una acusación, el acusador debía comparecer, de lo contrario el procedimiento era nulo. Si procedían por denuncia, es decir en virtud de acusaciones de un templario, el denunciante no debía ser escuchado porque, antes de denunciar a sus hermanos, según la regla, debía advertirles que se corrigieran; en otros términos, el procedimiento por denuncia no era aceptable. Si, finalmente, actuaban de oficio, Provins haría valer todos los medios y defensas.

Los templarios querían demostrar que el procedimiento iniciado era nulo.

¿El procedimiento era nulo?

No hubo acusación de una persona ajena a la orden porque no compareció. Esquieu de Floyran, el hombre que se considera es el origen del caso, nunca compareció.

Además el Temple no había sido objeto de una denuncia. Nunca un hermano del Temple habló de los hechos reprochados antes de su arresto. Por otra parte, en aplicación de la regla, no hubiera sido escuchado por las razones que explicó Provins.

Y tampoco podía existir el procedimiento de oficio, porque el Temple nunca suscitó escándalo, ni causó alteración pública.

Dicho procedimiento es el que habían aplicado a los cátaros en el siglo anterior porque predicaban abiertamente su herejía en el condado de Toulouse y las regiones vecinas. Nada de eso podía imputarse a los templarios.

Por otra parte, Felipe el Hermoso, que sabía que ése era el procedimiento a aplicar llegado el caso, intentó, a partir de la orden de arresto, probar por todos los medios que el Temple se había convertido en factor de escándalo y que su herejía era pública y notoria. Nunca lo logró: sólo la pasividad de la Iglesia y las complicidades en su seno que lo favorecieron le permitieron alegar estos motivos sin que lo contradijeran.

La estrategia de defensa de los templarios quedó establecida a partir de esta declaración capital de Renaud de Provins, claramente elaborada de acuerdo con Pedro de Bolonia que sabía más derecho que cualquiera de la orden: todo el procedimiento iniciado por el rey, y seguido luego por el Papa, por lo tanto era nulo.

El 7 de abril de 1310, Pedro de Bolonia, convertido por la fuerza de las circunstancias en el defensor oficioso de la orden y de los hermanos del Temple, habló ante la comisión.

En primer lugar explicó que los hermanos no tenían intención de alegar, porque sería contrario a la regla. No podían nombrar mandatarios sin el consentimiento del gran maestre y del capítulo.

En segundo lugar, suplicaban que se les permitiera acudir libremente al concilio.

En tercer lugar, suplicaban que nadie estuviera presente en las audiencias de la comisión porque las presiones eran tales que los hermanos no podían resistirlas. Bolonia hacía alusión indirectamente a las intervenciones de Nogaret y de Plaisians que llevaron, en noviembre del año anterior, a Jacobo de Molay a refugiarse en un prudente silencio y a renunciar a defenderse.

Bolonia subrayó por fin, otra vez, la nulidad del procedimiento. «Pretendemos —declaró— que no podéis proceder de oficio porque, antes del arresto de los templarios, la orden no perseguida por clamor público.» Este único argumento hubiera debido cesar cualquier procedimiento y provocar la liberación inmediata de los templarios y la restitución de sus bienes a la orden...

Luego de Pedro de Bolonia, el hermano Juan de Montreal presentó otros argumentos no desprovistos de sentido común. «Las confesiones hechas por los templarios son nulas», explicó. En efecto, ellos sólo podían ser juzgados por el Papa. No podían ser interrogados por nadie que no fuera él. Y jueces temporales, que dependían del rey, y jueces eclesiásticos, los inquisidores, no sólo los habían interrogado, sino que los habían torturado.

Además, las mentiras que dijeron esos hermanos, aunque fueran dignatarios o el gran maestre, no podían comprometer a la orden. Finalmente, Juan de Montreal recordó cómo ochenta hermanos, prisioneros del sultán, habían preferido la muerte a la apostasía: ¿cómo admitir que tales hombres negaran a Jesús el día de su admisión?

Los comisarios no dieron importancia a esos problemas de procedimiento. Se contentaron con responder que los poderes especiales emanaban del Papa. En una palabra, poco importaba que el derecho fuera burlado desde el día del arresto: el Papa, en alguna medida, regularizó los numerosos vicios de procedimiento.

Comisarios y templarios se entregaron a un verdadero diálogo de sordos: mientras los hermanos intentaron demostrar el absurdo jurídico del proceso, sus interlocutores escucharon educadamente pero no tenían en cuenta para nada sus justas observaciones.

El 11 de abril de 1310, empezaron las declaraciones de los testigos. Los hermanos De Bolonia, De Provins, De Chambonnet y De Sartiges, con el consentimiento de los comisarios, asistieron a las sesiones. No eran parte del proceso, ni instructores o investigadores de la parte acusada. Se les otorgó el derecho de presentar todas las observaciones que desearan.

Cada testigo prestaba juramento por separado, individualmente, con la mano sobre los Evangelios, de decir toda la verdad, la total verdad, la pura verdad sobre los cargos articulados, sin falsedad, tanto contra la orden como en su favor; declarar sin odio ni temor, no cediendo a la amistad, la corrupción ni la plegaria. Los cuatro hermanos también obtuvieron el derecho de decir lo que quisieran contra las personas y las declaraciones de los testigos.

Los testigos comparecieron sin cadenas. Cada uno era interrogado por separado y debía responder a los cargos del acta de acusación; seguía un debate entre el testigo y la comisión.

Estas declaraciones ya las hemos analizado largamente. Durante todo el mes de abril de 1310 y hasta comienzos del mes de mayo, los testigos defendieron la orden y refutaron las acusaciones odiosas que les imputaban.

El concilio de Sens obstaculizó el procedimiento contra la orden

El 10 de mayo, un domingo, Pedro de Bolonia y sus tres asistentes quisieron ver con toda urgencia a los miembros de la comisión pontificia: supieron por un rumor que el arzobispo había convocado para el día siguiente al concilio provincial de Sens con el fin de juzgar a los miembros de la orden. Bolonia temía que esta decisión tuviera como fin hacer desistir a los hermanos que se habían ofrecido a defender al Temple; formuló una apelación que deseaba leer a la comisión.

Aun sin conocer el contenido, el arzobispo de Narbona, presidente de la comisión, rechazó la apelación que la comisión no consideraría porque no estaba dirigida contra una de sus decisiones. Sin embargo, señaló que la comisión estaba dispuesta a escuchar lo que los hermanos tuvieran que decir en defensa de la orden.

Pedro de Bolonia leyó su declaración. Explicaba en especial que la investigación sobre la orden quedaba obstaculizada si el concilio procedía contra los defensores. En consecuencia, apelaba al Papa y suplicaba a los reverendos padres que quisieran informar al arzobispo de Sens y a sus colegas de que se abstuvieran de proceder. Además, solicitó poder presentarse ante el arzobispo con el fin de darle a conocer la apelación.

Más tarde, ese mismo día, informaron a los cuatro defensores del resultado de la deliberación de los comisarios: la declaración y la apelación serían consignadas en el acta, pero la comisión y el concilio eran dos instituciones diferentes y a aquella no le era posible intervenir ante el concilio. Gilles Aycelin, presidente de la comisión, dejó de pertenecer a ella.

El 11 de mayo se reunió el concilio de Sens. Procedió muy sumariamente, resolvió sobre la suerte de los detenidos por categoría de acusados y, por supuesto, no tuvo para nada en cuenta la apelación que Pedro de Bolonia había interpuesto ante el Papa.

El arzobispo de Sens, presidente del concilio, se basaba en una ordenanza real que disponía que en materia de herejía los condenados fueran entregados al brazo secular para la ejecución de su pena, aunque existiera apelación. La interpretación de esta ordenanza evidentemente era mal intencionada: tenía por objeto impedir que los herejes, condenados en primera instancia, pudieran continuar propagando su fe perversa en espera de ser condenados también en la apelación.

Pero hay que saber que la Inquisición condenaba muy raramente a la pena de muerte. Es evidente que en caso de tal condena, los principios del derecho ordenaban el aplazamiento de la ejecución hasta que se agotaran todas las vías de los recursos. Los hombres de la Edad Media podían mostrarse corruptos y partidistas como los de hoy, pero no eran imbéciles ni monstruos.

Cincuenta y cuatro hermanos declarados relapsos y condenados a muerte

El concilio liberó a algunos hermanos de sus votos. Dejó en libertad e indemnes a otros después de una penitencia: entre los que habían confesado y mantenido sus confesiones. Otros fueron condenados a prisión con vigilancia estrecha. Un gran número fue condenado a prisión perpetua: los que se habían negado a confesar.

Cincuenta y cuatro hermanos, que habían confesado y luego se habían retractado, fueron declarados relapsos e impenitentes. Entregados al brazo secular fueron llevados en carros por la ciudad hasta la puerta Saint-Antoine, a un lugar situado entre el bosque de Vincennes y el molino de viento de París. Allí los arrojaron sobre leños ardientes. Frente a la hoguera, los condenados declararon «que se retractaban de sus confesiones» y proclamaron que «eran verdaderos católicos».

La extraña «evasión» de Pedro de Bolonia

A partir de ese día, la mayoría de los hermanos que se habían ofrecido a defender a la orden desistieron.

El 18 de mayo de 1310, Pedro de Bolonia había desaparecido: no se presentó ante la comisión y sus tres compañeros lo reclamaron. Temían que hubiera formado parte de los desdichados declarados relapsos por el concilio de Sens la semana antes. No parece que haya sido el caso, pero De Bolonia no volvió a aparecer ante la comisión pontificia, que se suspendió hasta el 3 de noviembre de 1310.

Ésta reanudó sus sesiones el 17 de noviembre. Ese día, sólo estaban presentes Guillermo de Chambonnet y Beltrán de Sartiges. Inquietos, preguntaron dónde estaban sus otros dos compañeros. Pedro de Bolonia, les dijeron, se había retractado de sus primeras declaraciones, hechas ante el inquisidor general. Luego, había «roto su prisión» y se había dado a la fuga. Al parecer, se había evadido. En cuanto a Renaud de Provins, había sido degradado por el concilio de Sens y por lo tanto no tenía ya capacidad para defender. No les dijeron dónde se encontraba.

La defensa estaba quebrada. Pedro de Bolonia, que era su alma, había desaparecido en condiciones misteriosas.

Algunos documentos hacen pensar que De Bolonia fue excomulgado, degradado y condenado a prisión perpetua por el concilio. Pero los comisarios afirmaron que se había evadido. ¿Sólo se había evadido como sugirieron? ¿Y por qué se había retractado de sus primeras declaraciones? Posiblemente, había sido interrogado de nuevo y sometido a tortura.

Se consiguió el efecto buscado. Los hermanos De Chambonnet y De Sartiges se negaron a asistir en adelante a las declaraciones de los testigos sin la presencia de sus hermanos. La defensa de la orden había muerto. La protección prometida a los «abogados» de la orden no se aplicó; los que habían cumplido esta misión fueron llevados a la situación de no poder gozarla.

Y así se obtuvo la consecuencia última: ningún defensor de la orden fue al concilio de Vienne, y el Temple pudo ser suprimido sin que ninguno de sus miembros estuviera en condiciones de tomar la palabra en su nombre.

La historia prefiere retener los grandes nombres y los hechos importantes antes que los personajes oscuros. Sin embargo, debería retener el nombre de Pedro de Bolonia, que fue seguramente el hombre que intentó salvar a los templarios.

Mientras los dignatarios mantenían sus confesiones y se negaban a realizar la defensa de la orden, mientras el gran maestre se ocultaba en un mutismo culpable y creía encontrar su salvación en una entrevista a solas con el Papa, él fue el único que salió a denunciar la ignominia de las acusaciones contra la orden. Asistido por sus tres hermanos, De Provins, De Chambonnet y De Sartiges, luchó con todas las pocas fuerzas de que disponía para demostrar que el procedimiento era nulo.

Es posible preguntarse si la elección de De Bolonia fue sensata.

El procurador general de la orden ante la curia romana, en 1307, había hecho confesiones abrumadoras a Guillermo Imbert. Según sus confesiones, el día de su admisión, el hermano que lo había recibido lo llevó aparte y le mostró una cruz con la imagen del Crucificado pidiéndole que renegara de Jesucristo: De Bolonia lo había aceptado. Luego ese hermano le dio autorización para tener relaciones impuras con sus hermanos. «No es pecar», le precisó. De Bolonia no lo había creído y nunca cometió ese pecado. También había tenido que dar besos indecentes de los que ya se ha hablado y también vio que otros hermanos eran recibidos de la misma manera.

Luego se retractó y explicó que había confesado como consecuencia de las torturas, aunque no dejaba de estar en situación de gran debilidad respecto a sus acusadores.

Hubiera sido preferible la elección de un hombre sin tacha, o sea, que no hubiera confesado. Pero, por una parte, sólo De Bolonia tomó la iniciativa de realizar esta defensa, y por la otra, el inquisidor había hecho tan bien su tarea que esos «hombres sin tacha» sólo eran tres en todo París, ya que todos los otros habían confesado.

De Bolonia era un clérigo. Había estudiado derecho. Sus funciones en la corte de Roma le habían dado la ventaja, sobre los otros defensores, de conocer al Papa así como a los prelados que debían juzgar a la orden y a los hermanos. Sin duda hasta tenía amigos entre ellos: se imaginó, con sus hermanos, que sería escuchado... No fue así.

Después de hacer justicia a este hombre que, a pesar de la inmensidad de la tarea que debía cumplir y los obstáculos infinitos, intentó salvar al Temple y a los templarios, es el momento de recordar a Nogaret, Dubois, Marigny, cuya acción maligna y encubierta fue la perdición de los monjes soldados.

Los hombres de la sombra

En el caso del Temple, tres hombres pusieron al rey en condiciones de llevar a buen término su empresa. Estos personajes tuvieron una parte considerable en el desarrollo del proceso y permitieron, en períodos de crisis, desbloquear una situación compleja en beneficio del soberano.

El proceso del Temple no se desarrolló de manera uniforme. Si bien es verdad que de entrada el rey estuvo en una situación de fuerza, también lo es que tuvo que enfrentar las iniciativas de sus adversarios, el Papa y los templarios que, aunque debilitados, no por esto dejaban de estar muy activos.

Ya se sabe cómo reaccionó el Papa cuando se enteró del arresto de los hermanos, y cómo el gran maestre les dijo que se retractaran de sus confesiones cuando se enteró del apoyo pontificio. Hubo que reducir a ambos al silencio y a la docilidad: éste fue el papel de esos hombres en la sombra que, sin retroceder ante ninguna manipulación sórdida, forzaron, cuando fue necesario, el paso a la etapa siguiente. Resulta claro que el monarca nunca hubiera iniciado el proceso de no haber contado con el apoyo activo de estos hombres.

Felipe el Hermoso fue un gran rey, sobre todo porque supo conseguir los servicios y la lealtad de consejeros con personalidades e intereses antagónicos. Por ejemplo, la presencia en el mismo consejo de Carlos de Valois, su hermano menor, y de Enguerrando de Marigny, su chambelán —dos hombres que se detestaban infinitamente— habría paralizado el ejercicio del poder y suscitado graves conflictos. El soberano, por el contrario, supo sacar el mejor provecho del talento de cada uno: Valois, gran capitán, y Marigny, negociador de talento, aportaron sus luces al reinado sin que sus querellas personales salpicaran al gobierno.

En el caso del Temple tuvo que conciliar intereses resueltamente contrarios en su entorno. Los templarios eran gente de Iglesia, y él pedía nada menos que la condena de sus personas, la de su orden y la confiscación de sus bienes. Además, todo esto se basaba en un legajo de acusación poco sólido.

Había que lograr que la Iglesia, los otros soberanos, los grandes del reino y el pueblo, aceptaran la idea de que los templarios eran peligrosos herejes y que su desaparición era necesaria. En el seno del consejo existía oposición entre Nogaret y Aycelin, arzobispo de Narbona, sobre el arresto del conjunto de los hermanos.

La presencia de eclesiásticos en su entorno hubiera podido ser un freno a la acción del rey contra el Temple; pero supo utilizar a todos sin herir las convicciones y fidelidades de unos y otros. Y así cohabitaron —y hasta se sucedieron en la guarda del sello real— Guillermo de Nogaret, el hombre de las bajas obras y las manipulaciones sórdidas, y Gilles Aycelin, el prelado escrupuloso.

Nogaret el extremista

Pieza principal del tablero en el que jugaba el rey, Nogaret era el alma del proceso. Preparó su desencadenamiento, militó por la solución más extrema, el arresto de todos los hermanos el mismo día, y si luego se esfumó es únicamente porque el recuerdo del caso de Anagni lo hacía poco «presentable» para negociar con la Santa Sede.

Nacido en una familia burguesa de los alrededores de Toulouse, Guillermo de Nogaret había estudiado derecho en Montpellier y luego fue profesor. Instalado en París, entró al servicio del rey en 1296, a la vez que conservaba numerosas amistades en su región de origen.

Cuando Esquieu de Floyran, el denunciante del «error» de los templarios, intentó encontrar refugio en París después de sus crímenes en Agenais, buscó naturalmente la protección del secretario del rey. Coincidencia: el rey y Nogaret consideraban en esa época (alrededor de 1303) una acción contra el Temple.

La naturaleza de las medidas que se tomarían todavía no estaba determinada, pero Felipe el Hermoso ya había intentado, sin éxito, convertirse en caballero de la orden. El monarca quería asegurarse el control del Temple... o ahogarlo. Nogaret apreció rápidamente el partido que podía sacarse de las villanías de Floyran para facilitar la realización de los designios de su señor.

En septiembre de 1307 se mostró como un ardiente partidario del arresto de los templarios en el famoso consejo de Pontoise donde se tomó la decisión, y ese día el rey le confió el sello, ese mismo sello que Gilles Aycelin se había negado a estampar en la orden de arresto.

Nogaret también había trabado relación con el inquisidor general, Guillermo Imbert, en el curso de los años precedentes. Luego del atentado de Anagni —que el secretario real nunca quiso que se desarrollara como se desarrolló y en el curso del cual impidió que el cardenal Colonna matara al papa Bonifacio— Nogaret se había transformado en un personaje controvertido en la corte. Además, sólo debía su salvación al apoyo inquebrantable de Felipe el Hermoso en todas las circunstancias. Convencido de su derecho, el secretario del rey intentó justificarse. Su encarnizamiento por obtener la condena de Bonifacio no fue el resultado de la venganza del ministro contra el pontífice, sino el medio último que Nogaret necesitaba para probar que había tenido razón.

¿Nogaret era hijo de un cátaro?

La imaginación histórica gusta de presentar los grandes casos religiosos del reinado de Felipe El Hermoso (los casos Saisset, Bonifacio VIII y el de los templarios) como el resultado de la venganza del terrible Nogaret, cuyos abuelos habían muerto en la hoguera de Montsegur.

En efecto, el secretario del rey venía de una familia burguesa de los alrededores de Toulouse que, como numerosas familias burguesas de la región, tuvo una fuerte atracción por el catarismo. Y el abuelo de Nogaret había sido cátaro. Pero la realidad es menos épica: ese hombre no fue un perfecto y menos aún una víctima de la hoguera de Montsegur. A lo sumo un agitador menor que la Inquisición redujo al silencio. Y su nieto no fue un monstruo sediento de venganza intentando él solo abatir a la Iglesia para vengarse.

Instruido en derecho romano como el mismo Felipe el Hermoso y otros legistas, Nogaret simplemente tenía sentido del Estado. Esta forma política que fue la de la República y, después del Imperio romano, desaparecida tras las invasiones bárbaras para dar lugar al desorden y luego al feudalismo, volvió a renacer en el siglo XIII. Esta noción, que nos es familiar, tenía un carácter revolucionario en la época y Nogaret era uno de sus firmes partidarios.

Para resumir, la noción de Estado postula que un pueblo en un mismo territorio debe obedecer a un solo jefe. Los templarios, con sus numerosos privilegios de jurisdicción, sus inmunidades, sus exenciones fiscales, su organización independiente, eran un obstáculo para esta idea que nos resulta natural pero que todavía no lo era en Francia en la Edad Media.

En el reinado de Felipe el Hermoso se creó una administración numerosa y eficaz que contribuía a afianzar la autoridad real en los cuatro rincones del reino. Nogaret fue uno de los hombres que participó en esta lenta tarea.

Pero, para construir, a menudo hay que demoler. El Temple, con sus inmensas posesiones territoriales enclavadas en el reino y su gran maestre que sólo obedecía al Papa, tomaba aspecto de gran feudo que escapaba a la autoridad del príncipe. Para el monarca, que había emprendido una política de reducción de los infantados en el seno de su familia (justamente para no comprometer el poder real), esto era incompatible con la visión que tenía de su país.

Con el mismo punto de vista, el secretario del rey y guarda del sello no era un fanático religioso, ni un revanchista, sino un hombre de Estado que servía a Dios y al rey con una sumisión y fidelidad sin tacha.

Las memorias de Pedro Dubois

El entorno real era, después de todo, bastante heterogéneo. Junto con los grandes señores, como el conde Valois y el conde de Évreux, hermanos del soberano, o el conde de Artois, su primo, los prelados, como Gilles Aycelin, y los representantes de la pequeña nobleza, como Nogaret o Marigny, también había burgueses. Entre éstos, un tal Pedro Dubois, tuvo un papel importante. Su pluma le sirvió de arma.

Este erudito, especie de periodista antes de tiempo, en los años que precedieron al proceso y durante toda su duración, se mostró muy activo en el condicionamiento de la opinión pública.

Dubois era abogado del rey en Coutances. En la Edad Media, esta función significaba simplemente que contaba al monarca entre sus clientes y defendía sus intereses en las causas relativas a su bailía normanda.

Pero era también un ambicioso que trataba de hacerse valer. Para ello enviaba regularmente al soberano memorias concernientes a tal o cual punto de política que apasionaba a la opinión: Tierra Santa, los templarios, etc.

En 1306, escribió una obra titulada De recuperationae Terrae sanctae, «De la recuperación de Tierra Santa». Se trataba del gran debate de la época, el que agitaba a todos los intelectuales, a todos los eruditos y apasionaba al pueblo, que se preguntaba si la tumba de Cristo quedaría definitivamente en posesión de los infieles o si la Verdadera fe triunfaría en Jerusalén.

En 1308 representó a su ciudad de Coutances en los estados generales. Pero Dubois nunca tuvo la importancia de un consejero: nunca participó en el consejo del rey, sólo raramente se acercaba a éste y siempre en manifestaciones tales como los estados generales.

Sin embargo, su talento de abogado y periodista sirvieron a su señor. Ya en 1302, «diputado» en la asamblea reunida por el rey en París cuando la lucha contra Bonifacio VIII, el abogado normando escribió un libelo refutando la bula Ausculta fili con la que el Papa pretendía una soberanía temporal sobre el reino de Francia.

Esta refutación decía claramente que el Papa debía ser considerado hereje, punto de vista que muy pronto retomaría Nogaret para poner al rey como defensor de la Iglesia frente a un pontífice que se había hundido en la herejía.

Después de la obra de 1306, siguió por este camino en los años siguientes. Recordemos qué contenían sus memorias: confiscación de los bienes del Temple, Felipe el Hermoso hecho emperador por Clemente V sin recurrir a la elección, adquisición del reino de Chipre por el príncipe Felipe de Poitiers, segundo hijo del rey.

Soñaba con la monarquía universal del rey Capeto quien, sin perder su pragmatismo, no era insensible a este sueño.

Dubois denuncia el nepotismo de Clemente V

El rey luego utilizó hábilmente a Pedro Dubois ya que, cuando estalló el caso, se acordó de este servidor desinteresado y recurrió a su talento para intentar doblegar al Papa, al que consideraba demasiado favorable a los templarios.

Mientras que hasta entonces el rey había recibido memorias que no había solicitado, es verosímil pensar que la «Amonestación al pueblo de Francia» fuera encargada. En todo caso se difundió ampliamente por el reino. Es poco probable que el abogado hubiera dispuesto de medios para hacer él mismo esta difusión. O sea, que aunque Felipe no la hubiera encargado consideró oportuno hacerla difundir ampliamente.

La obra es un texto anónimo pero se sabe que fue escrita por Dubois porque el estilo empleado es idéntico a otras escritas por él, y también debido a la presencia de una cita bíblica muy gráfica que usaba a menudo: «Los indecisos son los nervios de los testículos de Leviatán.»

A comienzos de 1308, momento en que se publicó esa memoria, el Papa empezó a frenar las iniciativas reales, quebrantar los poderes de los inquisidores y reprender severamente al monarca sobre la manera en que trataba a los hombres de la Iglesia.

Esta reprimenda fue el contraataque del rey que, fiel a su costumbre, se apoyó en el pueblo: el texto consiste en otro «sermón» dirigido por el pueblo al rey haciéndole saber su descontento (el del pueblo) contra el Papa que no sirve a la fe católica tal y como debiera como vicario de Cristo. Le reprochaban al Santo Padre que tardara en condenar a los templarios, a pesar de las confesiones que hicieron de sus múltiples delitos, y le reprochaban directamente su nepotismo.

En efecto, el Papa había nombrado cinco cardenales y cinco obispos en su familia: Raymon de Got, Raymond de Fargues, Arnaud de Pellegrue, Arnaud de Canteloup y Bernardo de Jarre recibieron la púrpura, mientras que Bernardo de Fargues, Amanieu de Farges, Gaillard de Preissac, otro Arnaud de Canteloup y otro Bernardo de Fargues fueron nombrados para las sedes de Agen, Ruán, Burdeos, Narbona, Albi y Toulouse.

Si Bonifacio VIII se había atraído el odio de la poderosa familia Colonna distribuyendo condados y beneficiando a los suyos, Clemente V tenía la misma actitud y satisfacía la avidez de su familia, linaje gascón de buena nobleza pero poca fortuna.

Un pontífice en la familia era una posibilidad que había que utilizar al máximo. Pedro Dubois lo recordó para exacerbar los celos del clero francés y de los doctores de teología, cuyas ambiciones se veían contrariadas por la avidez de la «familia papal».

Esta reprimenda produjo el efecto esperado. Preparó los estados generales que el rey convocó en Tours en marzo de 1308, en los cuales recibió el apoyo de los burgueses en su lucha contra la herejía de los templarios. Se recordará que luego de esos estados generales el Papa devolvió sus prerrogativas a los inquisidores y organizó el proceso de la orden y de los hermanos, mientras que antes retrasaba el procedimiento.

Más tarde, durante ese mismo año, el abogado normando escribió otra reprimenda llamada «Suplicio del pueblo de Francia», en la que justificó, basándose en textos bíblicos, el arresto de los templarios por parte del rey a pesar de carecer de autorización pontificia.

¡Abolir el celibato de los sacerdotes y relevar al clero regular del voto de castidad!

«Escritor, pensador de un talento considerable, monárquico ardiente, Dubois execraba la nobleza y la corte de Roma», cuenta Lavocat. En las consultas que enviaba espontáneamente a su soberano

> suprimía no sólo el poder temporal de los papas, sino todos los poderes, para investir con ellos al rey de Francia. Soñaba con una monarquía universal en beneficio de los Capetos, como hemos visto antes; aconsejaba sacarle al Papa todo el patrimonio de la Iglesia.[28]

Se ha pretendido que este personaje era un simple galicano, un simple oponente. Era más radical y cuidaba tanto las libertades de la Iglesia de Francia como de la de Roma, cuando se trataba de pasiones e intereses de su señor.

Sabemos cómo trataba Felipe a estas dos Iglesias, según las necesidades de su política. Dubois le había sugerido abolir el celibato de los sacerdotes y relevar al clero regular del voto de castidad.

El abogado real aparecía claramente como un doctrinario aferrado a los textos del Antiguo y Nuevo Testamento, a los que hacía decir lo que quería. Era un sectario que trastocaba los principios del derecho romano, que entonces se enseñaba con entusiasmo en Francia, en especial en la Escuela de derecho de Orleans. Para los jurisconsultos de la época, el rey era todo, y el resto sólo estaba compuesto por elementos que debían obedecer.[29]

28. Lavocat, *op. cit.*, pág.172.
29. *Ibid*

Las hogueras de Felipe de Marigny

Un último hombre para las bajas tareas: Felipe de Marigny, hermano de Enguerrando, se reveló como un personaje fundamental en el caso del Temple. Su fidelidad inquebrantable al rey permitió resolver un espinoso problema en el curso del procedimiento.

Después del espectacular arresto de 1307 y las confesiones obtenidas con celeridad por el inquisidor general, el Papa retomó la iniciativa, tímidamente, teniendo en cuenta las presiones reales, pero devolvió los poderes a los inquisidores, ordenó una nueva investigación, separó el proceso de los hermanos del de la orden.

La suerte del Temple quedó pendiente de la decisión de un concilio general del que el rey nada bueno auguraba. Los hermanos podrían comparecer muy pronto, defenderse ellos mismos o por medio de sus representantes. Los obispos extranjeros, poco deseosos de servir los designios políticos del rey de Francia, sin dudarlo asumirían la defensa de la orden.

En cuanto a las riquezas de la orden, serían utilizadas con miras a la cruzada. El rey conservó la custodia de los prisioneros y de los bienes incautados pero nada estaba reglamentado. La nueva investigación podía hacer aparecer elementos nuevos: los hermanos, convertidos en testigos, empezaron a revelar las torturas sufridas y a retractarse.

Los interrogatorios realizados en otros países —entre los primeros Inglaterra, Castilla, Aragón, Italia— seguramente harían aparecer una visión nueva del Temple. Felipe, por lo tanto no había ganado la partida y, a decir verdad, en ese momento no dominaba la situación.

Los otros monarcas europeos, en efecto, se mostraron más bien favorables a los templarios.

Eduardo II de Inglaterra en 1307 escribió a todos los reyes, príncipes y duques soberanos de la Cristiandad para pedirles que no creyeran sin pruebas en las alegaciones de los Capetos. Esperó la orden del Papa para ordenar el arresto de los monjes soldados y la tortura, por así decirlo, no fue aplicada en los Estados de Plantagenet. En cuanto al emperador romano germánico, se mostró poco hostil hacia los monjes soldados.

La situación de la península Ibérica merece también que se la considere por un momento. En España los templarios no eran gestores como en Francia, Inglaterra o Alemania. En España combatieron al infiel y, contrariamente a lo ocurrido en Tierra Santa, ganaron.

En Castilla, Aragón y en Portugal, los hermanos del Temple cumplieron escrupulosamente su misión de soldados de Cristo. La población, a la que defendieron, y los monarcas, a los que asistieron militar y financieramente, los apreciaban. Si bien los reyes de Aragón y de Castilla, primos y aliados del rey de Francia, terminaron por escuchar las acusaciones de Capeto y por obedecer la orden de arresto pontificia, el rey de Portugal resistió: se negó a llevar a prisión a los hermanos de la orden.

¡No, decididamente, Felipe el Hermoso todavía no había ganado la partida!

Entonces vino en su ayuda la Providencia. Murió el viejo arzobispo de Sens y aprovechó la ocasión para pedir la sede episcopal para el obispo de Cambrai, que no era otro que Felipe de Marigny, hermano menor de Enguerrando, su chambelán, que tenía cada vez más importancia en el consejo y cuyas ideas empezaban a prevalecer sobre las de Nogaret.

Pero el Papa había notificado desde Aviñón, donde residía, que se reservaba el nombramiento del sucesor «según grandes y justas causas». Hasta prohibió al capítulo que lo nombrara. El rey insistió:

> Cuando deseo que nombréis al arzobispo de Sens es porque, sin esta designación, el concilio provincial se atrasará. En ese concilio podrán pasar varias cosas que interesan a la gloria de Dios, la estabilidad de la fe y de la santa Iglesia. Que la juventud del prelado no os haga creer que carece de capacidad; tiene la edad conveniente; y, con la ayuda de Dios, sus actos os probarán cómo está por encima de su edad.[30]

El joven Marigny fue nombrado arzobispo de Sens en abril de 1310. Apenas se instaló se consagró por entero al servicio de los proyectos del rey. Y veremos lo que por desgracia sucedió.

Felipe de Marigny era un hombre ambicioso al que los escrúpulos no ahogaban e iba donde lo llevaba su interés. En 1315, durante el breve reinado de Luis X, traicionó sin escrúpulo a su hermano y participó, en calidad de juez, en el proceso por brujería que llevó a Enguerrando al cadalso. Pero su fidelidad a su hermano mayor y al rey no tenía fisuras; Felipe el Hermoso sabía que podía contar con su protegido.

---

30. Raynouard, *op. cit.* pág. 93.

Tener de su parte al arzobispo de Sens era capital para el monarca, porque París era diócesis sufragante de Sens y los templarios arrestados en la capital comparecerían ante el concilio de Sens. Aunque el gran maestre y los dignatarios fueran juzgados directamente por el Papa, tener en sus manos a los otros templarios era muy valioso.

Pero el activo Felipe de Marigny fue aún más valioso. En mayo de 1310, la posición del rey era difícil: la comisión pontificia, dirigida en París por Gilles Aycelin, arzobispo de Narbona, recibió los testimonios de los templarios. Éstos, en su mayoría, querían defender a la orden: los quince voluntarios del 3 de febrero de 1310 se habían convertido en quinientos noventa y dos a finales de marzo.

La situación se volvió catastrófica. No contentos con proclamar la santidad de la orden, los hermanos se retractaron de sus confesiones.

Explicaron con qué innobles torturas les habían sido arrancadas. Acusaron al inquisidor. Revelaron las manipulaciones odiosas que les hicieron aceptar: cartas falsas del gran maestre... promesas de dinero, es decir, tentativas de corrupción... amenazas hechas en nombre del rey o del Papa... también seducción: «Es por la voluntad del Papa que la orden es perseguida, haced pues las confesiones que el Santo Padre desea...»

También se supo que treinta y seis templarios habían muerto en París como consecuencia de las torturas, cosa que las actas de los interrogatorios se cuidaron muy bien de mencionar.

Felipe de Marigny fue el hombre providencial. Convocó acto continuo el concilio de Sens.

Se sometieron las declaraciones de los templarios que defendieron a la orden ante la comisión: los que las revocaron fueron declarados relapsos. Para el arzobispo, los hermanos que confesaron en 1307 y luego se retractaron ante la comisión pontificia cometieron herejía.

Los teólogos no compartían este argumento. La Facultad de teología de París, consultada por los prelados del concilio, estaba dividida: mientras tres doctores compartían el parecer de Marigny, diecinueve maestros consideraron que los hermanos que actuaron de esa forma no eran relapsos. Pero para el arzobispo esto no tenía importancia: él era un político aunque llevara el hábito religioso.

La sentencia fue inmediata: la muerte por fuego. El 12 de mayo de 1310, cincuenta y cuatro hermanos fueron quemados vivos cerca de la puerta de Saint-Antoine, a la entrada de París. Su valor fue ejemplar: persistieron en sus retractaciones y suscitaron una viva admiración en el pueblo. Marigny tuvo émulos en otras diócesis: las hogueras ardieron en Carcasona y en Senlis sobre todo.

A partir de este momento, ya ningún templario quiso defender a la orden. Y es en esto en lo que Felipe de Marigny resultó un actor indispensable del proceso: sin su cruel intervención, la defensa de la orden no hubiera sido quebrada como lo fue.

En el proceso del Temple, hay un antes y un después del 12 de mayo de 1310: si existe una fecha de flexión en su desarrollo, una fecha en la que todo se tambaleó, fue seguramente ese día.

Cuarta parte
Los Arcanos del Temple

Los banqueros del mundo

En la Edad Media, aun en período de guerra o de hambruna, épocas propicias para exacciones, las iglesias, monasterios y abadías gozaban de una relativa inviolabilidad. El temor a Dios y la severidad de la justicia contra los que atacaban a Sus vicarios eran tales que desalentaban a más de un saqueador... sin hablar de las sólidas fortificaciones a menudo alzadas alrededor de los monasterios más ricos.

Las encomiendas y otras casas pertenecientes a los templarios inspiraban aún más confianza. No sólo se las sabía construidas por inteligentes ingenieros y defendidas por los más valerosos caballeros de la Cristiandad, sino que las personas que confiaban sus bienes a la orden estaban seguras de que se los devolverían llegado el momento. Los banqueros judíos y lombardos no inspiraban una tranquilidad equivalente.

Y los depósitos afluían a los establecimientos de la orden. Los mismos príncipes estaban persuadidos de que sus joyas se hallaban allí mejor protegidas que en cualquier otra parte.

Debido a esta confianza, plenamente justificada, los templarios muy pronto se convirtieron en los banqueros del mundo.

En el siglo XIII, todos, humildes y poderosos, confiaban sus valores a los templarios. El rey de Francia colocó su tesoro en el Temple de París; el rey de Inglaterra hizo lo mismo en Londres; los grandes señores entregaban sus haberes a los caballeros del Temple cuya probidad conocían.

En junio de 1220, Pedro Sarrasin, burgués de París, preparó su peregrinaje a Compostela. Prudentemente, redactó su testamento y confió su patrimonio al Temple. Cien libras se destinaban a la madre del testador; seiscientas, entregadas a la abadía de Saint-Victor, servirían para comprar rentas de trigo; el saldo, destinado a sus hijos, quedaba en manos del Temple hasta su mayoría de edad. En 1211, otro burgués, Pedro Constant, organizó en su testamento el reembolso de la dote de su mujer: debían tomarse dos mil sueldos de la cuenta a su nombre en la casa del Temple de Saint-Gilles.

El Temple recibe las joyas del rey de Inglaterra

El Temple no recibía sólo dinero: aceptaba cualquier objeto de valor. De 1261 a 1272, El Temple de París tuvo la custodia de las joyas de la Corona de Inglaterra. Como los señores se habían rebelado, el rey, por prudencia, mandó su tesoro a la reina Margarita de Provenza. La reina de Francia verificó el inventario, puso todo en dos cofres con su sello y los envió a los templarios. Dio las llaves de los cofres a los enviados del rey de Inglaterra. Enrique III recuperó sus bienes en 1272. Antes de ser confiadas en época de guerra al Temple de París, esas mismas joyas habían estado custodiadas en el Temple de Londres de 1204 a 1205, cuando reinaba Juan sin Tierra.

Todo objeto de valor era susceptible de ser entregado a la guarda de los templarios. Con Luis IX, el patrón libra se encontraba en el Temple de París, como lo atestigua un acta del parlamento de 1253: el pesador del agua del vizcondado de Ruán, encargado de establecer el patrón de la libra, fue a buscarlo ese año. Cuando, en 1258, Luis IX y Enrique III de Inglaterra firmaron un tratado, también depositaron allí el original. Naturalmente la Iglesia recurrió a los servicios de la orden; en 1220, el vicecanciller de Inglaterra depositó el sello real en el Temple antes de emprender un viaje. La lista de los depósitos de todo tipo que la orden recibió durante sus dos siglos de existencia es larga.

Pero los depósitos no constituían verdaderamente una actividad bancaria. Cualquier persona digna de confianza era capaz de asegurar eficazmente su protección y podía recibir tales depósitos. Los templarios hacían más.

A partir del siglo XII, la orden recibía fondos no en depósito —es decir, para devolverlos más tarde al depositante— sino en forma de embargo: recibía bienes con la misión de entregarlos a un tercero cuando se cumpliera una condición. Dejaba pues de obedecer a un único depositante para convertirse en parte de un acuerdo de tres. Su misión había evolucionado.

En 1158, la orden recibió la custodia del castillo de Gisors y de otras fortalezas. Enrique II de Inglaterra y Luis VII de Francia habían acordado casar a sus hijos, Enrique y Margarita, todavía niños. Las tres fortalezas eran la dote de la niña confiada al rey de Inglaterra para ser educada en la corte de Londres. El acuerdo entre los dos soberanos preveía que esa dote se entregaría en el momento del matrimonio efectivo, varios años más tarde. Mientras tanto los templarios debían conservar las tres fortalezas y entregarlas al soberano inglés sólo después del matrimonio. En 1161, Enrique II casó a los dos niños y reclamó los tres castillos. La orden del Temple al comprobar que el matrimonio se había celebrado se los entregó.

Un acuerdo del mismo tipo se había realizado entre el conde de Vienne y de Mâcon y el señor de Beaujeu en 1124: el primero debía entregar la tierra de Chénas al segundo cuando éste último hubiera depositado mil marcos de plata en manos del Temple.

Una palabra más segura que la de algunos reyes

El procedimiento se utilizó muy a menudo para garantizar las rentas. Cuando, en 1214, Juan sin Tierra quiso asegurarse el apoyo de los grandes señores, privados de sus tierras de Normandía por resolución de la corte de pares de Felipe Augusto, se comprometió a pagarles fuertes pensiones. Como sabía que su palabra inspiraba poca confianza, el rey de Inglaterra pagó al Temple de La Rochelle el equivalente a cinco anualidades de renta. Así, las pensiones fueron pagadas por la orden, en quien la nobleza inglesa tenía más confianza.

Unos años más tarde, Enrique III utilizó el mismo procedimiento para garantizar los derechos de su madre, que se consideraba perjudicada por el acuerdo con san Luis.

Pero la actividad bancaria por excelencia a la que los templarios se dedicaban era, claramente, el préstamo. La orden era rica en tierras que producían rentas; deducidos los gastos de mantenimiento, el beneficio se dedicaba a la cruzada permanente que los templarios realizaban en Tierra Santa. Recibían también sumas importantes en depósito por parte de los reyes, grandes y pequeños señores, burgueses, comerciantes, campesinos, etc. Estas sumas no tenían razón alguna para quedar inmovilizadas en los cofres: podían servir para préstamos concedidos a deudores solventes. Los primeros clientes, naturalmente, fueron los reyes. Cuando Luis VII necesitó dinero en Tierra Santa, lo obtuvo del Temple y entregó a cambio una carta que ordenaba a Suger reembolsar las sumas prestadas. El rey pedía en Jerusalén: su ministro pagaba en París. Para la época era una idea revolucionaria.

En noviembre de 1259, Gui de Châtillon, conde de Saint-Pol, pidió mil libras acuñadas en París al temple de esa ciudad, comprometiéndose a reembolsar la suma en el mes de febrero siguiente.

Pero los templarios eran gente hábil a la que interesaban no sólo los grandes clientes. También prestaban sumas módicas a clientes no muy pudientes. En estas condiciones pedían, como los banqueros modernos, la garantía de una persona solvente. En 1202, Juan sin Tierra avaló a su vasallo Étienne du Perche en un préstamo de quinientas libras angevinas que éste solicitó al Temple. Si Du Perche no las devolvía el rey de Inglaterra lo haría en su lugar.

Para los pobres caballeros de Cristo todo servía de garantía, en especial las reliquias de valor: cuando, en 1240, Balduino II, emperador de Constantinopla, pidió una suma muy grande de dinero a los templarios de Siria, dio como garantía nada menos que la Verdadera Cruz, en la que había muerto el Redentor...

Los primeros banqueros modernos

Los templarios eran creativos. Inventaron la cláusula penal. Si la suma prestada no se devolvía el día establecido, se cobraba un suplemento como multa.

Geoffroi de Sergines y su hijo firmaron esta cláusula imprudente en un préstamo de tres mil libras tornesas: si no pagaban el día fijado, debían pagar, además, la misma suma como multa. Los dos murieron sin haberla pagado: la viuda del hijo fue condenada por el parlamento a reembolsar la deuda. En cuanto a la multa de tres mil libras el parlamento tomó una decisión cuyo tenor no conocemos. Pero este caso muestra que los templarios no eran desinteresados. El dinero que prestaban debía devolverse en plazos fijos, y sabían emplear medios convincentes para que sus deudores respetaran sus obligaciones.

Banca moderna anticipada, la orden garantizaba también compromisos tomados por los clientes. Cuando san Luis proyectó casar a su hijo Luis con la hija y heredera del rey de Castilla, los templarios, conjuntamente con los hospitalarios, dieron su garantía al pago de la dote. Si la pareja real de Castilla, todavía en edad de tener hijos, tenía un hijo, su hija no heredaría el reino. En ese caso, se lee en el contrato de matrimonio, la dote se elevaría a treinta mil marcos de plata y su pago estaría garantizado por las dos órdenes, el Temple y el Hospital.

Los templarios también cumplieron un papel diplomático: en 1204, Juan sin Tierra confió al maestre del Temple en Francia la tarea de negociar la liberación de su favorito, Guillermo Brewer, y pagar el rescate convenido con el rey de Francia. Los ejemplos de tales negociaciones son innumerables.

Banco de depósitos, banco de préstamos, banco de negocios, el Temple aplicó rápidamente medios de pago modernos.

Con sus numerosas encomiendas en Occidente y en Oriente, se dio cuenta de que no siempre era necesario desplazar fondos para hacer un pago. Cuando Suger quiso enviar fondos a Luis VII, que realizaba la segunda cruzada, los confió a los templarios, que trasmitieron únicamente la información del pago a sus encomiendas de Oriente, y el rey pudo retirar los fondos que necesitaba en Tierra Santa. No se realizó ningún movimiento material de dinero: acababan de inventar el giro.

Juan sin Tierra, rey de Inglaterra y duque de Guyena, recurrió ampliamente a esta técnica. Como recibía mucho dinero de Francia, sobre todo de impuestos, y pagaba importantes sumas en Francia, en especial para el mantenimiento de sus agentes, el rey utilizará de manera constante los servicios del Temple ya que la técnica empleada le evitaba transportar los fondos de Francia a Inglaterra él mismo en una época en que las relaciones franco-inglesas eran tormentosas. Los mismos fondos trasladados bajo el estandarte de los templarios no corrían riesgo: el rey de Francia nunca atacaba los navíos templarios. Por otra parte, como se efectuaba una compensación entre los pagos y los ingresos, los movimientos efectivos de fondos con Inglaterra eran menos frecuentes que si el rey realizaba por su cuenta las entregas.

El gran número de establecimientos de los que disponía la orden favorecía las operaciones de pago en toda la Cristiandad. Así, el rey de Inglaterra pagaba a sus oficiales en Aquitania, hacía llegar fondos al conde de Flandes o enviaba un donativo al conde de Auvernia. Inocente III envió mil libras de Provins al patriarca de Jerusalén en 1208. Cuando, hacia 1274, Gregorio X pidió 15.000 marcos a unos mercaderes, los reembolsó el Temple.

Los mejores clientes de la orden tenían una cuenta a su nombre. El Santo Padre, cuando percibió el diezmo, depositó en ella las sumas recibidas.

El Temple contó entre sus clientes con los papas Gregorio IX, Honorio III, Gregorio X, Honorio IV, Martín IV, Inocencio III, Inocencio IV; los reyes de Inglaterra Enrique II, Ricardo Corazón de León, Juan sin Tierra; los reyes de Francia Luis VII, Felipe Augusto, Luis VIII, san Luis, Felipe el Atrevido, Felipe el Hermoso; la reina Blanca de Castilla, los condes Alfonso de Poitiers, Carlos de Anjou y Roberto de Artois, hermanos de san Luis, el conde Roberto de Clermont, último hijo de san Luis, el duque de Borgoña y su hijo el conde de Nevers, la reina Juana de Navarra, esposa de Felipe el Hermoso, para citar sólo algunos de los más ilustres.

Los templarios, hábiles en esta ciencia del dinero, se convirtieron también en los tesoreros de los reyes. El rey de Nápoles, Carlos I, confió al hermano Arnoul el cargo de tesorero; Jaime I, rey de Aragón, hizo una elección equivalente en 1220. En Francia, fueron los tesoreros de todos los reyes que se sucedieron desde Luis VII hasta Felipe el Hermoso.

El gran invento del Temple

El gran invento del Temple fue la letra de cambio: gracias a ella, los pagos se hicieron mucho más fáciles y los intercambios se multiplicaron.

El principio era a la vez ingenioso y simple: un peregrino que iba a Tierra Santa depositaba en el Temple de París la suma de cien libras. Se le daba una letra de cambio. Ésta letra era nominativa, si la robaban no tenía utilidad para el ladrón, por lo tanto el riesgo del robo se reducía a nada. A cambio de esta letra, el peregrino podía retirar cien libras en el Temple de Jerusalén, de esta manera podía viajar sin temor a exacerbar la avidez de los bandidos.

El medio de pago, además, era muy ágil. Afinemos el ejemplo: nuestro peregrino va a embarcar en Provenza. Por supuesto ha llevado algo de dinero con él. Imaginemos que necesita diez libras en Marsella. A cambio de su letra, la encomienda del lugar le entrega diez libras y una nueva letras de noventa libras. Por lo tanto puede disponer de su haber en la medida de sus necesidades.

Los templarios se lo facilitaban aún más y le aportaban moneda del lugar. De haber llevado dinero de París hubiera tenido que cambiarlo en Jerusalén por la moneda del lugar y, también durante su camino, en cada sitio donde debiera hacer un gasto. La orden, a cambio de su letra, le daba moneda utilizable en el lugar.

El Temple tenía también un servicio de pagos periódicos. San Luis constituyó en 1260, en beneficio del hospital de París, una renta de diez libras acuñadas en la ciudad, y en 1270 otra de treinta libras en beneficio de los ciegos de París: las dos debían ser pagadas cada año por el Temple. Felipe el Atrevido, en 1277, atribuyó a su hermano, Roberto de Clermont, una renta vitalicia de cuatro mil libras tornesas, cuyo pago aseguraba la orden. Cuando compró el condado de Chartres a Juana de Châtillon en 1286, Felipe el Hermoso efectuó el pago en forma de una renta de tres mil libras tornesas que pagaría el Temple.

Cómo el Temple elude la prohibición de prestar a interés

¿La orden hace pagar todos estos servicios ofrecidos tanto a los poderosos como a los humildes? El préstamo a interés estaba prohibido por la Iglesia y no hay comprobantes de que la orden lo practicara. Pero la prohibición era teórica: ni los papas ni los soberanos se engañaban.

Existen dos ordenanzas de Felipe Augusto que reglamentan la tasa de usura y prohiben, sobre todo a los judíos, prestar a una tasa superior al cuarenta y tres por ciento al año.

Para quien sepa leer entre líneas, resulta que los monjes soldados no eran filántropos. Ya hemos visto cómo, por medio de cláusulas penales draconianas, incitaban a sus deudores a ser puntuales en sus reembolsos. Imaginarán otras astucias para obtener remuneración de sus servicios.

Veamos cómo consintieron un préstamo y recibieron en garantía una hipoteca sobre los bienes inmobiliarios de un burgués de Zaragoza, Pedro Desde:

Es de nuestra voluntad, y damos a Dios y a la caballería del Temple, nuestra heredad en Zaragoza, casas, tierras, viñas, jardines y todo lo que allí poseemos. Y además los señores del Templo de Salomón nos dan por caridad cincuenta maravedíes para hacer nuestro peregrinaje al Santo Sepulcro. Y hace-

mos este acuerdo en caso de que uno u otro de nosotros vuelva de este peregrinaje a Zaragoza, y quisiéramos ocupar la propiedad, pondrán en una cuenta los beneficios que hayan obtenido de nuestra propiedad, y nosotros les
reembolsaremos sus cincuenta maravedíes. Luego viviremos en nuestra propiedad y después de nuestra muerte quedará libre del Templo de Salomón
para siempre.[31]

Este contrato constata en apariencia dos donaciones recíprocas: Pedro
Desde donaba su tierra y su casa al Temple que, «por caridad», le daba
cincuenta maravedíes para pagar los gastos de su peregrinaje a Jerusalén. Pero si nuestro burgués quisiera recuperar sus bienes, debía devolver el dinero prestado y la casa, las tierras, los viñedos, etc., le serían
devueltos.

La intención es clara: dar en garantía un bien inmobiliario para el caso
de que los cincuenta maravedíes no fueran devueltos. En cuanto a los intereses, se trataba, por supuesto, de los frutos retirados de la explotación de
los bienes durante la duración del préstamo.

Muy a menudo, el interés se retiraba del monto del capital prestado; así,
quien se comprometía a devolver diez libras sólo recibía nueve. Otro medio,
que viene a ser lo mismo, consistía en agregar el interés al capital a reembolsar. Los reconocimientos de deuda en general eran sucintos y sólo se
precisaba el monto a reembolsar, lo que ayudaba a eludir la prohibición
legal del préstamo a interés.

Jules Piquet cuenta que:

el mayor beneficio de los prestamistas no estaba constituido por el interés, sino
que resultaba de una cláusula que en esa época figuraba comúnmente en las actas
de préstamo. Según esta disposición, el que recibía el préstamo se comprometía,
en caso de no pagar al vencimiento, a indemnizar al prestamista de todos los per-
juicios causados por su retraso; la mayor parte de las veces el monto de la repa-
ración se dejaba a la apreciación del mismo prestamista, bajo juramento.[32]

31. D'Albon, Cart. gén., n.º CXI, citado por Marion Melville, *La Vie des Templiers*, segunda edición, París, 1974, pág. 87 y ss.
32. Jules Piquet, *Les Templiers, Étude de leurs opérations financières*, tesis
de doctorado, París, s. f., pág. 53.

Los tesoreros de los reyes

Conocidos por su saber sobre el dinero, se confió a los templarios la custodia y gestión del Tesoro real; conservaron este cargo desde la época de Felipe Augusto hasta su arresto.

Entregaban a los bailes del rey las sumas necesarias para terminar de hacer frente, cuando era necesario, a los gastos locales, según explica Léopold-Victor Delisle.

Cobraban el producto de la tarja de los judíos de Auvernia, de diferentes senescalías, del condado de Chartres, del de Champaña, de la acuñación de Sommières y de París, del diezmo cobrado por los asuntos del reino de Aragón. Recuperaba diferentes sumas debidas, legadas o restituidas al rey.

Alimentaba la caja con que se pagaban los gastos de la casa del rey y de los príncipes. También cubría una parte de las rentas, pensiones, gratificaciones y pignoraciones que gravaban las finanzas reales.

Adelantaba el dinero que el rey prestaba a su abuela y a varios señores. Saldaba los gastos de las diferentes misiones diplomáticas o de otro tipo, como el viaje de Goubert de Helleville, caballero, enviado por Felipe el Hermoso, con dos clérigos y un ballestero, ante el rey de los tártaros.

Subvencionaba a los partidarios de Francia en el reino de Navarra y pagaba a los soldados que servían en ese país. Reembolsaba las sumas prestadas por banqueros italianos y las que el rey, en momentos críticos, obligaba a sus súbditos a prestarle.[33]

Así pues queda claro que los templarios prestaban mucho y que por lo tanto disponían de mucho efectivo.

Y esta abundancia en moneda metálica —porque la moneda papel no existía— era uno de los grandes misterios que suscitaban. No sin razón se decía que los templarios tenían dinero. Pero ¿de dónde venía ese dinero que tanto le faltaba a los otros?

---

33. Léopold-Victor Delisle, *Mémoire sur les opérations financières des Templiers*, París, 1889, pág. 53 y ss.

El misterioso dinero del Temple

El siglo XII fue el siglo de las catedrales. A partir de 1140, por impulso de obispos y comunas, se construyeron más de ciento cincuenta iglesias, entre ellas ochenta catedrales.Ese año se empezó la construcción de la catedral de Noyon; en 1153, Senlis y Laon; en 1163, Notre-Dame-de-Paris; en 1166, Poitiers; en 1170, Sens y Lisieux; en 1175, Soissons; en 1194, Chartres; en 1200, Ruán; en 1211, Reims; en 1218, Coutances; en 1220, Amiens; en 1229, Toulouse; en 1240, Estrasburgo; en 1247, Beauvais; en 1250, Metz; en 1262, Troyes, etc., para citar sólo las obras más importantes.[34]

El misterio de la financiación de las catedrales

La construcción continuó durante varias décadas, en el curso de las cuales se pagó a arquitectos, tallistas de piedra, albañiles, carpinteros, escultores, vidrieros y otros, que participaron largamente en dichas obras. Se impone una pregunta: ¿qué dinero financió la construcción de estos edificios monumentales?

En los siglos XII y XIII la moneda, evidentemente, era metálica y, hasta esa época, las piezas en circulación eran muy escasas. Sin embargo, a partir de 1140, se encontraba suficiente oro y plata para pagar todos los gastos generados por la apertura de estas fábricas.

34. Louis Charpentier, *Les Mystères templiers*, París, 1967, pág. 182 y ss.

El siglo XII fue la época en que se renovó la circulación monetaria. Lo extraño del caso es que ignoramos por completo de dónde provenía esa nueva masa monetaria que favoreció la expansión económica del mundo cristiano.

El oro seguía siendo escaso, pero la plata circulaba sin que se hubieran descubierto nuevas minas. Las viejas minas que los romanos explotaban en la región de Toulouse estaban agotadas desde la Antigüedad. En Europa, ningún filón era productivo. Las minas de Alemania y Rusia sólo se abrirían en el curso de los siglos siguientes.

A pesar de esto, el dinero en metálico circulaba y los templarios no eran ajenos al movimiento de esta oportuna masa monetaria. Prestaban mucho porque «tenían dinero», es decir, disponían en cantidad suficiente del precioso metal para acuñar las monedas cuando tenían el derecho de hacerlo, o para proveer a los reyes y a los señores que ejercían ese derecho, el metal para emitir sus piezas de plata.

¿De dónde provenían las reservas? Porque el Temple recibía en garantía objetos de valor y prestaba a cambio dinero contante y sonante... ya que en la época todavía no existía la impresión de billetes. Se podría suponer que este dinero venía de Palestina, pero el Oriente Próximo no tenía minas, y los cruzados habían traído muy poco metal de Tierra Santa.

No obstante, en esa época existían minas de plata en explotación, importantes filones capaces de proveer a Occidente de ese metal que necesitaba para multiplicar sus intercambios y financiar su expansión económica: se encontraban... en América del Sur.

¿Los templarios en América?

¿Los templarios conocían la existencia del continente y hacían traer de allí su precioso metal? La hipótesis, a priori, parece descabellada, por no decir ridícula. Y, sin embargo, algunos indicios especialmente perturbadores nos llevan a examinarla con amplitud de miras.

En primer lugar, debemos recordar que el vasto continente americano fue sin duda descubierto por Cristóbal Colón. Se sabe que los primeros indios de América llegaron de Siberia a través del estrecho de Bering; también se sabe que los normandos (o vikingos) descubrieron Groenlandia en el siglo IX, y en la actualidad se admite corrientemente que es probable que llegaran al continente propiamente dicho. Esto no desmiente que Cristóbal

Colón fuera el que dio a conocer la existencia de estas vastas tierras al mundo entero, mientras que los precedentes descubridores preservaron la confidencialidad de su descubrimiento, cuyo alcance no comprendieron.

En segundo lugar —el lector nos perdonará esta perogrullada— para ir a América había que atravesar el océano. ¿Los templarios podían hacerlo?

El estudio reciente de textos medievales permite pensar que san Brandán habría atravesado el Atlántico y alcanzado las costas americanas alrededor de 540-550.[35] Tolomeo, en su geografía, relata el viaje de un capitán griego, Alejandro, a América, en el siglo I.[36] Los vikingos, con sus drakkars rudimentarias, también hicieron la travesía. En cuanto a Cristóbal Colón, nadie podría afirmar que su travesía fue la consecuencia de un descubrimiento fundamental en materia naval: el descubridor español estaba persuadido de que podía llegar a las Indias. La travesía del Atlántico antes del siglo XV no era, pues, una imposibilidad absoluta.

El dios blanco y con barba de los indios de México

En tercer lugar, cuando Hernán Cortés desembarcó en México, en 1509, fue recibido como un dios por los indios: lo tomaron por Quetzalcoatl.

La tradición anunciaba el regreso de Quetzalcoatl, el dios del viento, «un hombre bien dispuesto, de aspecto grave, blanco y barbado; su vestido era una túnica larga». Ese hombre

> había venido antaño a la tierra de los aztecas enseñándoles por obra y palabra el camino de la virtud, y evitándoles vicios y pecados, dando leyes y buena doctrina; y para refrenar sus delitos y deshonestidades, les constituyó el ayuno [...] y viendo el poco fruto que daba su doctrina, volvió por la misma parte de donde había venido, que fue por la de oriente, desapareciendo por la costa de Coatzacoalco.[37]

No se sabe cómo los indios habrían podido inventar como dios a un hombre blanco con barba, cuando ellos mismos eran lampiños y tenían cabellos negros. La única explicación lógica para justificar la existencia de tal

---

35. Jacques de Mahieu, *Les Templiers en Amérique*, París, 1981, pág. 25.
36. Jacques de Mahieu, ob. cit., pág. 39.
37. Salvador de Madariaga, Hernán Cortés, Madrid, 1975, pág. 21.

dios es que hombres blancos, rubios y con barba, habían desembarcado en el continente y se habían hecho pasar por dioses. Esto no sería absurdo.

En efecto, para algunos hombres llegados al continente americano, el único y más seguro medio de establecer su autoridad sobre las poblaciones indígenas, ignorantes y crédulas, era hacerse pasar por divinidades. Esta actitud era una garantía de seguridad para los recién llegados; también podía servir para sacar partido de la situación, para hacer trabajar a los autóctonos sin arriesgarse a que los masacraran.

¿Los que desembarcaron eran vikingos o templarios? No tenemos la respuesta, pero tanto unos como otros corresponden a la descripción que los indios de México hacían de Quetzalcoatl. Muchos templarios —los del norte de Francia, Inglaterra y Alemania— eran rubios y tenían la piel blanca. Además, llevaban barba. ¿Los indios vieron llegar a los templarios y los tomaron por dioses? Lo hicieron con Cortés: hubieran podido hacerlo cuatro siglos antes con los monjes soldados.

Estas tres reflexiones nos llevan a admitir la idea de que algunos europeos debieron llegar al continente que llamamos América antes de 1492.

La enigmática encomienda de La Rochelle

Un indicio suplementario permite pensar que los templarios fueron tal vez esos europeos: se trata de la misteriosa base naval de La Rochelle.

El Temple disponía allí de un puerto muy importante que tenía la extraña particularidad de, aparentemente, no servir para nada. Nadie pudo nunca explicar porqué la orden disponía de un puerto tan considerable en el océano Atlántico cuando sus instalaciones no estaban justificadas por tráfico conocido.

Las relaciones con las encomiendas de Inglaterra se establecían vía Flandes y Normandía; con el norte de España y Portugal preferentemente se realizaban por tierra o desde Burdeos.

Ya que estaba demasiado lejos de los centros para ser rentable en las relaciones con Gran Bretaña o la península Ibérica, esta base, orientada hacia el Atlántico ¿para qué servía? Porque tenía actividades importantes, una flota numerosa, y estaba rodeada por varias encomiendas que servían de relevo para ir cómodamente hasta allí. En ella vivían numerosos hermanos.

Sólo podemos hacer suposiciones, porque los archivos de la orden han desaparecido. Una de ellas es que esta encomienda era el puerto que servía de vínculo con el continente americano. En efecto, si los templarios mantenían relaciones secretas con dicho continente, esta localización, frente al océano, era perfecta.

Los archivos nacionales franceses poseen un título redactado por Andrés de Coulours, preceptor del Temple en Francia, en el que hay un tercer sello extraño, diferente de los conocidos, con las palabras Secretum Templi.

En el centro figura un personaje, con el torso desnudo, un taparrabos, un tocado de plumas y un arco; podría tratarse muy bien de la representación de un indio de América. Observemos de pasada que los tocados de plumas no eran característicos solo de los indios de América del Norte: también los llevaban los de Brasil.

¿Palabras quichés de origen europeo?

En el siglo XIX, un sacerdote europeo, cura de Rabinal, un pueblo guatemalteco, y muy versado en lingüística, observó extrañas similitudes entre el quiché que hablaban estos indios y las lenguas en uso en Europa en la Edad Media. Estas similitudes, que suman varios centenares, dejan perplejo. Así, estos indígenas utilizaban la palabra orel para «oreja», gol para «cola», bol para «bola», payoh para «pagar», tanbal para «timbal», tir para «tirar», etc.[38]

Los símbolos precolombinos utilizan profusamente la cruz: cruces griegas, latinas, patés (o ancoradas) aparecen en numerosos monumentos, diferentes objetos y documentos. Los distintos codex lo atestiguan. Por ejemplo, algunas representaciones del dios Quetzalcoatl lo muestran con una cruz de Malta en su escudo: tal es el caso en el Codex Magliabecchi.

Los indicios en favor de una pequeña presencia europea en el Nuevo Mundo, tal vez templaria, en la época precolombina, son suficientemente numerosos para que el caso siga abierto y la hipótesis no se descarte con gesto desdeñoso.

Algunos no han dudado en suponer que el tesoro de la orden se encontraba eventualmente allí. Es, sin duda, una conclusión un poco apresurada, pero es verdad que ese fabuloso tesoro, todavía buscado con entusiasmo, da la impresión de estar en todas partes. Ahora lo veremos.

38. Jacques de Mahieu, ob. cit., pág. 171 y ss.

El tesoro perdido

«Lo que vi en ese momento, nunca lo olvidaré, porque era un espectáculo fantástico. Estaba en una capilla románica de piedra de Louveciennne, de treinta metros de longitud, nueve de anchura, y de unos cuatro metros y medio de altura hasta la bóveda. A mi izquierda, cerca del agujero por el que pasé, había un altar, también de piedra, así como su tabernáculo.

A mi derecha, el resto del edificio. En las paredes, a media altura, sostenidas por modillones de piedra, las estatuas de Cristo y de los doce apóstoles, tamaño natural. A lo largo de las paredes, colocados en el suelo, sarcófagos de piedra de 2 metros de longitud y de 60 centímetros: había diecinueve. Y en la nave, lo que iluminé era increíble: treinta cofres de metal precioso, colocados en columnas de diez.

Y la palabra cofre es insuficiente: más bien habría que hablar de armarios acostados, armarios que medían cada uno 2, 50 m de longitud, 1,80 de altura y 1,60 de anchura.»[39]

¿El tesoro de los templarios fue descubierto en los túneles del castillo de Gisors, poco después de la Segunda Guerra Mundial y luego se perdió debido a la incredulidad general?

1. Gérard de Sède, *Les Templiers sont parmi nous*, París, 1962, pág. 23.

Los túneles de Gisors

La costumbre de excavar túneles era una práctica generalizada en la Edad Media. Toda buena fortaleza estaba destinada a resistir un sitio un día u otro. Pero estar sitiado no quería decir haber caído en una trampa: había que poder comunicarse con el exterior, prevenir a los aliados de fuera, dar informaciones, entrar víveres y armas, o hacer que salieran algunos hombres.

Se dice que la fortaleza de Château-Gaillard, a pesar de ser imposible de tomar y estar sólidamente abastecida, debió rendirse porque la cuerda para sacar agua del pozo se rompió.

Como las otras fortalezas construidas en la época, Gisors tenía túneles.

La leyenda cuenta que una reina blanca sitiada se escapó de ella para refugiarse en el castillo de Neaufles, situado no lejos. Sitiado a su vez, el castillo cayó al día siguiente, pero la reina blanca había vuelto a desaparecer. Escapó por el túnel que unía los dos castillos, volvió por detrás y como los asaltantes estaban de espaldas los puso en fuga. Las búsquedas arqueológicas dan testimonio de la presencia de tales galerías secretas: en 1857, Gédéon Dubreuil, un investigador local, descubrió que varios fosos unían el torreón de Gisors con el de Neaufles-Saint-Martin, distante algunos kilómetros. La arqueología acababa de confirmar la tradición.

Las galerías excavadas bajo la ciudad son innumerables. Por ejemplo, los bombardeos de la última guerra descubrieron un subterráneo que unía el torreón con la iglesia. Todavía cada tanto se descubren, cuando se trabaja en sótanos, demoliciones de inmuebles, o bien en el acondicionamiento de jardines.

En los años que siguieron al final de la guerra, en plena reconstrucción, estos descubrimientos eran casi diarios: hasta se descubrió un cementerio de la época merovingia. Por desgracia para los arqueólogos, la principal preocupación de las autoridades era volver a construir. El descubrimiento de vestigios históricos no podía retrasar trabajos urgentes y, muy a menudo, se tapaban sin escrúpulo excavaciones cuya exploración hubiera podido llevar a descubrimientos históricos de primera importancia.

Así, en marzo de 1950, los obreros que ensanchaban una calle cercana a la iglesia descubrieron cuatro sarcófagos de piedra. Unos días más tarde apareció un túnel de la época gótica, probablemente construido en el siglo XII, obstruido por escombros. Pero todo se cubrió de inmediato y continuaron los trabajos de urbanismo en curso.

¿Una cripta bajo el torreón del castillo?

En esa época casi todos los días se hacían nuevos hallazgos en Gisors. Sin embargo, en 1946, cuando el guarda del castillo dijo haber descubierto una capilla subterránea debajo del torreón, nadie le creyó.

Roger Lhomoy ocupaba sus funciones desde 1929. Debido al cierre del castillo durante la Segunda Guerra Mundial, había realizado excavaciones, persuadido de que existía un tesoro oculto en el túnel como decía la tradición local; excavaciones realizadas con medios muy rudimentarios pero tenaces.

«Noche tras noche, durante tres años, provisto sólo de una pala, un pico, una lámpara eléctrica, un torno de mano bastante viejo y un cesto de mimbre que le servía para sacar los escombros, fue al torreón y excavó, clandestinamente», explica Gerardo de Sède, que se convirtió en portavoz de Lhomoy.[40]

El arqueólogo aficionado realizó sus investigaciones clandestinamente hasta que un día topó con una pared de piedra que consiguió abrir. Una capilla románica. Estatuas tamaño natural de Cristo y los apóstoles. El descubrimiento parecía de primordial importancia y el guarda informó a las autoridades municipales, que fueron al lugar: el caso tomó entonces un giro inesperado para el desdichado Lhomoy.

. Se le reprochó haber excavado sin autorización escrita. Nadie quiso ir a verificar sus afirmaciones, teniendo en cuenta los peligros que representaba. El capitán de los bomberos, que terminó por intentar la aventura, debió renunciar a unos metros del objetivo porque las galerías excavadas por Lhomoy amenazaban con derrumbarse. El alcalde ordenó volver a taparlo todo. Lhomoy pasó por enfermo mental y perdió su empleo.

En los años siguientes, con las autorizaciones necesarias, se hicieron otras excavaciones. En 1962, el Estado realizó investigaciones pero sin éxito. El expediente se cerró en 1964: las excavaciones de Lhomoy habían afectado seriamente el viejo edificio y todas las aberturas se rellenaron con cemento.

¿Lhomoy era un mitómano ávido de notoriedad? Oficialmente no hay capilla debajo del torreón. Pero existen túneles: ¿uno de ellos es el que descubrió Lhomoy?

Este asunto no tendría relación con nuestro propósito si otros elementos no nos llevaran a pensar que los templarios tal vez ocultaron su tesoro en la región de Gisors.

40. Gérard de Sède, ob. cit., pág. 23.

La prueba de la existencia de un tesoro oculto

Los bienes del Temple fueron confiscados por el rey de Francia el 13 de octubre de 1307 y quedaron bajo su custodia hasta su entrega a los hospitalarios, de acuerdo con la voluntad pontificia.

Estos bienes eran de diferente naturaleza: los bienes inmobiliarios fueron normalmente devueltos a los hospitalarios; los bienes recibidos en depósito, por la actividad de banca de la orden, restituidos a sus propietarios respectivos; pero ¿que se hizo con los valores y los objetos pertenecientes a la orden, los archivos, el oro traído de Tierra Santa? Felipe el Hermoso no se los entregó a los hospitalarios. ¿Los conservó para él o desaparecieron antes de que les echara mano?

Descartemos de inmediato la hipótesis, a veces planteada, según la cual los templarios no tenían valores en metálico. La orden manipulaba grandes cantidades en efectivo en el marco de su actividad bancaria; necesariamente tenía una caja que debía ser importante en su casa principal de París.

Los templarios eran pobres pero la orden era rica. Sus dignatarios mantenían un gran tren de vida. ¿Acaso el mismo Jacobo de Molay no declaró a los comisarios pontificios, el 28 de noviembre de 1309, que no conocía otra orden cuyas capillas e iglesias tuvieran mejores y más hermosos ornamentos, reliquias y objetos de culto?

Si se necesitara una prueba suplementaria de la existencia de bienes preciosos es ésta: el 28 de noviembre de 1314, víspera de su muerte, Felipe el Hermoso, en un codicilo a su testamento, donó a las hermanas de Santa María de Poissy «la gran cruz de oro que había pertenecido a los templarios». Por lo tanto tenían bienes muebles y de gran valor, algunos de los cuales terminaron en manos del rey, lo contrario hubiera sido sorprendente.

El mismo día del arresto de los hermanos se hicieron inventarios, pero pocos de ellos llegaron hasta nosotros; ignoramos pues la cantidad de bienes confiscados.

Pero tenemos una certeza: el rey no logró quedarse con todos esos bienes. Los archivos desaparecieron. El gran maestre habría hecho destruir los ejemplares de la regla. En el entorno del rey, se pensaba que algunos objetos costosos habían sido puestos a buen recaudo antes del maldito viernes 13.

Guillermo de Plaisians, en el discurso que pronunció en Poitiers en presencia del Papa, reprochó a los templarios haber «robado y dilapidado los bienes de la Iglesia, haberlos disipado, incluidos los vasos sagrados». Está claro que el rey no encontró en el Temple todo lo que esperaba, a menos, evidentemente, que hubiera tratado de cubrir sus malversaciones...

La rivalidad Pairaud-Molay

Los templarios se sabían amenazados. ¿Dieron prueba de una prudencia elemental? ¿Fueron prevenidos de su inminente arresto? ¿Algunos caballeros tomaron la iniciativa aislada de proteger ciertos haberes —los archivos sobre todo— sin el acuerdo o contra la voluntad del gran maestre?

La pasividad de Jacobo de Molay en las semanas precedentes al arresto no fue aprobada por todos los dignatarios. Mientras él persistía en actuar como servidor obediente del Papa y se dejaba engañar por las zalamerías del rey de Francia, otros pregonaban la desconfianza y una reacción mucho más fuerte a los ataques repetidos de Felipe el Hermoso.

En una entrevista con Clemente V en Poitiers, durante el verano de 1307, Hugo de Pairaud había afirmado sin ambigüedad que si eran atacados, los templarios se defenderían. En este clima de tensión, tanto en el seno del capítulo como en el exterior, puede pensarse que se tomaron iniciativas personales y que algunos dignatarios quizás decidieran prescindir de la voluntad del gran maestre, aunque esto fuera contrario a la regla.

Pairaud, visitador de Francia, era un personaje importante en el seno de la orden. En 1292, había sido el candidato perdedor al cargo de gran maestre frente a Molay. Era un hombre de mando muy bien colocado, teniendo en cuenta su función en el Temple, y pudo sospechar el engaño del rey así como tomar todas las medidas que sirvieran para proteger los bienes de la orden.

Si bien no podía prohibir a las encomiendas que desconfiaran de cualquier iniciativa real y se prepararan para hacer frente a un eventual ataque, sí podía decidir la suerte de los archivos y del tesoro. Pensamos que fue él quien tomó las medidas necesarias para la salvaguarda de los objetos que nunca se encontraron.

En otoño de 1307, en las semanas previas al arresto, de hecho había una diarquía al frente del Temple: reapareció la rivalidad Molay-Pairaud. Mientras el gran maestre persistía en creer que su rango de príncipe soberano lo colocaba, así como a los otros hermanos, al abrigo de cualquier iniciativa fuerte de parte del rey de Francia, el visitador tomaba precauciones más concretas. Un testimonio recogido durante el proceso confirma este análisis.

La confesión de Juan de Chalon

A finales de junio de 1308, setenta y dos templarios comparecieron ante el Papa en Poitiers. Uno de ellos, Juan de Chalon, templario de Nemours (diócesis de Troya), hizo una declaración que concuerda perfectamente con nuestro propósito.

Según él, Gerardo de Villers, preceptor de Francia, se enteró de un arresto inminente y huyó, acompañado de cincuenta caballeros. Pensaba hacerse a la mar con dieciocho navíos de la orden anclados en la desembocadura del Sena.

Juan de Chalon reveló también que Hugo de Châlons, el 12 de octubre al caer la noche, habría trasladado el tesoro de Hugo de Pairaud, gran visitador de Francia, en tres carros cubiertos con paja y una lona. La policía de Felipe el Hermoso nunca encontró esos tres carros, pero se ha establecido sin discusión posible que Gerardo de Villers y Hugo de Châlons escaparon a la redada del 13 de octubre y sólo fueron detenidos unos días más tarde.

El testimonio de Juan de Chalon nunca fue confirmado por otro, pero la pista merece considerarse seriamente.

Hacer desaparecer in extremis documentos, la contabilidad de la orden, la correspondencia, el resumen de los capítulos, objetos de valor, y hasta un cargamento de oro, seguramente no era fácil en un entorno hostil. Los agentes reales, aun sin saber qué se preparaba, vigilaban a la orden. No olvidemos que el mismo Papa había permitido una investigación para determinar si los rumores estaban fundamentados.

Tal operación implicaba tener un escondite cercano. Nadie duda que las idas y venidas de los templarios estaban vigiladas y que no podían efectuar tales desplazamientos a la luz del día, a la vista y conocimiento de todos.

¿Dónde ocultar el tesoro?

A esos hombres que querían proteger la orden a pesar de la inercia de Jacobo de Molay se les planteaba una pregunta: ¿dónde disimular el tesoro? ¿En Francia o en el extranjero?

Francia no era segura ya que querían protegerse de su rey. Porqué iba a ocultarse el tesoro dentro de las fronteras del reino si allí residía el peligro. Elegir un reino extranjero era más prudente: Inglaterra, el Sacro Imperio, Aragón...

Inglaterra parecía un destino satisfactorio porque quedaba muy cerca y su rey no estaba sometido al de Francia. Eduardo II se negó a arrestar a los templarios e invitó a los otros soberanos a no creer en las alegaciones de Felipe el Hermoso. Pero no era fácil llegar a los reinos extranjeros porque las fronteras estaban custodiadas y los puertos vigilados. Y aunque el Temple disponía de sus propios puertos, transportar una carga hasta el lugar de embarque no dejababa de tener dificultades.

Pero admitamos que el destino del tesoro fue ese país.

Para escapar de París a Londres a comienzos del siglo XIV sólo había dos caminos: el camino más importante, el de Ruán, vigilado por los agentes del rey, y la vía romana que pasaba por Gisors.

Imaginémoslo. El convoy partió la noche del 12 de octubre pero, al alba, se produjo el arresto: ya no era posible continuar. Había que encontrar rápidamente un escondrijo.

Gisors estaba cerca. Era una fortaleza real, no un lugar que perteneciera al Temple o a un soberano extranjero, pero su elección no era tan equivocada como parece. Es evidente que los templarios no podían ocultar el tesoro de la orden en una de sus encomiendas: éstas acababan de caer bajo el control del rey. Pero ellos habían tenido la custodia del castillo de Gisors, en la época de Luis VII y de Enrique Plantagenet, y conocían la existencia del túnel que unía Gisors y Neaufles.

Es evidente que formaban parte del convoy hombres que conocían el camino. Decidieron esconder el cargamento en una galería hundida. ¿Quién iba a ir a buscar en el subsuelo de una fortaleza real?

Sea como fuere tenemos una certeza absoluta sobre un punto: el convoy del que habla Juan de Chalon nunca llegó a los dieciocho navíos que esperaban en la desembocadura del Sena.

El tesoro de los templarios sigue sin descubrirse y la historia de Lhomoy, por inverosímil que parezca, sigue siendo creíble. La presencia de las estatuas de Cristo y de los doce apóstoles sugiere que se trata de un tesoro religioso; los armarios tal vez contienen los preciosos archivos del Temple, su contabilidad, su correspondencia.

Más que el oro y los objetos preciosos, este tesoro, si de verdad existe y es descubierto, sería en principio un tesoro para los historiadores: por fin podrían estudiar la historia de la orden basándose en documentos enteramente nuevos, de época, anteriores al proceso. Muchos misterios de los templarios quedarían disipados.

¿Un segundo tesoro de los templarios?

La caza del tesoro de los templarios ya no es posible en Gisors desde que las galerías excavadas por Lhomoy fueron rellenadas con varias toneladas de cemento armado. Pero continúa en el sur de Francia donde enigmáticos pergaminos, encontrados en el siglo pasado (pero cuyo descubridor se llevó el secreto a la tumba), según ciertos indicios podrían tener relación con las riquezas perdidas de la orden.

Ese día de junio de 1885, el 1 exactamente, un hombre de treinta y tres años llegó a Rennes-le-Château. El pueblo era muy pequeño, con unos doscientos habitantes. Una minúscula localidad situada en lo alto de una colina y de acceso difícil. La ciudad grande más próxima era Carcasona, a una decena de kilómetros.

Era el nuevo cura del pueblo, Bérenger Saunière. Un hombre inteligente que, después de unos buenos estudios, decidió entrar en el seminario. Proveniente de la pequeña burguesía rural, era ferviente católico y monárquico, en una época en la que todavía todos se preguntaban si Francia sería una república o si prevalecería el rey. Nativo de la región, de Montazels precisamente, un pueblo cercano, Saunière era un cura poco común, mucho más cultivado que los sacerdotes de la época: sabía latín y griego, y conocía un poco de hebreo.

El cura del pueblo más próximo, Rennes-les-Bains, pronto se hizo su amigo: el abate Boudet era un hombre viejo que se apasionaba por los misterios de la región.

Saunière además tenía una bonita criada con la particular singularidad de no tener edad canónica, ni falta que hacía: Marie Dénarnaud sólo tenía dieciocho años. Los habitantes del pueblo murmuraban que era su amante pero esto no les molestaba, después de todo el cura era un hombre como los otros y, en esa región de tradición cátara, cualquier comportamiento contrario a los mandamientos de la iglesia se veía con buenos ojos. Era mejor un cura un poco libertino que un asceta: sería menos exigente cuando los oyera en confesión.

El descubrimiento del abate Saunière

La iglesia del pueblo estaba en un estado lamentable y amenazaba ruina. El edificio tenía cimientos de origen visigótico, tan viejos que se diría que tenían mil años. El abate decidió hacer unos arreglos.

En 1891, un día que desplazó un viejo pilar, descubrió en su interior cuatro pergaminos: el primero sería una genealogía con el sello de Blanca de Castilla; el segundo y tercero, genealogías de los Hautpoul de Blanquefort, poderosa familia de la región, el cuarto, extractos del Nuevo Testamento así como textos incomprensibles, sin duda en clave.

El origen exacto de estos documentos es impreciso: habrían sido ocultados en la capilla por el abate Antonio Bigou, cura de la parroquia en el momento de la Revolución, después de que se los confiaran para que los pusiera en lugar seguro.

Saunière llevó esos documentos a su obispo, monseñor Félix Billard, que lo mandó enseguida a París donde el cura conoció a Mallarmé, Maeterlinck, Debussy y a la cantante Emma Calvé. A pesar de lo que se haya podido escribir sobre su estancia en París la verdad es que se ignora qué pasó en esas semanas. Parece que buscó reproducciones de cuadros, en especial Los pastores de Arcadia de Nicolás Poussin.

De regreso a Rennes-le-Château su comportamiento se volvió extraño.

De día continuó con los trabajos de restauración y cumpliendo concienzudamente con su ministerio, pero realizaba extrañas actividades nocturnas. Exploró el cementerio que estaba junto a su iglesia y profanó la tumba de la marquesa María d'Hautpoul de Blanquefort. Se ignora si abrió la sepultura pero está probado que hizo desaparecer la inscripción grabada en la lápida. La inscripción, en clave, y la lápida, habían sido colocadas en el siglo anterior por el abate Bigou, el depositario de los pergaminos secretos...

Los Borbones, los Habsburgo y la Iglesia se mezclan en el caso...

A partir de ese momento, es decir, en los momentos que siguieron a las profanaciones, su vida se convirtió en una novela de aventuras. El modesto cura de campaña empezó a frecuentar a la aristocracia europea, en especial al archiduque Johann von Habsburgo-Lothringen, primo del emperador Francisco José de Austria, y a la condesa de Chambord, viuda del nieto de Carlos X. Recordemos que en 1875, el conde de Chambord estuvo a punto de subir al trono de Francia con el nombre de Enrique V.

El misterio Saunière no reside tanto en sus relaciones, que no podían ser más respetables, como en las sumas insensatas que gastó a partir de 1896.

Sólo sus gastos en sellos le costaban más que los setenta y cinco francos oro del sueldo que el Estado le pagaba mensualmente debido al Concordato de 1801. Hizo construir, no se sabe con qué dinero, dos edificios: la torre Magdalay y la villa Béthania; la iglesia también fue totalmente renovada. Los banqueros parisienses lo visitaban. Pronto empezaron sus problemas.

En 1905, el nuevo obispo de Carcasona, monseñor de Beauséjour, se molestó por sus gastos suntuarios, incompatibles con sus ingresos oficiales. Sospechaba que el sacerdote se dedicaba al tráfico de misas y lo suspendió: Saunière apeló a las jurisdicciones eclesiásticas y ganó la causa.

Pero durante la guerra, en 1915, el obispo volvió a la carga y planteó una nueva queja contra Saunière, al que reprochaba su amistad culpable con un archiduque austríaco y consideraba sospechoso de espiar para el enemigo.

Y fue final y definitivamente suspens a divinis: ya no podría ejercer su ministerio, ni decir misa en público, ni dar los sacramentos de la Iglesia. Nombraron a un nuevo cura. Pero no vivía en el pueblo, porque el presbiterio estaba nominativamente alquilado por la comuna al señor Bérenger Saunière. En cuanto a la misa, Saunière la celebraba en su capilla privada, situada en la villa Béthania, en presencia de numerosos habitantes del pueblo.

¡Su confesor le niega la extremaunción!

El 17 de enero de 1917, Saunière tuvo un ataque. Tenía entonces sesenta y cinco años. Iba a morir. Llamaron al abate Rivière, cura de la parroquia vecina, para administrarle los últimos sacramentos; éste lo oyó en confesión pero le negó la extremaunción. Hay testigos que dicen que salió de la habitación del sacerdote en un estado totalmente anormal para un hombre que tenía la costumbre de asistir a los últimos instantes de los moribundos, y que después de ese día tuvo una depresión de varios meses.

Saunière murió el 22 de enero de 1917. Su testamento suscitó una gran sorpresa: el «cura de los millones» —como lo llamó la prensa al conocer el caso en la década de 1950— nada dejaba; todo pertenecía a su criada, que vivió en la holgura hasta la Segunda Guerra Mundial.

Luego, alrededor de 1946, la anciana fue vista varias veces quemando gruesos fajos de billetes en su jardín. El gobierno acababa de emitir nuevos billetes: sin duda, vaciló en pedir el cambio de sus billetes, por temor a tener que justificar su procedencia.

La que a veces decía a los habitantes del pueblo que «caminaba sobre oro» debió vender la villa Béthania y terminó sus días en la pobreza. Nunca traicionó la confianza del abate Saunière y se llevó el secreto a la tumba.

Aclaración a propósito de los misteriosos pergaminos

En este tenebroso asunto, hay algo que no suscita duda alguna: Saunière encontró un tesoro. Podemos llamar así sin temor a los pergaminos ocultos en el pilar de la iglesia. Este hallazgo fue el punto de partida de otras búsquedas cuyo resultado exacto no conocemos.

¿Saunière adquirió sus bienes ocultando lo objetos preciosos que encontró? ¿O bien las informaciones contenidas en los pergaminos revelaban secretos tan explosivos que personas como el archiduque Johann de Austria o la condesa de Chambord estaban dispuestos a pagar sumas considerables para acceder a ellos? Resulta claro que Saunière encontró algo que le permitió llevar ese tren de vida fastuoso y factor de escándalo.

Antes de continuar, queremos atraer la atención del lector sobre un punto importante de este caso que ha suscitado tanta literatura, a veces brillante, a veces extravagante: el cura encontró muchos pergaminos en su iglesia —varios testimonios lo confirmaron—, pero, un siglo más tarde, estos documentos siguen en manos de particulares que no los ponen a libre disposición de los historiadores.

Según sabemos, sólo existe una reproducción fotográfica publicada por Gerardo de Sède en su obra L'Or de Rennes («El oro de Rennes») en 1967. Todas las obras publicadas posteriormente se refieren, explícitamente o no, a esta reproducción, pero no tenemos medio de verificar su autenticidad o sea que, según el adagio jurídico, «un solo testigo, no es un testigo».

Y éste es el drama en este asunto: todas las hipótesis enunciadas desde hace treinta años a propósito del tesoro del abate Saunière —y son numerosas— tienen como punto de partida esos pergaminos que nadie ha visto, con excepción tal vez de De Sède...

El tesoro de Alarico, de los cátaros o de los templarios

No faltan las conjeturas elaboradas para intentar explicar el súbito enriquecimiento de Saunière.

Rennes-le-Château —llamada Rhedae en la época romana— fue hasta el siglo XIII una importante ciudad. Los romanos apreciaban sus baños y explotaban las minas de la región; en esa época la ciudad tenía treinta mil habitantes, según ciertas fuentes.

Los visigodos de Alarico se instalaron allí en el siglo V; recuérdese que el jefe bárbaro había saqueado Roma en 410, y se había apoderado sobre todo del tesoro amasado por las legiones romanas en 70, con Tito, en el saqueo de Jerusalén.

Se supone que en el botín figuraban los objetos del culto del Templo de Salomón: entre otros, el candelabro de siete brazos, el arca de la alianza en la que los judíos conservaban las Tablas de la Ley.

Un contemporáneo del saqueo de Roma, Procopio, describió, en Historia de las guerras, el espectáculo de las hordas de bárbaros llevándose las esmeraldas que habían pertenecido al rey Salomón y luego al emperador romano. Algunos investigadores consideran que ese fabuloso tesoro estaba oculto en la región de Rennes-le-Château: ¿el abate Saunière lo había descubierto todo o en parte?

Para otros, había encontrado el tesoro de los cátaros. En 1243, varios Perfectos, los dignatarios de la herejía albigense, huyeron del castillo de Montsegur con su tesoro de guerra. Se evaporaron con la preciosa carga. Tiempo más tarde, los ejércitos reales tomaron la fortaleza y doscientos herejes que se habían negado a abjurar fueron enviados a la hoguera.

En este caso el escenario es el mismo que para los templarios: como los caminos estaban vigilados no podían ir muy lejos. Se piensa que el tesoro quedó en la región. Rennes-le-Château se ha considerado a menudo el posible lugar del escondite, teniendo en cuenta la configuración de la zona (es una región escarpada, llena de rincones y grutas de todo tipo) y la seguridad de que en ella hay un tesoro oculto. Hasta los nazis buscaron este tesoro durante la Ocupación, al igual que se interesaron por Gisors: Hitler era un apasionado de estos misterios.

Última hipótesis: Saunière había encontrado el tesoro de los templarios. No faltan las coincidencias extrañas que hacen plausible esta conjetura.

En principio, los templarios de la zona no fueron arrestados al mismo tiempo que sus hermanos, el 13 de octubre de 1307. Tenían como comendador a un tal Got. Extraña coincidencia, en efecto, si se recuerda que el apellido del papa Clemente V era Got.

Por otra parte, el soberano pontífice era el hijo de Ida de Blanquefort. Esta poderosa familia local eran los señores de Rennes-le-Château. Más tarde, en vísperas de la Revolución, pudieron ocultar los pergaminos descubiertos por el cura. Entre sus grandes maestres el Temple tuvo, entre 1156 y 1169, a otro miembro de esta familia: Beltrán de Blanquefort.

No faltan vinculaciones entre el lugar y los caballeros del Temple: no sería asombroso que los hermanos encargados de ocultar el tesoro hubieran considerado esta región alejada más segura que la Île-de-France o Normandía, sobre todo si sabían que el parentesco entre el Papa y el comendador del lugar hacía improbable cualquier acción contra este último.

Los monjes soldados tenían un tesoro y lo escondieron antes de ser arrestados. Pero queda un punto por considerar: ¿en qué consistía ese tesoro? ¿Era un común cargamento de oro, plata, piedras preciosas, objetos sagrados o telas? ¿O los hermanos tenían secretos que, sólo ellos, podían llevar al rey de Francia a querer su desaparición y al Papa a dejarlo actuar? ¿Secretos que, cinco siglos más tarde (o sea a finales del siglo XIX) todavía podían suscitar el interés de la Casa Real de Francia y de la Casa Imperial de Austria, respectivamente representadas por la condesa de Chambord y el archiduque Johann von Habsburgo-Lothringen? El Temple, tal vez, no era tan inocente como en general se piensa...

La Regla secreta

¿Y si el santo Temple que Jacobo de Molay defendía desde lo alto de su hoguera ocultara un Temple negro? ¿Era esto lo que buscaba el inquisidor general? ¿Y esto de verdad lo aniquiló?

¿Cómo esos hombres tan valientes podían, al ser admitidos, renegar de Jesús y luego luchar hasta la muerte por Él? ¿Por qué autorizaban a ciertos hermanos a entregarse al pecado contra natura y se castigaban severamente, con una larga prisión, a los que lo cometían?

Poco a poco, la idea se abrió paso en la mente de los historiadores más serios: la orden de los Pobres Caballeros de Cristo del Templo de Salomón de Jerusalén ocultaba, sin duda, una orden doble, una orden negra. ¿La jerarquía oficial, bien conocida, disimulaba una jerarquía paralela, oculta, que manejaba los hilos en la sombra y dirigía el destino de la organización, desde su fundación hasta su caída?

Esta hipótesis es seductora porque, a la luz de esa eventualidad, muchas incoherencias se vuelven explicables. Pero ¿esta idea es una simple conjetura, una elucubración de historiador carente de pruebas escritas, una fantasía de hermético que no puede aceptar la explicación aparente de los acontecimientos? ¿O bien encontraría su fundamentación en textos, documentos que, sin aportar una prueba categórica —si ése fuera el caso, el enigma del Temple no sería tal desde hace siglos— permiten adelantar una teoría seria? Examinemos esta opinión de manera científica.

¿Jacobo de Molay era un hombre de paja?

Si la orden estaba gobernada por una jerarquía secreta, Jacobo de Molay era entonces un simple testaferro sin poder real. Gran maestre de pacotilla, su actitud tendría una explicación: sería entonces efectivamente el inocente que muchos han descrito, sin espíritu político, sometido. Habría resistido con paciencia todas las sevicias que le infligían, esperando que el verdadero gran maestre interviniera para liberarlos, a él y a sus hermanos, de su miserable condición. Se habría rebelado sólo en el último momento, cuando de verdad comprendió que el gran maestre lo había traicionado.

Sus palabras ante la comisión pontificia —«soy un caballero pobre e iletrado»— alcanzarían entonces todo su sentido: el gran maestre nominal habría confesado la realidad de su miserable condición. En cuanto a su pobre declaración sobre las bellezas de las iglesias de los templarios, las limosnas y el valor de los monjes soldados en el combate, sería en efecto «digna» de un hombre que, durante toda su vida, no habría hecho más que obedecer, y que sería incapaz de afrontar la dificultad presente.

Esta hipótesis es seductora. También explicaría por qué los caballeros comunes se mostraron más combativos y resueltos que los dignatarios. Porque ¿acaso algún dignatario intentó defender la orden? No, ninguno.

Admitamos que Molay era un hombre de paja y que también lo eran los otros dignatarios ¿podría decirse lo mismo de algunos grandes maestres anteriores? Guillermo de Beaujeu, el valiente que cargó contra los doscientos mil turcos que cercaban Acre ¿también era un fantoche? El suyo no parece el comportamiento de un hombre de paja. Sin embargo, esta teoría de la jerarquía paralela aparece fundamentada por varios testimonios.

En 1307, Godofredo de Gonneville, preceptor de Poitou y de Aquitania, declaró al inquisidor, respecto a la negación «que había quienes decían que era una de las malas y perversas cosas que introdujo el maestre Roncelin en los estatutos de la orden».

Pero entre los maestres y los grandes maestres nunca hubo un Roncelin. Con grandes dificultades se encontró a un tal Roncelin du Fos, caballero admitido en 1281 en Provenza. Aunque es difícil cargarle todos los delitos que se le reprocharon a la orden.

En principio, su entrada era demasiado reciente: hasta los que confesaron la negación —Jacobo de Molay, por ejemplo— habían sido recibidos años antes que Roncelin du Fos, que, además, fue sólo un simple caballero. Pero justamente como nunca existió un gran maestre Roncelin podemos pensar que éste era un gran maestre secreto...

Un secreto tan terrible que hasta hubieran matado al rey para preservarlo

Esta confesión del preceptor de Poitou y Aquitania era también una alusión indirecta a la regla secreta de la orden: porque si el Temple tenía un gran maestre oculto, otros estatutos diferentes de los oficiales gobernaban la orden.

El legista del rey, Raúl de Presles, hizo una declaración ante la comisión pontificia mucho más clara y que merece nuestra atención, aunque provenga de un hombre de conocida fidelidad a Felipe el Hermoso.

Un templario llamado Gervasio de Beauvais, rector de la casa del Temple en Laon, me dijo —explicó De Presles— que había una cosa tan grave y tan secreta en la orden, que prefería perder la cabeza antes de revelarla a alguien ajeno a la misma y, aunque fuera el rey de Francia el que se enterara, nada ni nadie podría impedir que lo mataran de inmediato.

¿Qué contenía esta regla secreta tan peligroso como para que se protegiera con medios tan expeditivos?

El principal problema con el que se choca, tratándose de la regla secreta es que, precisamente, es secreta. Poseemos tres ejemplares de la regla oficial, pero la regla secreta nunca se encontró. Durante el siglo XIX se publicaron algunos textos que se presentaron como tales. Pero nunca se demostró su autenticidad.

En 1780, un tal Federico Munter, obispo de Copenhague, descubrió un misterioso pergamino en los archivos del Vaticano. El precioso documento, caligrafiado a dos columnas, tenía cuatro partes: a la regla oficial seguían dos series de treinta y veinte artículos cuyo título era «Aquí comienza el libro del Bautismo del Fuego o de los Estatutos Secretos redactados para los hermanos por el Maestre Roncelinus»; y una cuarta parte titulada «Aquí comienza la lista de los signos secretos que el Maestre Roncelinus ha reunido».

Dijeron que el manuscrito desapareció poco después de los archivos del Vaticano. Reapareció en 1877 en Hamburgo, donde un alemán llamado

Mertzdorff lo publicó. Estas informaciones las proporcionó el editor alemán que, sin embargo, no aportó ninguna prueba de su autenticidad.

Recordemos que Napoleón se apoderó de los archivos del Vaticano en el momento en que se encontraba en París el historiador Raynouard para concluir sus investigaciones y escribir la primera historia moderna y seriamente documentada del proceso. Nunca vio ese texto porque había desaparecido de los archivos en 1780. No se sabe cómo llegó a Hamburgo, y después volvió a desaparecer.

La supuesta regla secreta establecería la herejía de los monjes soldados

Este texto, de ser auténtico, establecería la herejía de los templarios.

«Sabed que para Dios no hay diferencia entre las personas, cristianos, sarracenos, judíos, griegos, romanos, francos o búlgaros, porque cualquier hombre que rece a Dios está salvado», proclama el artículo 5. Por lo tanto los templarios habrían practicado el deísmo, una forma de creencia que admite la existencia de Dios pero rechaza cualquier religión; esto sería peor que haber pactado con los musulmanes...

Otro artículo afirma que «Reyes, papas, obispos, abates y maestres desearon ver y escuchar lo que escucháis y veis pero no lo vieron ni escucharon y nunca lo conocerán». Este artículo no sólo es herético porque rechaza a la Iglesia católica, sino desestabilizador políticamente en extremo, porque pretende que la verdad no la ostenta la Iglesia ni los príncipes temporales.

El mismo documento dice que la regla debe ser protegida y el secreto preservado a cualquier precio: «Si un hermano olvida, por ligereza, charlatanería, y da a conocer la mínima parte de los estatutos secretos o de lo que se hace en los capítulos nocturnos, que sea castigado según la magnitud de su falta».

La continuación nos explica el comportamiento de los hermanos y en especial de los dignatarios en el momento del proceso: «Si os interroga la justicia sobre los usos, leyes, estatutos y empresas secretas de la orden, resistid a esa tiranía negando y jurando vuestra ignorancia».

Última precaución para conservar el secreto: «Los estatutos secretos no serán traducidos a ninguna lengua vulgar y jamás estarán en manos de los hermanos.» Recordemos que Jacobo de Molay era «iletrado», o sea, que no sabía latín. Este último artículo nos hace suponer que la regla secreta nunca estuvo a su disposición y que debió obedecerla sin poder leerla.

Otra herejía consagrada por la regla secreta: el artículo trece prescribe a quien recibe a un nuevo templario liberarlo de todos los mandamientos de la Iglesia «en nombre de Dios que no es engendrado y que no engendra y en nombre del Verdadero Cristo que no está muerto y que no puede morir».

Los otros artículos son también escandalosos: la orden comprende dos tipos de hermanos, los ordinarios y los consolados. Esta distinción entre dos categorías de miembros de la secta y esta expresión de «consolados» hace referencia a la herejía cátara en la que los Perfectos, los dirigentes de la secta, recibían el consolamentum.

Otra relación con el catarismo: Jesús no es hombre y su carne es nada. «La nueva Babilonia, explica la regla secreta, será ahogada por los pobres servidores de Dios.» Luego dice que «los que adoran la madera de la cruz están en un error»: un artículo que explicaría la acción de renegar y escupir sobre la cruz.

Una explicación suplementaria del comportamiento lamentable de Jacobo de Molay se encuentra en el artículo que prescribe «nunca elegir como gran maestre a un consolado». De creer en el texto, el gran maestre nunca debía ser un iniciado, sino por el contrario un hermano común, ignorante de los secretos de la orden y que obedeciera, de entrada, a un superior secreto.

¿Una falsificación de origen masónico?

Según toda verosimilitud, esta pretendida regla secreta es una falsificación fabricada para satisfacer el mito del Temple que se ha ido construyendo poco a poco desde el siglo XIX. Más adelante veremos cómo la masonería explica su origen y qué filiación reivindica con respecto al Temple.

Pero desvelar la estafa de esta falsa regla no resuelve nuestro problema. No está excluido que los templarios tuvieran una regla secreta aunque, con esta denominación ¿hay que entender un texto escrito que contiene una doctrina herética y reglas de vida contra natura? ¿O simplemente una serie de usos no codificados en la regla primitiva y que ésta derogaba?

Se ha pretendido que Jacobo de Molay había tomado todas las medidas necesarias para que se destruyeran los ejemplares de la regla. ¿Qué contenían esos volúmenes para que el gran maestre —que no conocía la amplitud de la amenaza que pesaba sobre él— considerara útil hacerlos desaparecer? ¿Qué tenían que fuera tan importante para que prefiriera protegerlos antes que a su persona?

Volvemos inevitablemente a la hipótesis de la orden negra con su regla secreta, escrita o no; una orden paralela a la que servía Jacobo de Molay como simple testaferro que obedecía a un gran maestre secreto. Y sería la existencia de esa orden lo que habría decidido ocultar y proteger. En ese caso lo habría logrado perfectamente porque, durante el proceso, no se la buscó.

La segunda ceremonia de admisión

Así la orden habría sido a la vez santa y corrompida: este carácter doble se habría manifestado en una segunda admisión, organizada un poco más tarde y reservada sólo a la elite de los caballeros, los admitidos en la orden paralela, en la que renegarían y escupirían sobre la cruz.

Esta hipótesis es muy atrayente por más de una razón. En principio, reconcilia a todo el mundo, detractores y apologistas del Temple. Felipe el Hermoso dejaría de ser un rey codicioso y cruel para convertirse en un campeón de la fe; el Papa ya no sería el pontífice cobarde que se vendió al monarca francés como Judas a los romanos; y los templarios conservarían su calidad de víctimas inocentes porque, después de todo, si se los castigó fue por culpa de algunas ovejas descarriadas.

Por desgracia, esta alegación a una jerarquía paralela no es más que un compromiso que tiende a responder a las simpatías de unos y otros con miras a dar respuestas claras a temas oscuros. Pero la verdad no acepta compromisos.

La existencia de un Temple negro, la organización de una segunda admisión para algunos hermanos, no están demostradas. Ninguna confesión, arrancada bajo tortura o libremente expresada, menciona la existencia de esta segunda, secreta y herética ceremonia. Todas las declaraciones hablan de la primera y única admisión.

¿Por qué templarios, que aportaron un gran número de informaciones, habrían ocultado (todos) completamente esto? Además ¿quién había sido recibido una segunda vez y conminado a entregarse a esos ultrajes a Cristo? ¿Todos los templarios o sólo algunos? La lógica desearía que sólo concerniera a una minoría. Pero, entonces ¿por qué casi todos los hermanos confesaron haber renegado? esta segunda admisión, por seductora que sea, no es convincente.

El misterio sigue intacto porque la existencia de una orden oculta sólo se justificaría si tenía secretos que preservar, una doctrina herética para profesar con total confidencialidad. Si buscaba un fin diferente del que exhibía públicamente, si sus objetivos eran inconfesables y perseguidos por personas que debían ocultarse, era sensato que existiera una jerarquía paralela y secreta, pues ¿por qué esconderse si lo que se hacía era en un todo legal y honesto?

Pero, entonces ¿a qué misteriosa actividad se dedicaba el Temple fuera de la defensa de los caminos y los peregrinos, la guerra contra los infieles y las actividades bancarias y marítimas?

Nogaret, sin duda, hubiera respondido: ¡comerciar con el diablo!

Ya hemos hablado de que la orden podía tener conocimiento de la existencia de ese continente que llamamos América. ¿Pero sólo este conocimiento justificaba la creación en su seno de una jerarquía secreta?

Descubrir América no era un crimen; aunque ese conocimiento pudiera tener consecuencias políticas considerables en la vida del mundo occidental, no justificaba tal disimulo. La orden, al menos, hubiera debido informar al Papa, su jefe natural, salvo que los dirigentes prefirieran conservar la información sólo para la orden y pensaran en construir allí un imperio, como los teutónicos en Prusia y, más tarde, los jesuitas en Paraguay. Pero esto no explica las extrañas costumbres religiosas impuestas a los hermanos.

¿Jesús, un agitador político?

También hemos supuesto que el Temple podía estar en contacto con ciertos secretos perdidos en los primeros siglos del cristianismo, que habría redescubierto en Tierra Santa y según los cuales Jesús en realidad habría sido un simple jefe político judío, descendiente de los reyes de Israel, cuya ambición fue expulsar a los romanos y reconquistar el trono de Palestina haciéndose pasar por ese Mesías que esperaban los judíos.

En este caso quedaría explicada la negación y serían los verdaderos dignatarios, detentadores de la verdad (o al menos de su verdad) los que habrían impuesto esta negación a los nuevos miembros. Esto explicaría por qué los hermanos nunca comprendieron la razón de renegar, y también por qué lo hacían de palabra y no de corazón: obedecían una especie de formalidad «administrativa» impuesta por la jerarquía paralela.

Pero esta negación forzada no tenía influencia alguna sobre sus convicciones y no alteraba en absoluto su combatividad frente a los infieles. Los verdaderos maestres sabían qué significaba: sería una manera discreta de mostrar y recordar su presencia a los dignatarios oficiales que hacían pronunciar esa negación, lo que permitiría también comprometer a todos los hermanos y tenerlos mejor dominados.

A pesar de estas explicaciones que debemos expresar en condicional a falta de pruebas materiales, algunas prácticas siguen siendo misteriosas.

La autorización para entregarse a la sodomía casi no parece justificada. Tal vez era un medio de sojuzgar a esos hombres intentando hundirlos en el vicio contra natura. Ya vimos que nunca consiguieron ese resultado: con sus últimas fuerzas todos los hermanos negaron ese pecado. Hasta los que lo confesaron bajo tortura se retractaron luego ante la comisión o los concilios provinciales a pesar de su temor a ser sancionados por relapsos.

Estamos convencidos de que los templarios no se entregaron nunca a esos excesos culpables. La única explicación lógica es que los dignatarios secretos podían querer, con esta autorización, aislar más a los hermanos. «La historia de las conjuraciones muestra que la participación en un crimen siempre ha sido un resorte poderoso para unir a los conjurados», constata Grouvelle. Tito Livio cuenta que en los misterios de Baco, que el Senado romano prohibió para impedir las conspiraciones que se tramaban en ellos, se servían también de amores infames y de todos los excesos para unir más a los cómplices.[41]

En la sociedad medieval, donde los homosexuales eran castigados con la muerte, este permiso podía ser una provocación secreta dirigida contra la Iglesia y la sociedad cristiana. Al empujar a los defensores de la Cristiandad a hundirse en el peor vicio que podía conocer el mundo, la jerarquía secreta separaba a la orden del resto de la humanidad, y manifestaba su diferencia respecto a la sociedad de la época.

Sea como fuere, la existencia de una orden invisible y de una jerarquía paralela que teleguiaba al Temple sólo sería explicable por la búsqueda de un objetivo inconfesable. ¿Cuál era entonces el fin de la sociedad secreta que había tomado la máscara respetable de la orden del Temple?

41. Philippe Grouvelle, ob. cit., pág. 194 y ss.

La Sociedad secreta

¿Los merovingios desaparecieron, como explica la historia oficial, cuando Pipino el Breve depuso a Childerico III en 752? ¿O esta primera dinastía real francesa perduró hasta hoy, protegida por una sociedad secreta relacionada con la orden del Temple?

Cuando, a mediados del siglo III, el Imperio romano ya no pudo proteger sus fronteras, los pueblos germánicos que vivían en la orilla derecha del Rin hicieron incursiones cada vez más frecuentes en su territorio, y hasta se instalaron en él. Uno de los pueblos que codiciaban las riquezas del Imperio decadente eran los francos salios. Entraron en la historia en 241, año en que Aurelio, tribuno legionario, derrotó por primera vez a un cuerpo de francos.

El emperador Juliano, no sabiendo cómo combatirlos, los convirtió en sus aliados y les dio vastos territorios en Bélgica: ¡después de haberlos devastado, que los volvieran a poblar! Los francos salios se establecieron en el Imperio: algunos de ellos accedieron a altos cargos. Un franco, Arbogasto, fue el principal ministro del emperador Valentiniano II.

Cuando, en el siglo V, se produjeron las grandes invasiones, los francos estuvieron junto a los romanos tratando de rechazar a los suevos, alanos, vándalos, burgondos y otros visigodos. Aunque derrotados y sin autoridad imperial en Galia, lograron mantener su autoridad en la región de Tournai y Cambrai bajo la dirección de su rey Clodión. A su muerte, en 448, le sucedió Meroveo. Es el que dio su nombre a la dinastía de los merovingios y quien, unido a los visigodos, venció a Atila y sus hunos en 451, en la batalla de los Campos Cataláunicos.

¿Reyes haraganes o reyes sanguinarios?

Clovis, nieto de Meroveo, reinó de 481 a 511 y recibió el bautismo en 496, tras la victoria de Tolbiac. Este acto eminentemente político consagró la alianza del rey de los francos con la Iglesia romana: el bautismo no cambió las costumbres del rey y no se convertió en un hombre santo.

Durante todo su reinado conspiró para matar a los otros reyes francos. Empujó a Cloderico a asesinar a su padre Sigiberto, rey de Colonia; luego ordenó la muerte de Cloderico y se apoderó del reino que había quedado vacante por la muerte del padre y del hijo. También hizo cortar la cabeza de Chararic, rey de Terouanne, y de su hijo.

En 511, convertido a fuerza de asesinatos en el jefe de todas las tribus francas, quiso asegurarse de que no había olvidado a ninguno de sus adversarios potenciales. Reunió a sus súbditos y les dijo: «¡Desgraciado de mí, que he quedado como un viajero entre extranjeros, sin parientes que puedan socorrerme si llega la adversidad!» El viejo rey, que moriría ese mismo año, esperaba, con esta estratagema, que un pariente al que hubiera olvidado se descubriera para poder eliminarlo.

Los sucesores de Clodoveo resultaron también temibles asesinos, ningún crimen les repugnaba con tal de extender su poder.

Clodomiro, uno de los cuatro hijos de Clodoveo, había muerto y sus dos hermanos, Childeberto y Clotario, asesinaron a sus dos hijos, niños de diez y siete años, para apoderarse de su reino de Orleans. Clotario, cuyos métodos eran productivos, terminó por ser el único rey de los francos en 558. Entonces decidió diezmar a su progenitura: como su hijo Cramno lo traicionó, lo hizo prisionero y lo encerró, con su mujer y sus hijos, en una cabaña de madera a la que hizo prender fuego.

La lista de crímenes de merovingios sería demasiado larga de enumerar: la vieja reina Brunehaut atada a la cola de un caballo sin domar, los hijos de Thierry II degollados, la reina Galswinthe estrangulada, etc.

Después de la muerte de Dagoberto en 638, los reyes merovingios no fueron más que niños u hombres que murieron jóvenes. El gobierno de los reinos de Austrasia y de Neustria fue ejercido por mayordomos de palacio todopoderosos: fue la época de los «reyes haraganes».

El cargo de mayordomo de palacio fue hereditario para la descendencia de Pipino de Heristal. Carlos Martel, mayordomo de palacio de Austrasia y Neustria, consiguió la victoria de Poitiers en 732 y detuvo la invasión musulmana. En 752, su hijo Pipino el Breve, antes de hacerse consagrar rey por san Bonifacio en Soissons, depuso a Childerico III, un adolescente de quince años. Tonsurado y encerrado en un convento, el joven rey depuesto murió sin posteridad. Oficialmente, la raza merovingia ha sobrevivido...

El rey perdido que habría tenido descendencia

Esta versión de la historia merovingia era admitida por todos hasta 1956.

Ese año se depositó en la Biblioteca nacional de París un pequeño fascículo que contenía misteriosas genealogías: este folleto de unas páginas, titulado Genealogía de los reyes merovingios y origen de las diferentes familias francesas y extranjeras de origen merovingio, afirma ni más ni menos que Dagoberto II, rey de Austrasia asesinado en 679 por orden de Pipino de Heristal y al que se creía muerto sin descendencia, habría tenido un hijo nacido de su matrimonio con Gisèle de Rhedae.

El pequeño Sigiberto, cuyo nacimiento se habría ocultado a los asesinos de su padre para protegerlo mejor, habría tenido descendencia. Y éstos, convencidos de que los habían engañado sobre sus derechos se habrían agrupado en el seno de una sociedad secreta con el fin de derrocar a los Capetos y restaurar la línea merovingia en el trono de Francia: la orden de Sión.

La orden de Sión se habría creado en 1090 por iniciativa de Godofredo de Bouillon, duque de Lorena, y de Pedro el Ermitaño, su preceptor. Al terminar la primera cruzada —cuando se tomó Jerusalén y se eligió a Godofredo de Bouillon para el trono de la misma—, la orden necesitaba una fachada respetable: creó la orden del Temple. Uno de los primeros caballeros que se adhirió al Temple era también miembro de Sión: Andrés de Montbard, que logró para la nueva orden la protección de su sobrino Bernardo de Claraval.

El santo abate fue el benefactor del Temple: le dio su regla y alentó las primeras donaciones. La misión que se le asignó —proteger las rutas de los peregrinos— facilitó su implantación tanto en Oriente como en Occidente. Los monjes soldados también contaban entre ellos con poderosos señores, entre otros Hugo, conde de Champaña. El Temple prosperó y Sión velaba en la sombra.

En 1152, se instaló en Francia: noventa y cinco de sus miembros volvieron con Luis VII después de la segunda cruzada. Sión aprovechó la gran confianza que el Temple inspiraba al rey para conseguir asentarse cerca de Orleans.

El Temple perdió a su protector oculto

El gran acontecimiento tuvo lugar en 1188.

La pérdida de Jerusalén en 1187, siendo Gerardo de Ridefort gran maestre del Temple y de Sión, provocó una grave crisis. Ridefort fue acusado de traición por el capítulo común a las dos órdenes. Las dos organizaciones se separaron y el hecho quedó consagrado con el derribo de un olmo de ochocientos años en Gisors.

En adelante, el Temple era libre. Ya no se beneficiaría de la protección de su orden tutelar y tendría su propio gran maestre. La orden de Sión se llamaría en adelante el Priorato de Sión. Ya autónomo, el destino del Temple siguió su curso hasta su final trágico.

Si se cree en los documentos depositados en la Biblioteca nacional, el gran maestre del Priorato de Sión habría sido uno de los artífices de la caída del Temple en 1307. Se trataría de Guillermo de Gisors, que, durante el procedimiento, fue el administrador de los bienes incautados por orden del rey. En virtud de esa doble condición, habría protegido a algunos dignatarios y hecho desaparecer los archivos del Temple.

Luego Sión habría realizado acciones políticas de gran envergadura tendentes a preparar el regreso al trono de los descendientes de los merovingios.

De esta manera, el condestable de Borbón, gran maestre del Priorato hasta 1527, traicionó a Francisco I con Carlos V. En los años siguientes, en plenas guerras de religión, el Priorato favoreció las maniobras políticas de los Guise, segundones de la casa de Lorena, que intentaron apoderarse de la corona de Francia con Enrique III. Nostradamus, astrólogo de la reina madre, fue su agente. Espió para los Guise y trasmitió sus mensajes codificados en forma de centurias, pequeños poemas que se consideraba contenían profecías.

En el siglo XVII, el Priorato de Sión, siempre tenaz a pesar de sus fracasos sucesivos, fomentó la Fronda. El fin confesado de la rebelión era librarse de Mazarino, principal ministro del joven Luis XIV. En realidad, se trataba de colocar en el trono a Gastón de Orleans, hermano del difunto Luis XIII, casado con una princesa de Lorena. Entre los frondistas puede observarse la presencia del duque de Longueville, cuyo abuelo había sido gran maestre del Priorato de Sión cincuenta años antes.

Sión creó paralelamente la compañía del Santo Sacramento: esta organización se infiltró en los entresijos del poder; en 1661 Luis XIV la disolvió, pero sus actividades continuaron a pesar de la prohibición real. Todos tenían presente el Tartufo de Molière.

¿Fouquet conspiraba contra Luis XIV?

El Priorato estuvo muy agitado a lo largo del reinado de Luis XIV y una de sus tentativas más notables fue la conspiración de Fouquet, supuesto miembro, contra el rey. Fracasó, pero el Priorato era suficientemente poderoso para impedir que ejecutaran a su ex superintendente de finanzas.

En el curso del siglo XVIII, la sociedad secreta se relacionó con la francmasonería y fomentó la Revolución francesa. Esta última tentativa de derrotar a los Capeto tuvo éxito: se proclamó la república y Luis XVI fue decapitado. Pero los merovingios no recuperaron su trono perdido.

La acción del Priorato de Sión en el curso del siglo XIX es mal conocida. Permaneció en la sombra y cultivó el secreto hasta mediados del siglo XX cuando, por razones no elucidadas, empezó a divulgar su existencia. Este punto es de extrema importancia: ningún documento anterior a 1956 hace la menor alusión a esta sociedad; ningún documento oficial o privado, ningún testimonio, ninguna correspondencia, ninguna alusión, hablan de esta organización. ¡Nada, absolutamente nada!

La historia que acabamos de relatar esta basada únicamente en documentos modernos.

Ningún documento antiguo permite decir que el condestable de Borbón haya sido alguna vez el gran maestre de alguna sociedad secreta. Se sabe que Luis XIV fue presa de una cólera ciega cuando supo que Fouquet sólo había sido condenado a una «pena ligera» (el destierro) y que la transformó en cadena perpetua, pero nada permite afirmar que los jueces que pronunciaron la sentencia final fueron objeto de alguna presión; todavía menos podemos afirmar quién fue el autor de esa presión.

Pero pasemos a la historia contemporánea del Priorato.

En 1958 habría tenido un papel muy importante en los comités de salvación pública que favorecieron el regreso al poder del general De Gaulle. En 1973, se supo por un artículo de prensa que el Priorato de Sión consideraba a Alain Poher, entonces presidente del Senado, descendiente del linaje merovingio y un posible pretendiente al trono de Francia.

Agitador permanente, Sión estaba en lucha perpetua contra el papado y no perdía ocasión para cuestionar su autoridad.

Es así como se habría aliado con monseñor Lefebvre, jefe de los católicos tradicionalistas hostiles a las reformas del Concilio Vaticano II y en conflicto con los diferentes papas, desde Juan XXIII hasta Juan Pablo II. Un periódico británico, The Guardian, llegó a revelar que la posesión de un secreto peligroso habría evitado durante mucho tiempo las sanciones pontificales al obispo rebelde.

El secreto por fin se desveló

En 1981, finalmente, se desveló el secreto. El Priorato de Sión podría probar, gracias a los pergaminos descubiertos por el abate Saunière en su iglesia en el siglo XIX, la supervivencia del linaje merovingio. El mayor de los descendientes de Dagoberto II sería un tal Pedro Olantard de Saint-Clair. El pergamino que permite atestiguar la autenticidad de esta afirmación, una genealogía que lleva el sello de Blanca de Castilla, se encontraría en la caja de seguridad de un banco de Londres.

¿Por qué dicha organización se obsesionó con derrocar a los Capetos? ¿Para restaurar a los merovingios? Este proyecto choca con una realidad innegable: la descendencia masculina de los merovingios estaba agotada, en otras palabras, esta dinastía no existía. No podría volver a subir al trono de Francia.

Es verdad que los merovingios todavía tienen descendientes, pero sólo mujeres. Y las reglas de la realeza merovingia las excluyen. En consecuencia nadie podría aspirar a suceder a Dagoberto II o Childerico III. El Priorato de Sión (¡por supuesto, en caso de que haya existido!) habría intentado favorecer a la Casa de Lorena. Pero los duques de Lorena, en la actualidad representados por los Habsburgo-Lorena, descienden de los merovingios por las mujeres, lo que equivale a decir que sus pretendidos derechos no existen.

Además, si se buscan descendientes en línea femenina de los merovingios, no hay que ir muy lejos: todos los Capetos tienen sangre merovingia en las venas, porque descienden por las mujeres de los carolingios que descienden a su vez, siempre por las mujeres, de los merovingios. Y los descendientes de Hugo Capeto y de san Luis son numerosos: Luis Alfonso de Borbón, duque de Anjou, Juan Carlos de Borbón y Borbón, rey de España, Juan de Borbón-Parma, gran duque de Luxemburgo, o Enrique de Orleans, conde de París; todos tienen ascendencia merovingia.

En resumen, los Capetos están en igualdad de condiciones con la Casa de Lorena y todas las otras dinastías que pudieran tener las mismas pretensiones: el trono merovingio fue usurpado y todos los que lo reivindican descienden del usurpador. Por lo tanto, no hay razón alguna para ver en los duques de Lorena mejores herederos del trono merovingio que los Capetos.

En cuanto al llamado Pedro Plantard de Saint-Clair, que sería un verdadero merovingio en línea masculina, sus «derechos» sólo parecen decididos por afirmaciones no comprobadas (divulgadas por órganos de prensa poco dignos de fe, en este caso revistas sensacionalistas que, desgraciadamente, se sabe que están dispuestas a publicar cualquier cosa con tal que aumente su tirada). En la historia abundan los que, por vanidad, locura, megalomanía o simple necesidad de que hablen de ellos, pretenden ser reyes o hijos de reyes...

Detengámonos unos instantes en los métodos de este misterioso Priorato. Y planteémonos esta pregunta: ¿El Priorato de Sión existió realmente? Y en caso afirmativo ¿su influencia fue tan considerable como quieren hacernos creer?

En Annemasse, en la Alta Saboya, se creó una asociación con ese nombre en 1956. Sus estatutos se depositaron en la prefectura del departamento. ¿Pero esta trivial asociación no es sólo una cáscara vacía? Por otra parte ¿por qué una organización secreta necesita ser declarada a las autoridades, en especial si conspira contra el poder establecido?

En la historia no se hace referencia a ningún «Priorato de Sión» y ningún documento escrito antes de 1956 prueba su existencia.

Sólo se encuentran documentos del siglo XII concernientes a un pequeño priorato del monte de Sión situado cerca de Orleans, cuya existencia aparece confirmada en una bula de 1178. Pero ¿se trata de la misma organización? No existe otra pieza histórica. Y nada, absolutamente nada, permite afirmar que ese priorato con un nombre, después de todo, banal, tenga la menor relación con la mencionada sociedad secreta.

¡Grandes maestres prestigiosos «elegidos» después de muertos!

Por otra parte, todas las informaciones trasmitidas a propósito del Priorato de Sión provienen de documentos editados especialmente, en general pequeños folletos. Estos textos anónimos, o publicados con seudónimos, intentan recuperar la notoriedad de tal o cual organización.

Algunas obras llevan el sello de la Gran Logia Alpina en la cubierta aunque no las haya publicado esta logia. El Priorato de Sión da una lista de grandes maestres prestigiosos como Leonardo de Vinci, Victor Hugo, Jean Cocteau. Desgraciadamente nunca pudo establecerse una relación entre estas personas y la pretendida organización secreta.

Por otra parte, en todos los casos, incluidos los más recientes como Cocteau, su pertenencia a Sión se «reveló» después de su muerte.

En la lista se encuentra el nombre de Nicolás Flamel: ¿el mítico alquimista existió? La historia ha registrado la existencia de un copista que vivió en París en el siglo XIV y que tenía ese nombre, pero nada permitió establecer una relación entre este personaje, cuya existencia está probada, y el alquimista que habría realizado la gran obra: descubrir la piedra filosofal y fabricar el elixir de la larga vida que da la juventud eterna a su poseedor.

Los documentos que «prueban» la existencia del Priorato de Sión se confirman unos a otros, pero las pruebas exteriores faltan. Los autores de estos opúsculos se ocultan tras seudónimos. Las fuentes de información que citan nunca existieron. La prueba de la supervivencia de los merovingios existiría, atestiguada por pergaminos con el sello de la reina Blanca de Castilla, aseguran, pero se encontraría en la caja de seguridad de un banco... ¿Por qué no se muestra para que los historiadores y otros especialistas comprueben su autenticidad? «No ha llegado el momento», contestan.

Todo esto parece una manipulación que, utilizada hábilmente, ha dado lugar a una literatura abundante, a veces brillante, pero que carece de pruebas.

Jesús: ¡casado con María Magdalena... y enterrado en el sur de Francia!

Michael Baigent, Richard Leigh y Henry Lincoln, en su éxito mundial *The Holy Blood and the Holy Grail*, dicen que el secreto de Sión concerniría a Jesús.

Jesús, explican, era el heredero legítimo del trono del rey David e intentaba expulsar a los romanos de Palestina. Por razones mal conocidas, habría decidido, con la complicidad de Poncio Pilatos, funcionario corrupto, poner en escena un simulacro de crucifixión antes de desaparecer. Como todo sacerdote judío, estaba casado: su mujer era María Magdalena, la pecadora de los Evangelios. Después de la crucifixión, verdadera o mistificada, ella y sus hijos, acompañados por José de Arimatea, se habrían instalado en el sur de Francia.

El santo Grial, generalmente considerado como la copa que había contenido la sangre de Cristo, sería en efecto el «Sangraal», es decir, la sangre real, la de los herederos del rey David... Los descendientes de Jesús, con no se sabe qué alianzas, mezclaron su sangre con la del invasor bárbaro, de donde habrían surgido los merovingios. En nombre de esta filiación «divina» tendrían más derecho que los carolingios o los Capetos a reinar en Francia.

Por desgracia, las «pruebas» aportadas pecan de falta de rigor histórico y no convencen al lector. Además, esta teoría lleva a la conclusión de que Jesús sólo era un político promotor de disturbios: lo que explicaría por qué los templarios, que conocerían este secreto, renegaban de Jesús y escupían sobre la cruz.

La última de estas obras que revela los secretos del Priorato de Sión es un libro que tuvo un inmenso éxito en Gran Bretaña: *The Tomb of God.* Sus autores demuestran que no sólo Jesús no murió en la cruz, sino que está enterrado en el sur de Francia, cerca de Rennes-le-Château: ¡éste sería el secreto de los templarios y del abate Saunière!

La técnica empleada es muy cuidadosa. Consiste en aportar respuestas plausibles a enigmas históricos verdaderos y a relacionarlos entre ellos. Se ignora el tenor de los pergaminos encontrados por el abate Saunières, pero eran documentos importantes que suscitaron un interés sin precedentes por parte de miembros eminentes de las Casas de Borbón y de Habsburgo-Lorena. La hipótesis generalmente admitida —pero no probada— es que algunos contenían genealogías.

Las manipulaciones proponen, pues, una solución creíble: esos títulos establecerían la supervivencia de la raza real merovingia. Luego, a este misterio, se unen otros: los templarios, la epopeya de Juana de Arco, el caso Nicolás Fouquet, las profecías de Nostradamus, la Revolución francesa, y hasta el regreso al poder del general De Gaulle. Todo estaría justificado por las actuaciones de una sociedad secreta que dirigiría un complot planetario tendente a la conquista de Europa.

Esta conclusión es muy seductora, porque permite resolver los misterios históricos de estos dos mil años. Sugiere también que los poderosos de este mundo, soberanos, jefes de Estado, ministros, papas y otros, son marionetas involuntarias en manos de personas más poderosas que ellos. Como para hacer soñar al más común de los mortales...

¿Quién es el futuro rey de Francia?

Esta historia tan excitante debe suscitar dudas e incredulidad en el investigador serio. Todas las fuentes históricas que permiten este razonamiento están sujetas a caución.

Por ejemplo, los «documentos secretos» que establecen la genealogía de los merovingios desde el siglo VIII —época en la que desapareció esta dinastía— únicamente se publicaron en fascículos de difusión confidencial, depositados en la Biblioteca nacional de París para cumplir la formalidad obligatoria del depósito legal. Su autor es desconocido. El nombre que figura en la cubierta de la obra (Henri Lobineau) es un seudónimo y nunca se pudo establecer con certeza quién se oculta realmente detrás de él.

Los presuntos lazos entre Godofredo de Bouillon y el pretendido Priorato de Sión no se basan en un documento verificable.

Una simple homonimia entre Alain Poher y un sir Alain de Poher que vivió en 937, o sea, mil años antes, no bastaría para establecer una filiación entre estas personas. Pero de esta manera se ha pretendido probar que el ex presidente del Senado francés era un descendiente de los merovingios. Existen en Francia una docena de personas que se llaman «Luis Borbón»: ninguna de ellas, que sepamos, reivindica el trono de Luis XIV. Y señalamos que el presidente Poher nunca avaló las tonterías propagadas por algunos tomando como pretexto su nombre.

No se puede reprochar a autores brillantes que hagan novelas sobre las ruinas del Temple: continúan una tradición que se remonta a 1314. Desde el suplicio de Jacobo de Molay, se inflamaron las imaginaciones. En los días que siguieron, se contaba que misteriosos monjes habían recogido las cenizas de los dos condenados, sin olvidar la famosa maldición...

La maldición

«¡Papa Clemente!... ¡Caballero Guillermo!... ¡Rey Felipe!... Antes de un año, os cito a comparecer ante el tribunal de Dios para recibir vuestro justo castigo. ¡Malditos! ¡Malditos! ¡Todos malditos hasta la décimo tercera generación de vuestras razas!...»

Esta maldición del gran maestre Jacobo de Molay al Papa, al guarda del sello del rey y al rey, brillantemente puesta en escena por Maurice Droun en sus Rois maudits ¿fue realmente proferida como dice una tradición persistente?

Varias muertes sospechosas siguieron a la ejecución del gran maestre

Es verdad que, en los meses que siguieron a la ejecución del gran maestre, murieron cierto número de protagonistas del caso.

Clemente V, que ya era anciano y estaba enfermo desde hacía varios años, murió el 20 de abril, sólo treinta y siete días después que el ajusticiado. Quiso recuperar el clima sano de su Gascuña natal, pero después de dejar Carpentras, debió detenerse en el castillo de Roquemaure y allí murió. Sus médicos, cuyo saber no era muy amplio, le habían recetado esmeraldas majadas que trajeron con grandes gastos y que consideraban definitivas para curar la enfermedad; se murió poco después de tragarselas.

Guillermo Imbert, el inquisidor general, fue víctima de una caída del caballo que lo mató en el momento el 2 de noviembre de 1314. Su amigo y cómplice en la persecución de los templarios, Guillermo de Nogaret, encontró la muerte el año anterior, en la primavera de 1313, en circunstancias inexplicadas.

Felipe el Hermoso, gran cazador como todos los Capetos, fue víctima de un accidente el 4 de noviembre en el bosque de Pont-Sainte-Maxence.

Nadie conoce las circunstancias exactas, pero lo encontraron montado en su caballo, perdido el uso de la palabra y moviéndose con gran dificultad. Se supuso que pudo haber sido herido por un jabalí, pero no tenía marca visible. Lo llevaron a Poissy por agua, descansó y recuperó un poco las fuerzas; pero no pudo volver a montar y al sentir llegar su final, quiso ir a Fontainebleau donde había nacido. Murió el 29 de diciembre a los cuarenta y seis años. Auguste Brachet, historiador de la medicina, llegó a la conclusión de que fue víctima de una apoplejía cerebral.[42]

El año 1315 no fue mejor para los otros verdugos del Temple.

Enguerrando de Marigny fue acusado de diferentes malversaciones por Carlos de Valois. El coadjutor de Felipe el Hermoso no logró imponer su autoridad a Luis X, y los grandes señores, con el hermano del rey a la cabeza, quisieron destituirlo.

Marigny y Valois se detestaban desde que el año anterior, en el caso de Flandes, Felipe el Hermoso se negó a mantener la palabra que Valois había dado al conde Luis de Nevers. Éste imputó ese acto a Marigny y juró su perdición. Persiguieron y condenaron al todopoderoso ministro, al que no se había podido encontrar en falta en los asuntos del reino, por brujería y tentativa de maleficio al rey: ¡le reprocharon que tenía un genio en una botella!

Su hermano Felipe, arzobispo de Sens —el mismo que había enviado a la hoguera a los desdichados templarios que se retractaban de sus confesiones— formó parte del tribunal que lo juzgó y condenó a muerte. Enguerrando terminó colgado en el patíbulo de Montfaucon que había hecho construir, y sus bienes confiscados.

En el año siguiente (1316) murieron dos reyes: Luis X y su hijo póstumo Juan I.

---

42. Duque de Lévis-Mirepoix, ob. cit., pág. 342.

En 1307 Luis había hecho aplicar la orden de arresto de los templarios en su reino de Navarra. Murió en circunstancias misteriosas con sólo veintiséis años. Poco después de jugar a la pelota, en su castillo de Vincennes, se quejó de violentos dolores y murió rápidamente. Nunca se supo si había sido envenenado o se había muerto de un enfriamiento por beber agua helada después de entrar en calor.

Unos meses más tarde, su hijo póstumo, el rey Juan I, nacido de su matrimonio con Clemencia de Hungría, murió con cinco días de edad.

Se dice que los malditos mueren antes de haber alcanzado la edad en que Cristo fue sacrificado. Los otros hijos de Felipe el Hermoso terminaron sus días antes de cumplir los 33 años: Felipe V el Largo en 1322, con treinta y un años, Carlos IV el Hermoso en 1328, con treinta y dos años. Ninguno de ellos tuvo descendencia legítima y masculina: así terminó el extraordinario linaje de los Capetos directos que, desde 987, reinaban sin discontinuidad en Francia.

«¡Dios vengará nuestra muerte!»

Los estudios más serios han llegado a la conclusión de que no existió tal cita para comparecer ante el tribunal divino. Se sabe que un templario de Nápoles profirió una maldición de este tipo; pero no fue el gran maestre que, más sobriamente, dijo: «¡Dios vengará nuestra muerte!»

La leyenda de la maldición lanzada desde lo alto de la hoguera por Jacobo de Molay apareció más tarde, posiblemente hacia finales del siglo XIV, en plena Guerra de los Cien años, cuando se tuvo conciencia del encadenamiento desastroso de los acontecimientos que se sucedían desde el año 1314. En ese tiempo, Francia había sufrido las derrotas de Crécy en 1346, de Poitiers en 1356, de Azincourt en 1415: tres desastres aun cuando los ejércitos franceses eran más fuertes. La Gran Peste de 1349, que mató a dos tercios de los habitantes del reino, no podía ser sino el justo castigo enviado por Dios por haber perseguido a los templarios.

La muerte del gran maestre apareció como un martirio. Ya en el momento de los hechos, su ejecución había impresionado por lo súbita y violenta. La orden del Temple había dejado de existir desde hacía tres años y la decisión sobre la suerte de sus dignatarios aparecía, en 1314, como una última formalidad a cumplir. Era imposible que el gran maestre, que reaccionó de golpe y protestó con tal virulencia después de haber dado prueba de gran pasividad en el

caso, y que fue reducido al silencio de manera tan horrible, no dejara una hue-
lla deleble en la memoria de la gente de la época. Los males posteriores contribuyeron a acreditar la idea de que ese día se había lanzado una maldición.

Aunque los templarios eran poco queridos y mal conocidos, su caída ver-
tiginosa suscitó una corriente de compasión hacia ellos. Los enemigos del
rey y de Francia sospecharon una maquinación e intentaron demostrarla.

Hemos visto cómo Giovanni Villani, el cronista florentino a quien no le
gustaba el rey de Francia por haber establecido el papado fuera de Italia, sospechaba que Felipe el Hermoso había fomentado un complot y exigido promesas de Clemente V aún antes de ser elevado al pontificado. Dante, contemporáneo del caso, acusó a los Capetos de codicia aunque, por prudencia,
en su Divina Comedia, pone en escena a Hugo Capeto apuntaba a Felipe IV.

El asunto de los templarios conservó su carácter plenamente histórico
en los siglos que siguieron. Los historiadores se contentaron con oscilar entre
la culpabilidad o la inocencia de la orden y de los hermanos, en función de
sus convicciones y de los documentos, a menudo fragmentarios, que pose-
ían. Los hermanos habían sido acusados de idolatría, no de brujería, pero
muy pronto se les atribuyó un saber sobrehumano y poderes mágicos.

Los «sucesores» de Jacobo de Molay

Varios historiadores de los más eminentes piensan que, después de su supresión, el Temple tomó la forma de una sociedad secreta y subsistió hasta
nuestra época.

El duque de Lévis-Mirepoix no teme en señalar, entre los posibles sucesores de Jacobo de Molay como grandes maestres de la orden, los nombres
de Beltrán Du Guesclin, Juan de Armagnac, Juan de Croy, Felipe de Cha-
bot, Enrique de Montmorency, el duque de Duras, Felipe de Orleans, el
duque del Maine, los príncipes de Condé y de Conti.

Cuando la francmasonería se desarrolló en el siglo XVIII, buscó una filiación que le permitiera justificar su existencia.

Para favorecer su desarrollo, tanto en Francia como en Inglaterra o Escocia, era necesario el apoyo de la aristocracia. Con el fin de reclutar en los
medios que ejercían el poder político y económico, los promotores de estas
logias, aunque de creación reciente, les atribuyeron sin aportar la menor
prueba un origen medieval.

Las logias británicas no hacían ninguna referencia a la antigua caballería en su constitución. Pero el artífice del establecimiento de la francmasonería francesa y creador de las primeras logias en el reino reivindicó una filiación medieval. El caballero Miguel de Ramsay, escocés residente en Francia, partidario de Jacobo II Estuardo y amigo de Fénelon, quiso suscitar, en 1736, la vanidad de los aristócratas franceses asimilando su adhesión a las logias masónicas con la entrada en una orden de caballería.

La pertenencia a una orden (la más prestigiosa era entonces la orden del Santo Espíritu) constituía una distinción por la cual esos cortesanos estaban dispuestos a muchos sacrificios y varias bajezas.

Ramsay, para favorecer el reclutamiento, afirmó que la francmasonería tenía su origen más lejano en el antiguo Egipto y la Grecia antigua: los masones, explicaba, habían sabido conservar y transmitir secretos perdidos. Lo consiguió más allá de sus esperanzas y la implantación de las logias en Francia estuvo en constante progreso a lo largo del siglo XVIII.

Las personas más próximas al poder se habían adherido a estas sociedades semisecretas. En 1789, la principal logia, el Gran Oriente de Francia, estaba presidida por Luis Felipe, duque de Orleans, primer príncipe de sangre. Tendría un papel importante durante la Revolución francesa. Las logias masónicas, que habían adoptado las ideas nuevas de la Ilustración y querían, al final del siglo XVIII, reformar las instituciones francesas para que estuvieran más de acuerdo con su visión de la política y del gobierno, participaron activamente en ella.

Luis Felipe de Orleans, primo del rey, favoreció tanto como pudo las usurpaciones de poder que tuvieron lugar en ese período. Más conocido con el nombre de Felipe Igualdad, hasta votó la muerte de Luis XVI.

Cuando se trató de derrocar a la monarquía y matar al rey y a su familia, la seudofiliación templaria de los masones resurgió: se dedicaron a alentar todas las conspiraciones contra el rey de Francia en nombre de la legítima venganza de Jacobo de Molay.

El encarcelamiento de Luis XVI, la reina María Antonieta y sus hijos, en el Temple de París, no fue una acción inocente: por un cruel paralelo, los revolucionarios —muchos de los cuales eran masones o próximos a las logias y tenían el sentido de lo simbólico— ponían al hijo de san Luis en el lugar y sitio del gran maestre mártir. Molay había dejado la prisión del Temple el 18 de marzo de 1314 para morir en la hoguera; Luis XVI la dejó el 21 de enero de 1793 para subir a la guillotina.

Un sacerdote que ha colgado los hábitos y se ha hecho médico, resucita el Temple en la época de Napoleón

La grotesca filiación templaria de la francmasonería sirvió a la política. Muy pronto, pero esta vez sin que corriera sangre, serviría a la vanidad y la avaricia de algunas personas con problemas de honor y de dinero. La expresión más pintoresca de esta renovación templaria fue sin duda la creación de la Nueva orden del Temple por un tal Fabré-Palaprat.

Esto sucedió con Napoleón, que sentía un gran interés por el caso y que hasta hizo llevar a París los archivos secretos del Vaticano para que fuesen estudiados por los historiadores.

El Emperador alentaba el desarrollo de la francmasonería y de estas seudo órdenes de caballería que atraían a la alta aristocracia, esperando de esta manera ligarla a él y poder controlarla mejor por medio de agentes infiltrados en estas organizaciones. En este contexto, la iniciativa de dos médicos, Ledru y Fabré-Palaprat, encontró la mejor acogida en los ambientes parisinos de moda.

Ledru había sido el médico del duque de Cossé-Brissac. Bernard Raymond Fabré-Palaprat, un ex seminarista, que tal vez había prestado el juramento constitucional. Colgó los hábitos al final de la Revolución, hizo estudios en Caen, se convirtió en doctor en medicina y se instaló en París donde era un profesional de fama y respetado.

Los dos hombres decidieron probar la filiación de la orden del Temple con la francmasonería moderna. Para ello compusieron un documento, fechado en 1324, publicado por un tal Jean-Marc Larmenius, gran maestre de la orden del Temple y sucesor de Jacobo de Molay, que establecía la supervivencia del Temple a través de los siglos y terminaba con la firma de todos los grandes maestres sucesivos desde Larmenius.

El último era el duque de Cossé-Brissac, que oportunamente acababa de morir. Fabré-Palaprat le sucedió en calidad de gran maestre. La Nueva orden del Temple tuvo un éxito inmediato y reclutó en varias grandes familias francesas. La orden contó entre sus miembros con el duque de Choiseul-Praslin. Organizaba cada 18 de marzo, día de la ejecución de Jacobo de Molay, una misa de réquiem en la iglesia Saint-Paul.

El asunto se reveló enseguida muy lucrativo ya que los nuevos miembros compraban a gran precio los diplomas de caballero, prior o comendador según su vanidad y sus medios financieros. La orden poseía también su «tesoro» de reliquias venerables, como los huesos de Jacobo de Molay o su casco.

La orden de Fabré-Palaprat sobrevivió a la caída de Napoleón. Después de un breve tiempo hostigada durante la restauración con Luis XVIII por causa de sus simpatías bonapartistas, retomó muy pronto sus actividades y hasta abrió sus puertas a algunos «templarios».

En 1830, el príncipe de Chimay, miembro eminente, llegó a pedir al Papa que revocara las medidas tomadas por Clemente V y restaurara la orden oficialmente.

Este pedido no fue el único: en 1814, otros templarios, los de la orden de los Caballeros de la Cruz, con William Sydney Smith, súbdito británico, a la cabeza, pidieron directamente la restitución a su orden de la isla de Malta, así como de los bienes de la verdadera orden del Temple.

La recepción de un nuevo templario en pleno siglo XX

La lista completa de las organizaciones que se remiten a los Pobres Caballeros del Templo de Salomón de Jerusalén necesitaría un libro completo.

Gerardo de Sède cuenta que, en 1962, fue invitado a la recepción de un templario. ¿Asistiría a la negación de Jesús, vería escupir la cruz, a la adoración de Bafomet, y hasta a los besos obscenos, en el secreto de una encomienda, al alba? En definitiva, la recepción del nuevo templario, Jaime de Mora y Aragón —hermano de la reina Fabiola de Bélgica— fue una trivial reunión mundana en un gran hotel de París.

El paso del tiempo no desmiente la fascinación por los templarios, detentadores de una sabiduría perdida. Los que invocan a los templarios engañan a los crédulos y a los vanidosos. El reciente ejemplo de la orden del Templo solar, de los suicidios y asesinatos que sus dirigentes instigaron, muestran cómo el espíritu templario permanece vivo.

Si Jacobo de Molay no hubiera dedicado los minutos que precedieron a su muerte a encomendar su alma a Dios, habría podido exclamar: «El Temple ha muerto. ¡Viva el Temple!» Ninguna otra expresión habría presagiado mejor el futuro de la orden.

Anexos

Anexo 1

El acta de acusación de los templarios elaborada por la curia pontifical

1. Aunque declarasen que la orden había sido instituida y aprobada por la Santa Sede, en la admisión de los hermanos, a veces después, se hacía lo que sigue.

2. Cada hermano, sea antes o después de la admisión, o cuando podía, impulsado o por orden del que lo recibía en la orden, renegaba de Cristo, o el crucificado, o Jesús, unas veces de la Virgen María, otras de los santos y santas de Dios.

3. Hacían esto en general.

4. La mayoría de ellos.

5. A veces después de la admisión.

6. Los que recibían decían a los que eran recibidos que Cristo no era el verdadero Dios, o Jesús o el crucificado.

7. Que había sido un falso profeta.

8. Que no había sufrido, ni había sido crucificado por la Redención del género humano, sino por causa de sus crímenes.

9. Los que recibían y los que eran recibidos, no tenían la esperanza de ser salvados por Jesús; los que recibían decían algo equivalente o semejante.

10. Les ordenaban escupir sobre la cruz.

11. Les hacían patear la cruz.

12. Esto sucedía a veces.

13. Desparramaban o hacían desparramar orina sobre la cruz, y esto a veces tenía lugar el viernes santo.

14. Algunos, ese día y durante la semana santa, tenían la costumbre de reunirse para echar orina sobre la cruz y para patearla.

15. Adoraban a cierto gato que aparecía algunas veces en el capítulo.

16. Hacían cosas en desprecio de Cristo y de la fe católica.

17. No creían en el sacramento del altar.

18. Algunos.

19. La mayoría de ellos.

20. Ni en los otros sacramentos de la Iglesia.

21. Los sacerdotes de la orden no pronunciaban, en el canon de la misa, las palabras por las cuales se forma el cuerpo de Jesucristo.

22. Algunos.

23. La mayoría de ellos.

24. Los que recibían actuaban así.

25. Creían, se les decía, que el gran maestre podía dar la absolución de los pecados.

26. También el visitador.

27. Los preceptores, que eran laicos en su mayoría.

28. La daban de hecho, o algunos de ellos.

29. El gran maestre lo confesó en presencia de los más altos personajes, aun antes de su arresto.

30. Cuando la admisión de los hermanos, o poco después, el recibidor y el recibido se besaban, a veces en la boca, en el ombligo, en el vientre desnudo, en el ano, en la columna vertebral.

31. A veces en el ombligo.

32. En la parte del cuerpo donde termina la columna vertebral.

33. A veces en las partes sexuales.

34. En la admisión, hacían jurar a los que recibían que nunca saldrían de la orden.

35. Los recibidos eran enseguida reconnus profes.

36. Las admisiones se hacían clandestinamente.

37. Sin la presencia de alguien que no fueran los hermanos de la orden.

38. A causa de esto, desde tiempos antiguos, se creó una gran sospecha contra la orden.

39. Esto es lo que pasaba habitualmente.

40. Se decía a los hermanos admitidos que podían tener relaciones impuras unos con otros.

41. Que esto era lícito entre ellos.

42. Que debían hacerlo y sufrirlo.

43. Que no era pecado.

44. Lo hacían, o varios de ellos, o algunos de ellos.

45. En diferentes provincias tenían ídolos, es decir, cabezas que algunas tenían tres caras, otras una sola, otras la forma de un cráneo humano.

46. Adoraban a esos ídolos, o a ese ídolo, especialmente en sus capítulos y en sus grandes reuniones.

47. Lo veneraban.

48. Como Dios.

49. Como su Salvador.

50. Algunos de ellos.

51. La mayoría de los que asistían a los capítulos.

52. Decían que esa cabeza podía salvarlos.

53. Hacerlos ricos.

54. Que daba a la orden todas sus riquezas.

55. Que hacía florecer los árboles.

56. Que los hacía germinar.

57. Rodeaban esa cabeza con cordones, hacían que éstos la tocaran; luego ceñían sus cuerpos con esos cordones.

58. Cuando su admisión, se entregaban al hermano cordones de distinto largo.

59. Actuaban así por veneración al ídolo.

60. Se les prescribía el uso de los cordones, que llevaban siempre, aun de noche.

61. Solía hacerse este modo de admisión.

62. En todas partes.

63. Casi en todas partes.

64. A los que se negaban a realizar estos actos, en su admisión o después, los condenaban a muerte o los arrojaban a la prisión.

65. Algunos.

66. La mayoría.

67. Se les prescribía por juramento no revelar estos actos.

68. Bajo pena de muerte o de prisión.

69. No revelar la manera en que los habían recibido.

70. No hablar entre ellos de estos actos.

71. Si hablaban eran condenados a muerte o a la prisión.

72. Se les prescribía confesarse sólo con los hermanos de la orden.

73. Los hermanos que tenían conocimiento de estos errores descuidaron corregirlos.

74. No los hicieron conocer a nuestra santa Madre Iglesia.

75. Continuaron practicándolos, aunque les fuera fácil renunciar a ellos.

76. Observaban estas prácticas en ultramar, en los lugares donde se encontraban el gran maestre y el convento.

77. A veces la negación de Jesús tenía lugar en presencia del gran maestre y del capellán.

78. Esto también pasaba y tenía lugar en Chipre.

79. También en Occidente, en todos los reinos, en todos los lugares donde se hacían las admisiones.

80. Esto se observaba en toda la orden generalmente, desde hacía mucho tiempo, de uso antiguo, como artículos de los estatutos.

81. Estas costumbres, hábitos, prescripciones, admisiones, se observaban en toda la orden, en todos los lugares.

82. Habían introducido estos errores en los estatutos de la orden, después de la aprobación que dio la Santa Sede a la regla.

83. Los hermanos eran recibidos habitualmente de esta manera.

84. El gran maestre prescribía la observancia de estas prácticas. Los visitadores, los preceptores y los otros grandes de la orden.

85. Ellos mismos las observaban, enseñando que había que observarlas.

86. No había otro modo de admisión en la orden.

87. Ningún miembro de la orden tiene conocimiento de que en su época no se haya observado esta costumbre.

88. El gran maestre, los visitadores, los preceptores y los otros grandes con poder en la orden, castigaban severamente a aquellos hermanos que no seguían esta forma de admisión, o se negaban a observarla.

89. No se daban limosnas ni se ofrecía hospitalidad como debía hacerse.

90. No era pecado para los hermanos apoderarse de los bienes de otro, por medios buenos o malos.

91. No era pecar actuar de esta manera.

92. Tenían la costumbre de realizar secretamente sus capítulos.

93. Al alba.

94. En los lugares donde celebraban sus capítulos, expulsaban a las familias de las casas, y forzaban a las personas a pasar la noche fuera.

95. Se encerraban para celebrar sus capítulos, cerraban las puertas de la casa o de la iglesia donde se realizaban, hasta el punto de que nadie podía acercarse, ni entrar, nadie podía ver o escuchar lo que allí pasaba o se decía.

96. Tenían la costumbre de colocar un centinela en el techo de la casa que servía para las reuniones del capítulo, para vigilar que nadie se acercara al lugar donde se reunían.

97. Observaban, tenían la costumbre de observar la misma clandestinidad, en la recepción de los hermanos.

98. Desde los tiempos más lejanos creían que el gran maestre tenía el poder de dar a los hermanos la absolución de sus pecados.

99. Que hasta podía dar a los hermanos la absolución de los pecados no confesados, que hubieran olvidado confesar, por temor a las penas disciplinarias o a la penitencia.

100. El gran maestre confesó sus errores antes de su arresto, en presencia de eclesiásticos y laicos dignos de fe.

101. En presencia de los principales de la orden.

102. Sostuvieron esos errores, no sólo el gran maestre, sino los preceptores y los más altos dignatarios de la orden.

103. Toda la orden debía observar, y observaba, lo que el gran maestre decidía, o hacía con el convento.

104. Porque desde la antigüedad ese poder residía en su persona y le pertenecía.

105. Estos errores, estas detestables costumbres duraron mucho tiempo; el personal del Temple se renovó varias veces desde que se pusieron en práctica.

106. Todos, o los dos tercios de la orden, por lo menos, conocían esos errores, o descuidaron corregirlos.

107. Descuidaron hacerlos conocer a la santa Iglesia.

108. No dejaron de observar esos errores, de estar en comunión con los que los practicaban, aunque tenían la posibilidad, la facultad de separarse de ellos.

109. Muchos hermanos salieron de la orden a causa de estas infamias y estos errores; unos entraron en otra religión, otros dejaron los hábitos.

110. A causa de lo que precede, estallaron grandes escándalos entre los más altos personajes, los reyes, los príncipes, entre las poblaciones.

111. Todo esto es conocido, manifiestamente conocido por todos los hermanos de la orden.

112. Era voz pública, opinión común, rumor general, no sólo entre los hermanos sino en todas partes.

113. En lo que concierne a la mayor parte de los artículos anteriores.

114. O a algunos.

115. El gran maestre, el visitador, los grandes comendadores de Chipre, Normandía, Poitou, varios otros preceptores y hermanos de la orden confesaron, ante la justicia y en otras partes, en presencia de personajes oficiales en varios lugares, ante oficiales públicos.

116. Varios hermanos de la orden, tanto caballeros como sacerdotes y otros, en presencia de nuestro señor el Papa y de los cardenales, confesaron estos errores en la totalidad o en parte, bajo juramento.

117. También renovaron sus confesiones, y reconocieron la existencia de las costumbres anteriores, en pleno consistorio.[1]

Anexo 2

Partes que se encontraron de la Regla secreta atribuida al maestre Roncelin

Artículo primero: El pueblo que caminaba en la oscuridad vio una gran luz y los que estaban en la sombra de la muerte vieron esa luz.

Artículo 2: Sabed que reyes, papas, obispos, abates y maestres desearon ver y escuchar lo que escucháis y veis, pero no lo vieron ni escucharon y nunca lo conocerán.

Artículo 3: Ha llegado el momento en que no se adorará al Padre, ni a Jerusalén, ni a Roma. El espíritu es Dios y si sois de Dios, lo adoraréis en espíritu y en verdad.

Artículo 5: Sabed que para Dios no hay diferencia entre las personas, cristianos, sarracenos, judíos, griegos, romanos, francos o búlgaros, porque cualquier hombre que reza está salvado.

---

1. Lavocat, op. cit., pág. 238 y ss.

Artículo 9: Al ser la ignorancia la fuente de los errores, nadie será admitido entre los Elegidos si no conoce por lo menos el Trivium y el Quadrivium.

Artículo 11: Se recomienda expresamente rodearse de las mayores precauciones respecto a los monjes, sacerdotes y obispos, abates y doctores de la ciencia porque actúan como traidores con el fin de rodar más libremente en el fango de sus crímenes. Serán aceptados sin que se les revele nada de los estatutos y costumbres de la Orden.

Artículo 13: El nuevo hermano es absuelto y liberado de todos los mandamientos de la Iglesia en nombre de Dios que no es engendrado y que no engendra, en nombre del Verdadero Cristo que no murió y que no puede morir.

Artículo 16: Los estatutos secretos no serán traducidos a ninguna lengua vulgar y jamás estarán en manos de los hermanos.

Artículo 20: Porque el Hijo de María y de José fue santo, libre de todo pecado y crucificado, lo veneramos como Dios; pero la madera de la cruz, la consideramos el signo de la bestia de la que se habla en el Apocalipsis.

Artículo 29: Si un hermano olvida, por ligereza, charlatanería, y da a conocer la mínima parte de los estatutos secretos o de lo que se hace en los capítulos nocturnos, que sea castigado según la magnitud de su falta. Si os interroga la justicia sobre los usos, leyes, estatutos y empresas secretas de la Orden, resistid a esa tiranía negando y jurando vuestra ignorancia.[2]

Anexo 3

Los grandes maestres de la orden del Temple
(La fecha es la de su elección)

1. Hugo de Payns (1118)
2. Roberto de Craon (1136)
3. Evrard de Barres (1147)

2. Mertzdorff, *Status secrets du Temple*, Hamburgo, 1877; Gérard de Sède, *Les Templiers sont parmi nous*, París, 1962; Jean Markale, *Gisors et l'énigme des Templiers*, París, 1986.

4. Bernardo de Tremelay (1151)
5. Beltrán de Blanquefort (1153 o 1156) (André de Montbard tal vez fue gran maestre de 1153 a 1156)
6. Felipe de Naplouse (1169)
7. Odón de Saint-Amand (1171)
8. Arnaud de Torroge (1179)
9. Juan de Terric (1184)
10. Gerardo de Ridefort (1187)
11. Roberto de Sables (1190)
12. Gilbert Eral (1193)
13. Felipe de Plessis (1201)
14. Guillermo de Chartres (1209)
15. Pedro (o Thomas) de Montaigu (1217)
16. Armando de Grosse-Pierre (1221)
17. Hermann de Périgord (1232); Guillermo de Rochefort, gran maestre o regente (1244)
18. Guillermo de Sonnac (1244)
19. Renauld de Vichiers (1251)
20. Thomas de Béraud (o Bérard) (1256)
21. Guillermo de Beaujeu (1273)
22. Thibaud Gaudin (1291)
23. Jacobo de Molay (1295)

Los maestres provinciales de Castilla y León

1. Pedro de Robeyra (1152)
2. Guido de Garda (1178)
3. Juan Fernández (1183)
4. Gutierre Hermildes (fecha de elección desconocida)
5. Esteban de Belmonte (en la época de Alfonso IX)
6. Gómez Ramírez (1212)
7. Pedro Álvarez Aluito (1221)
8. Martín Martínez I, maestre de castilla, Aragón y Portugal (1243)
9. Pedro Gómez (1248)
10. Martín Nuñez (1257)
11. Lope Sánchez (1266)

12. Guillermo (1269)
13. Garcí Fernández (1271)
14. Juan Fernández Cay, maestre de Castilla, León y Portugal (1283)
15. Fernando Pérez (1286)
16. Sancho Ibañez (1295)
17. Ruí Díaz (1296)
18. Pedro Yáñez
19. Rodrigo Yáñez (1309)

Los maestres provinciales de Aragón y de Cataluña

1. Pedro de Ravera (1143)
2. Berenguer de Aviñón (1149)
3. Pedro de Rueyra (1149)
4. Arnaldo de Tarroja (1174)
5. Hugo Jofre (1176)
6. Arnaldo Claramonte (1196)
7. Ramón de Gurb (1198)
8. Pedro de Monteagudo (1210)
9. Guillén de Montedon (1214)
10. Adelmaro de Clareto (1216)
11. Ponce Mariscal (1218)
12. Guillén de Allaco (1221)
13. Francisco Mompesar (1227)
14. Bernardo Champans (1230)
15. Ramón Patot (1233)
16. Hugo de Monlauro (1235)
17. Ramón Berenguer (1238)
18. Astruque de Claramonte (1239)
19. Martín Martínez I, maestre de Castilla, Aragón y Portugal (1243)
20. Guillén de Cardona (1250)
21. Guillén de Pontos (1265)
22. Antonio de Castelnov (1272)
23. Pedro de Moncada (1276); Pedro de Queralt, lugarteniente (1276)
24. Berenguer de Cardona (1291)
25. Bartolomé Belvis, lugarteniente (1308)

Los maestres provinciales de Portugal

1. Galdín Páez (1126)
2. Hugon (1154)
3. Galdín II (1195)
4. Lope Fernández (1199)
5. Fernando Díaz (1206)
6. Gómez Ramírez (1210)
7. Pedro Álvarez Aluito (1212)
8. Martín Sánchez (1228)
9. Simón Méndez (1229)
10. Alonso Gómez (1231)
11. Martín Martínez I, maestre de Castilla, Aragón y Portugal (1243)
12. Pedro Gómez II (1248)
13. Martín Núñez (1263)
14. Beltrán de Valverde (1273)
15. Vasco Fernández (1278)
16. Juan Fernández Cay, maestre de Castilla, León y Portugal (1283)
17. Lorenzo Martínez (1311)

Anexo 4

El testamento de Alfonso el Batallador, rey de Aragón

Testamento de Don Alonso Sánchez, rey de Aragòn, y Navarra, que por otro nombre llamaron Don Alonso el Batallador, y aùn le arrogan el de D. Alonso el Emperador, hecho en el Cerco sobre Bayona, por Octubre del año 1131.

En nombre del sumo, è incomparable Bien, que es Dios. Yo Alonso Sánchez, Rey de los Aragoneses, Pamploneses, y de los Rivagorzanos, pensando conmigo mismo, y rebolviendo en mi mente, que à todos los hombres los engendrò mortales la naturaleza: propuse en mì mismo, mientras gozo de vida, y buena salud, ordenar à cerca del Reyno que Dios me ha dado, y de mis posesiones, è rentas, lo que haya de ser después de m assi, temiendo el Juycio Divino, por la salud de mi Alma, y la de mi Padre,

y de mi Madre, y de todos mis mayores, hago este mi Testamento, à Dios
nuestro Señor Jesu-Christo, y à todos sus Santos, y con buen animo, y voluntad ofrezco à Dios, y à la Bienaventurada Sànta Maria de Pamplona, y à
San Salvador de Leyre, el Castillo de Estella, con toda la poblacion, y con
todas las cosas que pertenecen al Derecho Real, de manera, que la mitad
sea de Sànta Maria, y la mitad de San Salvador de Leyre. Asimismo dono
à Sànta Maria de Naxera, y à San Millan, à Naxera, con todas sus rentas, y
honores, que le pertenecen; y assimismo el Pueblo de Tubìa, con todo el
honor que le pertenece, y de todo la mitad sea para Sànta Maria, y la mitad
para San Millàn. Assimismo ofrezco à San Salvador de Oña, à Belorado,
con todo su honor. Dono tambien à San Salvador de Oviedo las Villas de
Sant Estevan de Gormàz, y Almazàn, con quanto le pertenece. Dono tambien à Santiago de Galicia, a Calahorra, Cerbera, y Tudegen, con todo su
pertenecido. Doy assimismo à Santo Domingo de Silos la Villa de San-
guessa, con sus dos Burgos, nuevo y viejo, y su Mercado. Dono tambien al
Bienaventurado San Juan de la Peña, todos los bienes dotales, que fueron
de mi Madre; es à saber: Biel, Baylo, Asturito, Arderes, y Sieros, y todas
aquellas cosas que pudieren hallar fueron de mi Madre, y de esto sea la
mitad de San Juan de la Peña, y la otra mitad de San Pedro de Siressa, con
todo su pertenecido. Y esto assi dispuesto, para despues de mi muerte, dexo
por heredero, y sucessor mio al Sepulcro del Señor, que està en Jerusalèn,
y à los que velan en su custodia, y sirven alli à Dios, y al Hospital de los
Pobres de Jerusalèn, y al Templo de Salomòn, con los Cavalleros que alli
velan para la defensa de la Christiandad. A estos tres dexo mi Reyno, y el
Señorio que tengo en toda la tierra de mi Reyno, y el Principado, y Juris-
dicion, que me toca sobre todos los hombres de mi Tierra, assi Clerigos,
como Legos, Obispos, Abades, Canonigos, Monges, Grandes, Cavalleros,
Labradores, Mercaderes, hombres, mugeres, pequeños, y grandes, ricos, y
pobres, y Judios, y Sarracenos, con las mismas leyes, y costumbres, que mi
Padre, y mi Hermano, y Yo los hemos tenido agora, y los debemos tener, y
regir. Añado tambien à la Cavalleria del Templo el Cavallo de mi Persona,
con todas mis Armas. Y si Dios me diere à Tortosa, toda enteramente sea
del Hospital de Jerusalèn. Fuera de esto, porque no serà maravilla haver-
nos engañado como hombres, si acaso Yo, ò mi Padre huviessemos quitado algo injustamente à las Iglesias de nuestra Tierra, Sedes, ò Monasterios
de sus honores, ò possessiones, rogamos y mandamos à los Prelados del
Sepulcro del Señor, y del Hospital, y de la Cavalleria del Templo, que con

toda justicia lo restituìan. De la misma suerte, si acaso, ò Yo, ò alguno de mis antecessores huviessen quitado, con agravio, à algun hombre, ò muger, Clerigo, ò layco su heredamiento, ellos con toda misericordia se lo restituyan. Pero si (lo que Dios no quiera) algunos de los que posseen agora, ò tuvieren à tiempo por venir estos honores, se quisieren levantar con soberbia, sin reconocer servir, ni obedecer à los yà dichos Varones Santos, como à mi me reconocen mis Vassallos, y Fieles mios, apelliden de ellos como en caso de traycion, y de baucia, como si yo estuviera vivo, y presente, y todos ayuden, y defiendan à los yà dichos Santos, y à sus hermanos, como agora hacen conmigo, con toda fidelidad, y sin engaño. Todas las cosas sobredichas ordeno, y hago por la alma de mi Padre, y de mi Madre, y por la remission de todos mis pecados, para que merezca hallar lugar en la vida eterna. Amen. Fecha la Carta en la Era de mclxix. En el mes de Octubre, en el Cerco de Bayona.[3]

3. Fuente: Lic. Don Pedro Rodríguez Campomanes, *Dissertaciones historicas del Orden y Cavalleria de los Templarios*, Madrid, 1747, págs. 198 y ss.

Bibliografía sumaria

Alarcón, Rafael, *A la sombra de los Templarios*, Barcelona, 1998.

Ambelain, Robert, *Jesús o el secreto mortal de los templarios*, Barcelona, 1987.

Andrews, Richard, Schellenberger, Paul, *La tumba de Dios: el cuerpo de Jesús y la solución a un misterio de 2000 años*, Barcelona, 1997.

Anquetil, Louis-Pierre, *Histoire de France*, París, 1825, 12 vol.

Baigent, Michael, Leigh, Richard, Lincoln, Henry, *The Holy Blood and the Holy Grail*, Londres, 1982.

Baigent, Michael, Leigh, Lincoln, Henry, *El legado mesiánico*, Barcelona, 1987.

Ballester, Rafael, *Histoire de l'Espagne*, París, 1928.

Bastús V., Joaquín, *Historia de los templarios*, s.l., 1834; edición aumentada, Madrid, 1998.

Bertin, Claude, *Les grands procès, «Los Templarios»*, Ginebra, 1995.

Bordonove, Georges, *La vida cotidiana de los templarios en el siglo XIII*, Madrid, 1989.

Boutaric, Edgar, *La France sous Philippe le Bel*, París, 1861.

Charpentier, Louis, *Los misterios templarios*, Madrid, 1995.

Cierva, Ricardo de la, *Templarios: la historia oculta*, Toledo, 1998.

Delisle Léopold-Victor, *Mémoire sur les opérations financières des Templiers*, París, 1889.

Demurger, Alain, *Auge y caída de los templarios*, Barcelona, 1986.

Druon, Maurice, *Les Rois maudits*, Ginebra, 1977, 9 vol.

Favier, Jean, *Les Templiers et leur mystère*, Ginebra, 1993.

Fleig, Alain, *Les Templiers et leur mystère*, Ginebra, 1993.

G*** Ph. (Philippe Grouvelle), *Mémoires historiques sur les Templiers*, París, s.f.; edición de Jean de Bonnot, París, 1994.

Gobry, Ivan, *Le Procès des Templiers*, París, 1995.

Lacroix, Paul, *La Chevalerie et les croisades*, París, 1887; edición Arnaud de Vesgre, París, 1985.

Lavocat, Louis Léon-Lucien, *Procès des frères et de l'ordre du Temple*, París, 1888.

Lévis-Mirepoix, Duc de, *La France féodale*, París, 1974, 6 vol.

Lizerand, Georges, *Le Dossier de l'affaire des Templiers*, París, 1923.

López, Santiago, *Historia y tragedia de los Templarios*, Madrid, 1813.

Madariaga, Salvador de, *Hernán Cortés*, Madrid, 1975.

Mahieu, Jacobo de, *Les Templiers en Amérique*, París, 1981.

Markale, Jean, *Gisors et l'enigme des Templiers*, París, 1986.

Markale, Jean, *Rennes-le-Château et l'enigme de l'or maudit*, París, 1989.

Martínez Esteruelas, Cruz, *Los Caballeros del templo de Salomón*, Barcelona, 1994.

Melville, Marion, *La Vie des Templiers*, París, 1974.

Michelet, Jules, *Historia de Francia, «La Edad Media»*, obra completa, Barcelona, 1982.

Michelet, Jules, *Le Procès des Templiers*, París, 1841-1851, 2 vol.

Partner, Peter, *Templiers, franc-maçons et sociétés secrètes*, París, 1992.

Pernoud, Régine, *Les Templiers*, París, 1974-1994.

Pernoud, Régine, *Para acabar con la edad media*, Palma de Mallorca, 1999.

Perrini, Giorgio, *Les Aveux des Templiers*, París, 1992.

Piquet, Jules, *Les Templiers. Étude de leurs opérations financières, tesis de doctorado*, París, s.f.

Raynouard, François-Marie, *Monuments historiques relatifs à la condamnation des chevaliers du Temple et à la abolition de leur ordre*, París, 1813.

Riley-Smith, Jonathan, *Les Croisades*, París, 1990.

Rodríguez Campomanes, Pedro, *Dissertaciones historicas del Orden y Cavalleria de los Templarios*, Madrid, 1747.

Sède, Gerardo de, *Les Templiers sont parmi nous*, París, 1962.

Testas, Guy, Testas, Jean, *La inquisición*, Barcelona, 1970.

Vaneigem, Raoul, *Les Hérésies*, París, 1994.

Índice